Univers de...   S0-AKI-037

Sous la direction de
Fernand Angué, André Lagarde, Laurent Michard

S T E N D H A L

LE ROUGE
ET LE NOIR

Extraits

avec une notice sur la vie de Stendhal, une étude
générale de son œuvre, une analyse méthodique
du roman, des notes, des questions, des jugements

par

Edmond RICHER

Ancien élève de l'École normale supérieure
Agrégé des Lettres
Professeur de Première Supérieure
au Lycée Louis-le-Grand

Bordas

© Bordas, Paris 1968 - 1re édition
© Bordas, Paris 1984 pour la présente édition
I.S.B.N. 2-04-016087-6; I.S.S.N. 0249-7220

VIE DE STENDHAL

Dessin au crayon
sous lequel Stendhal a écrit :
« une oasis dans ce désert
de la vie de Civita Vecchia »
« 2 août 1841. H. Beyle. »

STENDHAL

Portrait peint par
Dedreux-Dorcy

Musée de Grenoble

VIE DE STENDHAL (1783-1842)

**En famille à Grenoble
(1783-1796)**

HENRI BEYLE naquit à Grenoble en 1783. La capitale du Dauphiné n'était pas sans charmes, mais c'est trop peu dire qu'il n'y fut jamais sensible, non plus qu'à l'agrément et à la légèreté d'une société au milieu de laquelle Laclos avait évolué et conçu ses *Liaisons dangereuses*, et où vivait encore celle qui avait été sans doute le modèle de Mme de Merteuil. Plus tard, Stendhal fera cette confidence brutale : « Tout ce qui est bas et plat dans le genre bourgeois me rappelle Grenoble, tout ce qui me rappelle Grenoble me fait horreur, non, *horreur* est trop noble, *mal au cœur* [1]. »

C'est que, dans son souvenir, son enfance fut marquée, si nous l'en croyons, par « l'absence de tout plaisir » et « une suite de douleurs amères et de dégoûts ». Sa famille pourtant était aisée, ses ascendants bourgeois, à vrai dire encore proches de leurs origines paysannes, mais faisant fort bonne figure dans la ville, dont le grand-père d'Henri Beyle n'était pas loin de posséder la plus belle maison. Selon certains de ses biographes, notamment Henri Martineau, Henri Beyle devrait à ses ancêtres paternels, marchands et robins, son esprit calculateur et son goût pour la précision, tandis que ses ancêtres maternels, les provençaux GAGNON, lui auraient légué une sensibilité plus aiguë, un sens artistique plus développé, voire une nostalgie des climats méditerranéens qui expliquerait son engouement futur pour l'Italie. Quoi qu'il en soit de ces filiations, toujours quelque peu hypothétiques, c'est sur le plan sentimental que sa famille l'a le plus marqué, on pourrait même dire : blessé. A moins de huit ans, il eut le malheur de perdre sa mère, « une femme charmante », dont il était « amoureux ». Son père, CHÉRUBIN BEYLE, ne manquait certes ni de conscience ni sans doute de tendresse pour son fils, mais il sut si mal la lui manifester qu'il lui laissa le souvenir indélébile d'un père indifférent ou hostile, doublé d'un bourgeois aux idées étroites, bigot et morose, dont l'acte le plus positif en matière d'éducation fut de confier son fils à l'abbé RAILLANE, un prêtre réfractaire, « maigre, très pincé, le teint vert, l'œil faux avec un sourire

---

1. *Vie de Henry Brulard*, p. 86. C'est à cet ouvrage, ainsi qu'aux *Souvenirs d'égotisme*, que nous empruntons la plupart des citations de cette biographie.

abominable ». Le troisième « mauvais génie » de son enfance
fut pour Henri Beyle sa tante SÉRAPHIE, sœur de sa mère, « un
diable femelle », comme il l'appelle, qui avait « toute l'aigreur
d'une fille dévote qui n'a pas pu se marier ». C'est à elle pourtant
que sa mère avait confié l'enfant en mourant; mais le jeune
Henri Beyle ne tarda pas à soupçonner la tante de s'intéresser
plus au beau-frère qu'au neveu, et il se sentait de trop dans leur
intimité au demeurant très chaste. Il parle encore avec aigreur,
en 1835, de ces « interminables promenades aux Granges,
dans un marais sous les murs de la ville », où, ajoute-t-il, « on
me prenait en tiers en prenant la précaution de me faire marcher
à quarante pas en avant dès que nous avions passé la porte
de Bonne ». Il n'en fallait pas davantage pour que le jeune
Henri Beyle, déjà sensible et ombrageux, prît par réaction le
contre-pied des idées de son précepteur, de son père et de sa
tante : de bonne heure il déteste Dieu, dans la mesure où il
y croit, et se réjouit de la mort de Louis XVI, qui consterne sa
famille, comme de l'inscription de son père, pendant la Terreur,
sur la liste des suspects.

Il trouve pourtant quelques consolations dans sa famille
maternelle, notamment auprès de « l'excellent grand-père
auquel [il] doit tout », le docteur HENRI GAGNON, qui fut son
« camarade sérieux et respectable », son « véritable père ». Ce
docteur Gagnon était un notable de Grenoble, et surtout un
séduisant libéral voltairien qui avait fait le pèlerinage de Ferney;
jusqu'à sa mort, en 1813, il s'intéressa effectivement beaucoup
à son petit-fils. Henri Beyle était reconnaissant aussi à sa grand-
tante ÉLISABETH GAGNON, qui s'écriait à tout propos « c'est
beau comme le *Cid* », de lui avoir légué son « espagnolisme »,
son horreur de la bassesse et de la vulgarité, cependant que
l'oncle ROMAIN GAGNON, célèbre par ses succès mondains et
ses aventures galantes, homme de plaisir raffiné, incarne aux
yeux de son neveu le séducteur désinvolte et triomphant que
Stendhal rêvera toujours en vain de devenir.

En dépit de ces quelques personnages sympathiques, le bilan
des premières années d'Henri Beyle est celui d'une enfance
contrainte et dépourvue d'épanouissement chaleureux : les
préjugés bourgeois de son père, « très fier d'avoir un précepteur
pour son fils », l'empêchent de « laisser aller l'enfant avec des
enfants du commun », si bien qu'il n'eut jamais de camarades
de son âge. Quarante ans plus tard, Stendhal nous fait encore
cette confidence, d'une amertume poignante : « Qui le croirait,
je n'ai jamais joué aux billes et je n'ai eu de toupie qu'à l'inter-
cession de mon grand-père, auquel pour ce sujet sa fille Séraphie
fit *une scène.* » Sans doute, ce tableau est-il poussé au noir;
mais ce qui importe, plus que la vérité objective, d'ailleurs
difficile à établir, c'est le souvenir qu'a gardé Stendhal de bles-

sures assez profondes pour le faire souffrir encore en 1835. Il est peut-être injuste pour l'abbé Raillane, pour son père et pour sa tante, mais il reste que ce sentiment d'être peu et mal aimé lui apprit une précoce hypocrisie et la conviction que tous les triomphes du monde excluent la franchise et la docilité au premier mouvement.

L'École centrale de Grenoble (1796-1799)

Il est encore un jeune adolescent d'à peine quatorze ans lorsqu'il conçoit « l'idée de génie » que « les mathématiques peuvent le faire sortir de Grenoble ». Pour cela, il entre en 1796 à l'École centrale de Grenoble, qui tenait à la fois du lycée et de la Faculté, pour y préparer le concours de l'École polytechnique. Il est heureux de trouver ainsi une certaine liberté et d'échapper aux contraintes familiales (du reste, sa tante Séraphie est morte quelque temps auparavant), mais ses condisciples le déçoivent et leur médiocrité le fait se cabrer. Écoutons sa propre confidence : « Ces compagnons si gais, si aimables, si nobles, que je m'étais figurés, je ne les trouvais pas, mais à leur place des polissons très égoïstes. » Et l'on ne peut s'empêcher de penser aux débuts de Julien Sorel au séminaire, lorsque Stendhal ajoute : « Je ne réussissais guère avec mes camarades. Je vois aujourd'hui que j'avais alors un mélange fort ridicule de hauteur et de besoin de m'amuser. Je répondis à leur égoïsme le plus âpre par mes idées de noblesse espagnole. » En tout cas, ses résultats en mathématiques sont brillants et sans doute eût-il été reçu à Polytechnique. Mais ce qu'il voulait, c'était un prétexte pour quitter Grenoble, les épreuves du concours devant avoir lieu à Paris. Il s'y rend bien, en effet, en novembre 1799, mais ne se présente pas au concours : aux yeux d'un jeune homme de son époque, impatient de quitter sa province, Paris valait bien une préparation à Polytechnique, dût-elle rester sans conclusion.

De Paris à Milan (1800-1802)

Le voici donc à Paris, à dix-sept ans, au seuil d'une existence qu'il imagine glorieuse et souhaite mouvementée. Mais ses aspirations sont assez vagues : il n'a pas la dureté cynique d'un Rastignac, ni tant de défi dans sa résolution. Plus justement, Léon Blum note qu' « il mêlait en lui la curiosité effrénée de Chérubin, l'enthousiasme lyrique de Saint-Preux, l'application calculée de Valmont ». La déception vint vite : l'hôtel meublé, la chambre solitaire n'avaient rien d'exaltant, non plus que le salon de ses cousins Daru, où il dissimulait mieux son ennui que sa gaucherie. Du moins PIERRE DARU, qui exerçait de hautes fonctions au ministère de la Guerre, s'occupa-t-il de lui trouver d'abord un emploi à ce ministère, puis de l'envoyer, en qualité de sous-lieutenant, rejoindre en plein printemps l'armée d'Italie et découvrir Milan au moment même où Bonaparte remportait la victoire de Marengo. Ce fut un éblouissement, et quand Stendhal l'évoquera, plus de trente ans après, au dernier chapitre de la *Vie de Henry Brulard*, ses souvenirs lui arracheront encore des exclamations. Tout l'enchantait : le décor quotidien des palais, la peinture, les paysages de soleil, la musique de Cimarosa, les belles Italiennes point trop farouches ; il croyait possible de vivre là selon son cœur, d'être amoureux sans mensonge, et spirituel sans vanité. Bref, le futur théoricien de la « cristallisation [1] » éprouva pour la cité lombarde et pour l'Italie, terre de l'énergie et de la *virtù*, un coup de foudre si vif qu'elle fut désormais sa seconde patrie et qu'il désirera que sa tombe ait pour épitaphe : « Henri Beyle, Milanais. » Mais l'ennui provoqué, au bout de quelque temps, par la vie militaire est encore le plus fort. Henri Beyle démissionne de l'armée et revient pour un temps à Paris (1802).

Armée et littérature
(1802-1814)

L'officier de dragons repenti va maintenant donner à ses ambitions une orientation plus littéraire. A vrai dire, ses projets sont assez variés puisqu'il veut, selon sa propre formule, « faire des comédies comme Molière et vivre avec une actrice ». Jusqu'en 1806, il va mener dans la capitale une existence un peu décousue, aux activités dispersées, mais qui l'enrichissent finalement puisque lui-même appellera cette période sa seconde éducation. Il s'exerce, en entreprenant son *Journal*, à analyser non seulement son âme, mais plus généralement l'âme humaine. Il subit profondément l'influence des *idéologues*, notamment de Cabanis, « père du matérialisme, dont le livre *Rapport du physique et du moral* avait été [sa] Bible à 16 ans », et Destutt de Tracy, dont il fréquentera plus tard le salon. Ces *idéologues*, qui se situent dans la tradition du philosophe sensualiste Condillac, réduisent en somme la pensée à la sensation, en laquelle ils voient la source de toute connaissance. Ce « matérialisme » exerce une grande influence sur le futur psychologue du traité *De l'Amour*.

Mais Henri Beyle n'est pas encore Stendhal : grâce à son cousin Daru, une nouvelle fois, il revient dans l'armée, comme

---

1. Voir *De l'amour* (p. 16) et ici p. 18.

officier d'Intendance, parcourt, avec quelques arrêts à Paris, l'Europe napoléonienne, participe même à la campagne de Russie, avant de « tomber avec Napoléon », comme il dit plaisamment, en avril 1814.

Milan (1814-1821) Libre d'organiser sa vie et de choisir à son gré sa résidence, il part s'installer à Milan, qui l'avait tellement séduit quinze années auparavant, et tenter d'y trouver enfin ce bonheur dont il avait cru jadis apercevoir un bref éclair. Il fréquente, avec des fortunes diverses, de belles Lombardes, parmi lesquelles il faut citer cette MÉTILDE DEMBOWSKA, dont la « tête sublime » et la finesse mélancolique provoquent une passion fougueuse et vivace qui ne sera pourtant guère partagée. Il se mêle aux milieux libéraux, tout en exerçant une certaine activité littéraire. Il écrit quelques ouvrages de critique, qui sont en fait des compilations : *Vie de Haydn, Mozart et Métastase* (1815), *Histoire de la peinture en Italie* (1817). Dans *Rome, Naples et Florence*, on trouve des chroniques plus personnelles, et signées pour la première fois du pseudonyme de **Stendhal.**

Mais la police autrichienne s'inquiète de ce Français libéral un peu trop remuant. Après bien des hésitations, Stendhal se rend compte que sa sécurité est en jeu; en juin 1821, la mort dans l'âme, il quitte Milan, — et aussi Métilde qu'il ne devait par la suite ni revoir ni oublier.

Paris (1821-1830) De 1821 à 1830, Stendhal séjourne le plus souvent à Paris, à part quelques voyages en Italie ou à Londres. Ce devrait être pour lui l'époque de la maturité heureuse, mais il a laissé son cœur en Italie et, malgré quelques intrigues galantes, quelques succès de salon, d'assez nombreuses relations, il souffre d'être au total pauvre, méconnu, et de se voir contraint, bon gré mal gré, de mener encore, à plus de quarante ans, la vie retirée d'un vieux garçon sans éclat et désœuvré. Cependant son activité littéraire est importante et variée : en 1822 paraît *De l'Amour ;* en 1823, *Racine et Shakespeare*, pamphlet plein de verve contre les classiques, ainsi qu'une *Vie de Rossini ;* en 1827, *Armance*, son premier roman psychologique, qui n'eut aucun succès; en 1829, les *Promenades dans Rome ;* et, à la fin de 1830, *Le Rouge et le Noir*, son premier chef-d'œuvre.

Encore l'Italie   Après la Révolution de Juillet, le régime
(1830-1842)   de Louis-Philippe le renvoie dans sa
                            chère Italie, et le voici consul à Trieste,
puis, dès 1831, à Civita-Vecchia, aux portes de Rome. Mais
sa santé s'est altérée et il doit prendre un long congé de 1836
à 1839. Il publie cependant les *Mémoires d'un touriste* (1838),
les *Chroniques italiennes*, et surtout *La Chartreuse de Parme*
(1839), son deuxième grand roman. De nouveau en congé en
1841, il revient mourir à Paris en 1842.

Il avait écrit à Civita-Vecchia des œuvres qui ne seront publiées
qu'après sa mort : la *Vie de Henry Brulard* et les *Souvenirs
d'égotisme*, savoureuses chroniques autobiographiques; une
Vie de Napoléon; et deux romans inachevés : *Lucien Leuwen*
et *Lamiel*.

Au total, la vie de Stendhal nous apparaît singulièrement
vagabonde et décousue, — et sans doute assez triste : si l'on
excepte quelques années de son second séjour à Milan, il semble
bien que de sa célèbre « chasse au bonheur » il soit revenu
à peu près bredouille. Né dans une famille qui le heurta préco-
cement, il ne sut pas ou ne put pas en fonder une, et le bilan de
ses amours comme de ses amitiés n'est guère positif : c'est le
drame continu d'une tendresse et d'une générosité qui n'ont pas
trouvé à se donner. Il n'a pas plus réussi sa carrière diplomatique
que, de son vivant du moins, sa carrière littéraire; et cet homme
qui n'a « jamais eu de chez lui », comme l'a noté Léon Blum,
a été terrassé par l'apoplexie en pleine rue avant d'aller mourir
dans une chambre d'hôtel anonyme, comme il y avait vécu.

Oscar Wilde disait : « Mon œuvre, c'est ma vie. » C'est le
contraire qui est vrai pour Stendhal. Sa vie idéale, il ne l'a vécue
qu'avec les héros de ses romans : Julien Sorel, Fabrice del
Dongo, Lucien Leuwen; il n'a été heureux que par procuration.
Telle fut la disgrâce de l'homme, mais aussi la fortune de
l'écrivain.

Stendhal en 1829

Médaille
de David d'Angers

Stendhal jeune

Crayon inédit
(Collection Pellat)

STENDHAL : L'HOMME

Au physique   Stendhal n'avait pas le physique du dandy
séducteur qu'il rêvait d'être. Le célèbre
portrait qu'en fit Södermark laisse apparaître plus de puissance
que de finesse, sauf peut-être dans le regard. Lui-même nous
raconte, dans ses *Souvenirs d'égotisme*, qu'au moment de son
départ de Grenoble, en 1799, son oncle Romain Gagnon lui
avait déclaré : « Tu es laid, mais on ne te reprochera jamais
ta laideur parce que tu as de la physionomie. » Il n'est pas sûr
que Stendhal ait été encouragé par ce diagnostic ambigu.
Dans ses *Souvenirs d'égotisme* encore, il avoue que ses « énormes
favoris noirs » lui donnent « une tête de boucher italien »,
que ne font pas oublier les dorures de son costume diplomatique.

Au moral   Il n'est pas facile de saisir la véritable personnalité
de Stendhal qui, malgré ses confidences, n'a pas
toujours facilité la tâche des critiques. D'abord il avait au plus
haut point la manie du déguisement. Pour signer ses écrits,
il a utilisé plus de cent pseudonymes, « moins pour se dissimuler », si nous en croyons Valéry, « que pour se sentir vivre
à plusieurs exemplaires ». Cette manie devait correspondre à
un besoin plus profond, dont on pourrait faire remonter l'origine
à son enfance. Dans les *Souvenirs d'égotisme*, il parle de son
« bonheur à se promener fièrement dans une ville étrangère
où [il est] arrivé depuis une heure et où [il est] sûr de n'être connu
de personne ». Et il ajoute : « Sans le mal de mer, j'irais voyager
avec plaisir en Amérique. Me croira-t-on ? Je porterais un masque
avec plaisir, je changerais de nom avec délices. » Autre difficulté
pour quiconque entreprend de le connaître : les contradictions,
qui existent sans doute chez tout homme, mais que tous les
critiques ont relevées au plus haut degré chez lui. Valéry note,
dans *Variété II* : « Beyle jouait en soi une douzaine de personnages, le dandy, l'homme raisonneur et froid, l'amateur de
beaux-arts, le soldat de 1812, l'amant de l'amour, le politique,
et l'historien. » On pourrait ajouter, avec Henri Martineau :
« On le surprend patriote, et personne n'a dit plus de mal des
Français que lui. Il était sociable et recherchait la compagnie
de ses pairs, mais pour leur jouer la comédie. Ce sentimental

éprouvait en amour les mélancolies d'un Werther sous l'apparence physique d'un Falstaff. Il en bouffonnait volontiers et se plaisait à un évident cabotinage sans jamais cesser d'être véridique. » Ce cabotinage, ce désir de jouer sans cesse la comédie explique que ses contemporains, fussent-ils ses amis, l'aient peu connu, et que Mérimée lui-même ait pris pour le vrai Stendhal le vieux garçon des années 1820, attentif à ne pas se livrer au monde, alors que sa vérité profonde, comme Léon Blum l'a indiqué, ses rêves les plus chers, sa vie intime sont ceux d'une jeunesse continuée qu'il retrouvait dans la solitude de sa chambre, la plume à la main, en tête à tête avec ses héros.

Pour avoir quelque chance de le connaître, ce ne sont donc pas ses amis qu'il faut interroger, mais les confidences qu'il nous a faites lui-même directement dans son *Journal*, sa *Vie de Henry Brulard* et ses *Souvenirs d'égotisme*, auxquelles il convient d'ajouter ce qu'il y a d'indirectement autobiographique dans ses grands romans.

Bien qu'il ait pris parti dans la bataille romantique, dès 1823, avec *Racine et Shakespeare*, on ne peut pas dire que Stendhal soit à proprement parler un romantique. Des mathématiques qu'il avait pratiquées dans sa jeunesse il avait gardé au moins de la méfiance pour tout ce qui est vague. Il était en outre un peu plus âgé que la plupart des grands romantiques et, comme sa personnalité s'était formée de très bonne heure, il appartiendrait plutôt au siècle qui l'avait vu naître, le XVIIIe siècle : il unit curieusement une sensibilité digne de Rousseau au souci permanent de l'analyse lucide.

La sensibilité passionnée   Un des livres de chevet de sa jeunesse fut précisément *La Nouvelle Héloïse* : il a prétendu qu'à vingt ans il savait par cœur cet hymne à la passion. On retrouve sous bien des formes, chez lui, ce trait de caractère. Hypersensible, il connaît les exaltations et les dépressions alternatives. Un rien suffit à le faire vibrer. Il attribuait à son hérédité maternelle, notamment à sa grand-tante Élisabeth Gagnon, cet « espagnolisme ». En tout cas, il a passé sa vie à rêver à des amours parfaites, à un héroïsme sublime, qui contrastaient le plus souvent avec la médiocrité du milieu social et politique où il évoluait, particulièrement celui de Paris où, selon un mot du *Mémorial de Sainte-Hélène* qu'il cite avec complaisance, « on est considéré à cause de sa voiture et non à cause de sa vertu ». Mais précisément ce décalage exacerbait ses aspirations, et sans doute eût-il été heureux s'il avait pu les satisfaire. La chasse au bonheur est, à ses yeux, une des grandes affaires de la vie ; en un sens, on peut voir en Stendhal un épicurien,

mais d'un épicurisme rigoureux et exigeant qui admet seulement
les plaisirs où il entre de la noblesse. Les circonstances lui ayant
été souvent contraires, c'est peut-être l'art qui lui a donné les
exaltations les plus vives, les plus pures. Il fut surtout attiré
par la musique et découvrit avec ravissement Cimarosa comme
Mozart. Lors de son plus long séjour à Milan, qui est comme
le point culminant de sa vie, il se montre un assidu du théâtre
de la Scala, où il se repaît de musique italienne et connaît un
bonheur d'autant plus complet qu'il retrouve souvent dans la
salle, avec la nonchalance des entractes, sa belle amie
Angela Pietragrua.

L'intelligence   Mais ce passionné pour lequel, de son propre
                   aveu, « l'amour a toujours été la plus grande
des affaires, ou plutôt la seule », aura très vite, sans doute par
méfiance envers son propre tempérament, l'obsession de la
logique, terme qui revient souvent sous sa plume et que Mérimée
avait remarqué. Il faut voir dans ce trait un lointain héritage des
« philosophes » du XVIIIᵉ siècle, et surtout l'influence des *idéologues* ses contemporains, un Cabanis, un Destutt de Tracy qui, ne
s'embarrassant pas de métaphysique, visaient à raisonner
justement, sur des données précises, pour atteindre au moins
une vérité expérimentale. Stendhal s'astreindra à ces exercices
avec d'autant plus d'application qu'il craint, non sans motif,
d'avoir plutôt tendance à s'exalter. Son *Journal*, sa *Vie de Henry
Brulard*, ses *Souvenirs d'égotisme* sont, malgré quelques facéties
et quelques pirouettes, des tentatives sérieuses pour y voir clair
en lui-même, établir le bilan d'une existence et d'une personnalité
singulièrement changeantes. Ce souci apparaît surtout dans le
style de ces œuvres : chez ce contemporain des grands romantiques, aucune complaisance envers l'émotion, bien au contraire;
lorsqu'elle est intensément revécue, comme au dernier chapitre
de la *Vie de Henry Brulard*, où il raconte son arrivée à Milan
dans le printemps italien, elle étouffe et arrête la phrase au lieu
de l'amplifier, et la pudeur du narrateur l'apparente plutôt aux
classiques, avec simplement plus de fantaisie dans la manière
et de discontinuité dans la construction. S'il reste simple, c'est
par souci d'être vrai; il affirme lui-même que l'*hypocrisie* et le
vague sont ses « deux bêtes d'aversion », ce qui définit à la fois
une esthétique et une éthique.

Comment expliquer alors que l'homme ait été moins fidèle
à ce principe que l'écrivain, qu'il ait joué la comédie au point
de tromper ses intimes sur ce qu'il était, et qu'il ait en somme
pratiqué l'hypocrisie dans le moment même où il la dénonçait?
Paul Valéry voit dans ce trait une conséquence de la lucidité :

« se connaître n'est que se prévoir ; se prévoir aboutit à jouer un rôle ». N'oublions pas non plus que, dès son enfance, Stendhal a été obligé de feindre ; qu'il a vécu le plus souvent au milieu d'une société qui lui était étrangère, que la Restauration puis la Monarchie de juillet ont contraint cet admirateur de Napoléon à cacher le fond de ses pensées ; et qu'il n'est rien de tel que la seconde nature pour influencer et altérer la première.

NAPOLÉON 1er, par le Baron Gros

« Le portrait de Napoléon, se disait-il en hochant la tête, trouvé caché
chez un homme... » (p. 86, l. 7)

STENDHAL : L'ŒUVRE

Stendhal n'est pas l'homme d'un seul livre. Au contraire, son œuvre se compose d'une assez grande variété d'écrits, dont la qualité est également très diverse.

1. Quelques **œuvres mineures** disséminées tout le long de sa carrière :

>*Vie de Haydn, Mozart et Métastase*, 1815.
>*Histoire de la peinture en Italie*, 1817.
>*Rome, Naples et Florence*, 1817.
>*Vie de Rossini*, 1823.
>*Promenades dans Rome*, 1829.
>*Chroniques italiennes*, 1837.
>*Mémoires d'un touriste*, 1838.
>*Vie de Napoléon*, posthume.

2. Plus important est son unique **ouvrage de critique littéraire :**

Racine et Shakespeare (1823), au titre volontairement provocant, et qui constitue, quatre ans avant la Préface de *Cromwell*, la première théorie du « romanticisme », comme dit Stendhal, bien que son *Journal* nous révèle une singulière irrévérence envers le romantisme et Chateaubriand.

3. « **De l'Amour** » (1822) est un ouvrage assez original. Fidèle aux leçons des *idéologues*, Stendhal y a présenté une analyse générale et abstraite de l'amour avant de l'incarner dans les personnages très individualisés de ses romans.

Le Livre I donne des divers types d'amour « une description exacte et scientifique », qui ouvre la voie au naturalisme. Stendhal distingue « l'amour-passion, celui de la religieuse portugaise, celui d'Héloïse pour Abélard » ; « l'amour-goût, celui qui régnait à Paris vers 1760 » ; « l'amour physique » ; et enfin « l'amour de vanité ». L'analyse est d'autant plus intéressante que Stendhal fut sans doute le premier à concevoir une théorie générale de l'amour et à discerner que le même terme désigne en fait des réalités psychologiques très différentes, ce que les Précieux, familiers de la Carte de Tendre, avaient peut-être mieux vu que les grands classiques. Mais ce qui a le plus contribué à rendre ce livre I célèbre, c'est la **théorie de la « cristallisation »**. Stendhal a consacré tout un chapitre de son livre à étudier la naissance de l'amour et à en préciser les différentes étapes.

Voici, écrit-il, ce qui se passe dans l'âme : 1° L'admiration. 2° On se dit : quel plaisir de lui donner des baisers, d'en recevoir, etc.! 3° L'espérance [...]. 4° L'amour est né [...]. 5° La première cristallisation commence. On se plaît à orner de mille perfections une femme de l'amour de laquelle on est sûr ; on se détaille tout son bonheur avec une complaisance infinie [...]. Laissez travailler la tête d'un amant pendant vingt-quatre heures, et voici ce que vous trouverez : aux mines de sel de Salzbourg, on jette, dans les profondeurs abandonnées de la mine, un rameau d'arbre effeuillé par l'hiver ; deux ou trois mois après on le retire couvert de cristallisations brillantes : les plus petites branches, celles qui ne sont pas plus grosses que la patte d'une mésange, sont garnies d'une infinité de diamants, mobiles et éblouissants ; on ne peut plus reconnaître le rameau primitif. Ce que j'appelle cristallisation, c'est l'opération de l'esprit, qui tire de tout ce qui se présente la découverte que l'objet aimé a de nouvelles perfections [...]. 6° Le doute naît [...]. 7° Seconde cristallisation, produisant pour diamants des confirmations à cette idée : elle m'aime [...]. L'amant se dit : oui, elle m'aime ; et la cristallisation se tourne à découvrir de nouveaux charmes [...]. Le moment le plus déchirant de l'amour jeune encore est celui où il s'aperçoit qu'il a fait un faux raisonnement et qu'il faut détruire tout un pan de cristallisation.

On entre en doute de la cristallisation elle-même.

(*De l'Amour*, I, 2)

Le Livre II montre l'influence des « tempéraments », chers à Cabanis, des climats, de la race, de l'âge, si bien que, malgré quelque fatras, Stendhal apparaît comme le précurseur de la psychologie scientifique moderne, — ce qui lui a valu l'admiration d'un autre esprit ami à la fois du systématique et du concret, Hippolyte Taine.

4. Les grands romans : *Le Rouge et le Noir* (1830), *La Chartreuse de Parme* (1839); auxquels il convient d'ajouter le premier essai de Stendhal dans le genre : *Armance* (1827) ; et deux romans inachevés : *Lucien Leuwen* et *Lamiel*.

5. Enfin Stendhal, ami de la lucidité et de l'analyse de soi, a laissé une abondante **œuvre autobiographique** : la *Vie de Henry Brulard*, où il raconte son enfance et son adolescence jusqu'à son arrivée à Milan en 1800; le *Journal*, qui couvre, avec bien des lacunes, une période allant de 1801 à 1823, et les *Souvenirs d'égotisme*, relatifs à son séjour à Paris de 1821 à 1830. Certains stendhaliens ne sont pas loin de préférer ces œuvres aux grands romans.

Le Beylisme Mais Stendhal n'est pas seulement resté, aux yeux de la postérité, un romancier dont on peut comparer sans sacrilège le génie à celui de Balzac. Peut-être parce qu'il a mis beaucoup de lui-même dans ses romans, parce que d'autre part, dans ses œuvres autobiographiques et dans son *Journal*, il nous a fait part de ses pensées intimes, — et que ceci concorde avec cela —, il se dégage de cette convergence un certain nombre de thèmes assez constants pour définir une « philosophie », ou tout au moins une méthode de vie, connue sous le nom de *Beylisme*, que son auteur lui avait lui-même donné.

Une méthode se définit par le but qu'elle se propose : or le but de Stendhal est le bonheur. Mais cet épicurisme n'est pas celui de Montaigne, avec sa nonchalance experte à vivre sagement et moyennement. Il y a de l'âpreté dans le beylisme : on va « à la chasse au bonheur », c'est-à-dire qu'il faut le traquer comme une bête, le conquérir après l'avoir maîtrisé. C'est par là que l'homme s'accomplit en s'exaltant : il montre son énergie, sa *virtù* à l'italienne, sa passion pour un plaisir que le danger vient heureusement pimenter. Quand Mathilde de la Mole croit qu'elle a failli être tuée par son amant, comme son bonheur devient plus allègre et son épanouissement plus triomphal! Bien sûr, ne peuvent se hausser à ce niveau que les « âmes peu communes », comme disait Corneille, qui était teinté lui aussi d' « espagnolisme ». Mais cette sélection n'était pas faite pour gêner Stendhal qui s'est toujours voulu l'homme d'une élite, de ces *happy few* auxquels il dédie *la Chartreuse de Parme*. Cet « égotisme » est bien différent de l'égoïsme banal et même du culte du moi que l'on rencontre chez d'autres auteurs de notre littérature : il se définit notamment par l'exaltation de l'âme dans les grandes actions et les beaux gestes, fussent-ils un peu spectaculaires, et il implique un jugement sévère sur la mesquinerie du monde, la fourberie, qui sont autant de formes de médiocrité. Ainsi précisé, cet individualisme épicurien est inséparable de la jeunesse. Ce n'est pas un hasard si tous les héros de Stendhal sont jeunes : de leur âge ils ont la fougue, un peu d'irréflexion, et l'impatience de franchir l'obstacle avant de l'avoir trop prudemment mesuré. C'est cette jeunesse ardente, romanesque, qui anime de son souffle les grands romans de Stendhal et leur donne, avec tout son charme, leur personnalité incomparable.

« Pierre Daru, qui exerçait de hautes fonctions au Ministère de la Guerre... » (voir p. 8)

Dessin de Heim

BIBL. ARTS DÉCORATIFS

CL. B. N.

« Lorsqu'il commence à écrire LE ROUGE ET LE NOIR, en 1829, Alberte de Rubempré, la capiteuse cousine de Delacroix, est sa maîtresse » (voir p. 241)

Portrait attribué à Delacroix

« LE ROUGE ET LE NOIR »

« LE ROUGE ET LE NOIR »

Sources et genèse du roman   Il est maintenant établi que, outre les éléments autobiographiques ou du moins plus personnels dont il sera question plus loin, deux faits divers sont à l'origine du roman.

L'affaire Laffargue, du nom d'un ébéniste qui, à Bagnères, dans les Hautes-Pyrénées, avait assassiné sa maîtresse et fut condamné en 1829 à cinq ans de prison. Stendhal en fut assez frappé pour y faire longuement allusion dans ses *Promenades dans Rome*, qu'il était en train de rédiger. Il y a vu la preuve que même en France, sous la Restauration, l'amour et la jalousie peuvent être des sources d'énergie, au moins dans les classes modestes, et il ajoute : « Probablement tous les grands hommes sortiront désormais de la classe à laquelle appartient M. Laffargue. Napoléon réunit autrefois les mêmes circonstances : bonne éducation, imagination ardente et pauvreté extrême. »

L'affaire Berthet surtout, un de ces faits divers pris sur le vif, dont Stendhal était friand, et qui lui plut sans doute particulièrement à cause du « caractère » qu'on croit deviner chez son héros. Nous citons un extrait de la *Gazette des tribunaux* du 28 décembre 1827, par laquelle Stendhal eut connaissance de l'affaire :

Jamais les avenues de la Cour d'assises n'avaient été assiégées par une foule plus nombreuse. On s'écrasait aux portes de la salle, dont l'accès n'était permis qu'aux personnes pourvues de billets. On devait y parler d'amour, de jalousie, et les dames les plus brillantes étaient accourues.

L'accusé est introduit, et aussitôt tous les regards se lancent sur lui avec une avide curiosité.

On voit un jeune homme d'une taille au-dessous de la moyenne, mince et d'une complexion délicate [...]. Sa mise et ses cheveux sont soignés ; sa physionomie est expressive ; sa pâleur contraste avec de grands yeux noirs qui portent l'empreinte de la fatigue et de la maladie. Il les promène sur l'appareil qui l'entoure ; quelque égarement s'y fait remarquer [...].

On apprend les faits suivants :

Antoine Berthet, âgé aujourd'hui de vingt-cinq ans, est né d'artisans pauvres mais honnêtes ; son père est maréchal-ferrant

dans le village de Brangues. Une frêle constitution, peu propre
aux fatigues du corps, une intelligence supérieure à sa position,
un goût manifesté de bonne heure pour les études élevées, inspirèrent en sa faveur de l'intérêt à quelques personnes ; leur charité
plus vive qu'éclairée songea à tirer le jeune Berthet du rang
modeste où le hasard de la naissance l'avait placé, et à lui faire
embrasser l'état d'ecclésiastique. Le curé de Brangues l'adopta
comme un enfant chéri, lui enseigna les premiers éléments des
sciences, et, grâce à ses bienfaits, Berthet entra en 1818 au petit
séminaire à Grenoble. En 1822, une maladie grave l'obligea de
discontinuer ses études. Il fut recueilli par le curé, dont les soins
suppléèrent avec succès à l'indigence de ses parents. A la pres-
sante sollicitation de ce protecteur, il fut reçu chez M. Michoud
qui lui confia l'éducation de ses enfants ; sa funeste destinée le
préparait à devenir le fléau de cette famille. Mme Michoud,
femme aimable et spirituelle, alors âgée de trente-six ans, et
d'une réputation intacte, pensa-t-elle qu'elle pouvait sans danger
prodiguer des témoignages de bonté à un jeune homme de vingt ans
dont la santé délicate exigeait des soins particuliers ? Une immo-
ralité précoce dans Berthet la fit-elle se méprendre sur la nature
de ces soins ? Quoi qu'il en soit, avant l'expiration d'une année,
M. Michoud dut songer à mettre un terme au séjour du jeune
séminariste dans sa maison.

Berthet entra au petit séminaire de Belley pour y continuer ses
études. Il y resta deux ans, et revint passer à Brangues les vacances
de 1825.

Il ne put rentrer dans cet établissement. Il obtint alors d'être
admis au grand séminaire de Grenoble ; mais, après y être demeuré
un mois, jugé par ses supérieurs indigne des fonctions qu'il ambi-
tionnait, il fut congédié sans espoir de retour. Son père, irrité,
le bannit de sa présence. Enfin il ne put trouver d'asile que chez
sa sœur mariée à Brangues.

Ces rebuts furent-ils la suite de mauvais principes reconnus
et de faits de conduite graves ? Berthet se crut-il en butte à une
persécution secrète de la part de M. Michoud qu'il avait offensé ?
Des lettres qu'il écrivit alors à Mme Michoud contenaient des
reproches virulents et des diffamations. Malgré cela, M. Michoud
faisait des démarches en faveur de l'ancien instituteur de ses
enfants. Berthet parvint encore à se placer chez M. de Cordon
en qualité de précepteur. Il avait alors renoncé à l'Église ; mais,
après un an, M. de Cordon le congédia pour des raisons impar-
faitement connues et qui paraissent se rattacher à une nouvelle
intrigue. Il songea de nouveau à la carrière qui avait été le but
de tous ses efforts, l'état ecclésiastique. Mais il fit et fit faire de
vaines sollicitations auprès des séminaires de Belley, de Lyon
et de Grenoble. Il ne fut reçu aucune part ; alors le désespoir
s'empara de lui. Pendant le cours de ces démarches, il rendait

*les époux Michoud responsables de leur inutilité. Les prières et
les reproches qui remplissaient les lettres qu'il continua d'adresser
à M. Michoud devinrent des menaces terribles. On recueillit
des propos sinistres : « Je veux la tuer », disait-il dans un accès
de mélancolie farouche. Il écrivait au curé de Brangues, le successeur de son premier bienfaiteur : « Quand je paraîtrai sous le
clocher de la paroisse, on saura pourquoi. » Ces étranges moyens
produisaient une partie de leur effet. M. Michoud s'occupait
activement à lui rouvrir l'entrée de quelque séminaire ; mais il
échoua à Grenoble, il échoua de même à Belley où il fit exprès
un voyage avec le curé de Brangues. Tout ce qu'il put obtenir
fut de placer Berthet chez M. Trolliet, notaire à Morestel, allié
de la famille Michoud, en lui dissimulant ses sujets de mécontentement. Mais Berthet, dans son ambition déçue, était las, selon
sa dédaigneuse expression, de n'être toujours qu'un magister
à 200 francs de gages. Il n'interrompit point le cours de ses lettres
menaçantes ; il annonça à plusieurs personnes qu'il était déter-
miné à tuer Mᵐᵉ Michoud en s'ôtant la vie à lui-même. Malheureusement un projet aussi atroce semblait improbable par son
atrocité même, il était pourtant sur le point de l'accomplir !*

*C'est au mois de juin dernier que Berthet était entré dans la
maison Trolliet. Vers le 15 juillet, il se rend à Lyon pour acheter
des pistolets ; il écrit de là à Mᵐᵉ Michoud une lettre pleine de
nouvelles menaces ; elle finissait par ces mots : « Votre triomphe
sera, comme celui d'Aman, de peu de durée. » De retour à Morestel, on le vit s'exercer au tir ; l'une de ses deux armes manquait
feu ; après avoir songé à la faire réparer, il la remplaça par un
autre pistolet qu'il prit dans la chambre de M. Trolliet alors
absent.*

*Le dimanche 22 juillet, de grand matin, Berthet charge ses deux
pistolets à doubles balles, les place sous son habit, et part pour
Brangues. Il arrive chez sa sœur, qui lui fait manger une soupe
légère. A l'heure de la messe de paroisse, il se rend à l'église et se
place à trois pas du banc de Mᵐᵉ Michoud. Il la voit bientôt venir
accompagnée de ses deux enfants dont l'un avait été son élève.
Là, il attend, immobile... jusqu'au moment où le prêtre distribua
la communion... « Ni l'aspect de la bienfaitrice, dit M. le procureur
général, ni la sainteté des lieux, ni la solennité du plus sublime des
mystères d'une religion au service de laquelle Berthet devait se
consacrer, rien ne peut émouvoir cette âme dévouée au génie de la
destruction. L'œil attaché sur sa victime, étranger aux sentiments
religieux qui se manifestent autour de lui, il attend avec une infer-
nale patience l'instant où le recueillement de tous les fidèles va lui
donner le moyen de porter des coups assurés. Ce moment arrive,
et lorsque tous les cœurs s'élèvent vers Dieu présent sur l'autel,
lorsque Mᵐᵉ Michoud prosternée mêlait peut-être à ses prières
le nom de l'ingrat qui s'est fait son ennemi le plus cruel, deux*

coups de feu successifs et à peu d'intervalle se font entendre. Les assistants épouvantés voient tomber presque en même temps et Berthet et Mme *Michoud, dont le premier mouvement, dans la prévoyance d'un nouveau crime, est de couvrir de son corps ses jeunes enfants effrayés. Le sang de l'assassin et celui de la victime jaillissent confondus jusque sur les marches du sanctuaire. »*

A partir de cette donnée qui éveille en lui des résonances, Stendhal a, si nous l'en croyons, dans la nuit du 25 au 26 octobre 1829, « l'idée de *Julien*, depuis appelé *le Rouge et le Noir* ». Il en écrit aussitôt une première ébauche, encore sommaire et squelettique, qu'il développera par la suite. Mais même sous sa forme définitive, *le Rouge et le Noir* a une intrigue qui rappelle beaucoup l'affaire Berthet. Stendhal s'est peu soucié de modifier le cadre commode que l'actualité lui fournissait, et il a conservé pour son personnage principal jusqu'à la silhouette physique de Berthet. On peut dire avec Léon Blum que, dès lors, « le roman est tout fait ; il ne reste plus qu'à insérer dans le personnage la sensibilité même de Stendhal, cette âme de jeunesse toujours présente et pour qui l'imagination dispose sans cesse de nouveaux logis ».

Sur le plan personnel, les circonstances sont alors assez favorables à Stendhal : si Alberte de Rubempré vient de lui imposer la rupture, il conquiert bientôt une jeune fille fort séduisante, Giulia Rinieri, et il peut noter, dans la *Vie de Henry Brulard :* « J'étais devenu parfaitement heureux, c'est trop dire, mais enfin fort passablement heureux en 1830 quand j'écrivais *le Rouge et le Noir*. » Il y travaille assez longuement. En avril 1830, l'œuvre n'est pas achevée, mais Stendhal se met en quête d'un éditeur, qu'il trouve en la personne d'un certain Levavasseur, libraire au Palais-Royal, avec lequel il passe contrat. Il commence à lui donner son manuscrit en mai ; il corrige et remanie les épreuves, jusqu'à ce que son départ pour Trieste (6 novembre 1830), où il a été nommé consul, l'amène à interrompre cette besogne et à laisser à son éditeur le soin des dernières corrections matérielles. L'ouvrage est mis en vente peu avant le 15 novembre 1830.

Le titre du roman   S'il faut en croire l'auteur, le titre définitif du roman ne fut trouvé qu'en mai 1830. Les critiques ont fait assaut de subtilité pour expliquer son caractère énigmatique. Mais il ne faut sans doute pas oublier le goût marqué de Stendhal pour la dissimulation élémentaire : il a écrit *my life* pour : « ma vie », au début de la *Vie de Henry Brulard;* qui sait si, en intitulant son roman *le*

Rouge et le Noir, il ne désirait pas surtout intriguer le lecteur (voir le roman, p. 48, l. 24-32)? Henri Martineau fait le point de la question :

> *Ce n'était peut-être [...] qu'une concession à la mode du temps qui était aux noms de couleurs mais on a voulu y voir aussi une allusion aux hasards de la destinée analogues à ceux du jeu [...]. Quelques commentateurs ont soutenu en revanche que le Rouge et le Noir désignent le prêtre et le bourreau; ou la tache sanglante dont sera éclaboussée la soutane noire. D'autres ont émis l'hypothèse que ces couleurs soulignaient le conflit des idées de la gauche libérale avec les menées des prêtres [...]. Beyle, de son côté, aurait donné une explication aussi plausible : le Rouge signifierait que, venu plus tôt, Julien Sorel eût été soldat, mais que, dans l'époque où il vécut, il dut se faire prêtre, de là le Noir. »*

BIBLIOGRAPHIE SOMMAIRE

Sainte-Beuve, *Causeries du Lundi* (t. IX), 1854.
Hippolyte Taine, *Essais de critique et d'histoire*, 1858.
Émile Zola, *Les Romanciers naturalistes*, 1881.
Paul Bourget, *Essais de psychologie contemporaine*, 1883.
Léon Blum, *Stendhal et le Beylisme*, Abin Michel, 1912.
Pierre Martino, *Stendhal*, Boivin, 1934.
Alain, *Stendhal*, Gallimard, 1935.
Maurice Bardèche, *Stendhal romancier*, La Table Ronde, 1947.
Jean Prévost, *La Création chez Stendhal*, Gallimard, 1951.
Henri Martineau, *Le Cœur de Stendhal*, Albin Michel, 1953.
A Caraccio, *Stendhal*, Hatier, 1953.
Jean-Pierre Richard, *Littérature et Sensation*, Seuil, 1954.
Georges Blin, *Stendhal et les problèmes du roman*, Corti, 1958.
Georges Blin, *Stendhal et les problèmes de la personnalité*, Corti, 1956.
Victor del Litto, *La Vie intellectuelle de Stendhal*, P.U.F., 1959.
Jean Starobinski, *L'Œil vivant*, Gallimard, 1961.
Pierre-Georges Castex, *Le Rouge et le Noir*, S.E.D.E.S., 1967.
Gérard Genette, *Figures II*, Seuil, 1968.
Jean-Paul Weber, *Stendhal : les structures thématiques de l'œuvre et du destin*, S.E.D.E.S., 1969.
Michel Crouzet, *Stendhal et le langage*, Gallimard, 1981.
Pierre Barbéris, *Stendhal*, Éditions sociales, 1982.
A. Thibaudet, « Stendhal. Le centenaire du Rouge et Noir », *Revue de Paris*, novembre-décembre 1930.
« Stendhal », *Europe*, juillet 1972.
Revue d'histoire littéraire de la France, mars-avril 1984.

JUSTICE CRIMINELLE.

COUR D'ASSISES DE L'ISÈRE. (Grenoble.)

(Correspondance particulière.)

Accusation d'assassinat, commis par un séminariste dans une église.

C'est le 15 décembre qu'ont commencé les débats de cette cause extraordinaire. Le long travail qu'a dû exiger la relation complète de ces débats, telle qu'elle va paraître dans la *Gazette des Tribunaux*, expliquera et justifiera suffisamment un retard de quelques jours. Les dépositions des témoins, les réponses de l'accusé, ses explications sur les motifs de son crime, sur les passions dont son âme était dévorée, offriront aux méditations du moraliste une foule de détails pleins d'intérêt, encore inconnus, et que nous ne devions pas sacrifier à une précipitation inutile.

Jamais les avenues de la Cour d'assises n'avaient été assiégées par une foule plus nombreuse. On s'écrasait aux portes de la salle, dont l'accès n'était permis qu'aux personnes pourvues de billets. On devait y parler d'amour, de jalousie et les dames les plus brillantes étaient accourues.

L'accusé est introduit et aussitôt tous les regards se lancent sur lui avec une avide curiosité.

On voit un jeune homme d'une taille au-dessous de la moyenne, mince et d'une complexion délicate; un mouchoir blanc, passé en bandeau sous le menton et noué au-dessus de la tête, rappelle le coup, destiné à lui ôter la vie, et qui n'eut que le cruel résultat de lui laisser entre la mâchoire inférieure et le cou deux balles dont une seule a pu être extraite. Du reste sa mise et ses cheveux sont soignés; sa physionomie est expressive; sa pâleur contraste avec de grands yeux noirs qui portent l'empreinte de la fatigue et de la maladie. Il les promène sur l'appareil qui l'entoure; quelque égarement s'y fait remarquer.

Pendant la lecture de l'acte d'accusation et l'exposé de la cause présenté par M. le procureur-général de Guernon-Ranville, Berthet conserve une attitude immobile. On apprend les faits suivants:

Antoine Berthet, âgé aujourd'hui de 25 ans, est né d'artisans pauvres mais honnêtes; son père est maréchal ferrant dans le village de Brangues. Une frêle constitution peu propre aux fatigues du corps, une intelligence supérieure à sa position, un goût manifesté de bonne heure pour les études élevées, inspirèrent en sa faveur de l'intérêt à quelques personnes; leur charité plus

CL. B. N.

Extrait de la GAZETTE DES TRIBUNAUX du 28 décembre 1827, relatant l'affaire BERTHET (voir pp. 23 et suiv.)

LE ROUGE
ET LE NOIR

CHRONIQUE DU XIXᵉ SIÈCLE

PAR M. DE STENDHAL.

TOME PREMIER.

PARIS

A. LEVAVASSEUR, LIBRAIRE PALAIS ROYAL

1831.

TITRE DE L'ÉDITION
ORIGINALE DE 1831.

LE ROUGE ET LE NOIR

CHRONIQUE DE 1830

LIVRE PREMIER

La vérité, l'apre vérité.
DANTON.

CHAPITRE PREMIER

UNE PETITE VILLE

La petite ville de Verrières peut passer pour l'une des
plus jolies de la Franche-Comté. Ses maisons blanches avec
leurs toits pointus de tuiles rouges s'étendent sur la pente
d'une colline, dont des touffes de vigoureux châtaigniers
marquent les moindres sinuosités. Le Doubs coule à   5
quelques centaines de pieds au-dessous de ses fortifica-
tions, bâties jadis par les Espagnols, et maintenant ruinées.
Verrières est abritée du côté du nord par une haute montagne, c'est une des branches du Jura. Les cimes brisées
du Verra se couvrent de neige dès les premiers froids   10
d'octobre. Un torrent, qui se précipite de la montagne,
traverse Verrières avant de se jeter dans le Doubs, et
donne le mouvement à un grand nombre de scies à bois,
c'est une industrie fort simple et qui procure un certain
bien-être à la majeure partie des habitants plus paysans   15
que bourgeois. Ce ne sont pas cependant les scies à bois
qui ont enrichi cette petite ville. C'est à la fabrique des
toiles peintes, dites de Mulhouse, que l'on doit l'aisance
générale qui, depuis la chute de Napoléon, a fait rebâtir
les façades de presque toutes les maisons de Verrières.   20

A peine entre-t-on dans la ville que l'on est étourdi
par le fracas d'une machine bruyante et terrible en apparence. Vingt marteaux pesants, et retombant avec un bruit
qui fait trembler le pavé, sont élevés par une roue que
l'eau du torrent fait mouvoir. Chacun de ces marteaux   5
fabrique, chaque jour, je ne sais combien de milliers de
clous. Ce sont de jeunes filles fraîches et jolies qui pré-
sentent aux coups de ces marteaux énormes les petits
morceaux de fer qui sont rapidement transformés en clous.
Ce travail, si rude en apparence, est un de ceux qui étonnent   10
le plus le voyageur qui pénètre pour la première fois dans
les montagnes qui séparent la France de l'Helvétie. Si, en
entrant à Verrières, le voyageur demande à qui appartient
cette belle fabrique de clous qui assourdit les gens qui
montent la grande rue, on lui répond avec un accent   15
traînard : *Eh! elle est à M. le maire.*

Pour peu que le voyageur s'arrête quelques instants
dans cette grande rue de Verrières, qui va en montant
depuis la rive du Doubs jusque vers le sommet de la
colline, il y a cent à parier contre un qu'il verra paraître   20
un grand homme à l'air affairé et important.

A son aspect tous les chapeaux se lèvent rapidement.
Ses cheveux sont grisonnants, et il est vêtu de gris. Il est
chevalier de plusieurs ordres, il a un grand front, un nez
aquilin, et au total sa figure ne manque pas d'une certaine   25
régularité : on trouve même, au premier aspect, qu'elle
réunit à la dignité du maire de village cette sorte d'agrément qui peut encore se rencontrer avec quarante-huit ou
cinquante ans. Mais bientôt le voyageur parisien est choqué
d'un certain air de contentement de soi et de suffisance   30
mêlé à je ne sais quoi de borné et de peu inventif. On sent
enfin que le talent de cet homme-là se borne à se faire payer
bien exactement ce qu'on lui doit, et à payer lui-même le
plus tard possible quand il doit.

Tel est le maire de Verrières, M. de Rênal. Après avoir   35
traversé la rue d'un pas grave, il entre à la mairie et dispa-
raît aux yeux du voyageur. Mais, cent pas plus haut, si
celui-ci continue sa promenade, il aperçoit une maison
d'assez belle apparence, et, à travers une grille de fer
attenante à la maison, des jardins magnifiques. Au delà,   40
c'est une ligne d'horizon formée par les collines de la
Bourgogne, et qui semble faite à souhait pour le plaisir

des yeux. Cette vue fait oublier au voyageur l'atmosphère
empestée des petits intérêts d'argent dont il commence à
être asphyxié.

On lui apprend que cette maison appartient à M. de
Rênal. C'est aux bénéfices qu'il a faits sur sa grande   5
fabrique de clous que le maire de Verrières doit cette belle
habitation en pierre de taille qu'il achève en ce moment.
Sa famille, dit-on, est espagnole, antique, et, à ce qu'on prétend, établie dans le pays bien avant la conquête de
Louis XIV.   10

Depuis 1815, il rougit d'être industriel : 1815 l'a fait
maire de Verrières. Les murs en terrasse qui soutiennent
les diverses parties de ce magnifique jardin qui, d'étage en
étage, descend jusqu'au Doubs, sont aussi la récompense
de la science de M. de Rênal dans le commerce du fer.   15

Ne vous attendez point à trouver en France ces jardins
pittoresques qui entourent les villes manufacturières de
l'Allemagne, Leipsick, Francfort, Nuremberg, etc. En
Franche-Comté, plus on bâtit de murs, plus on hérisse sa
propriété de pierres rangées les unes au-dessus des autres,   20

● **Présentation de Verrières**

Les lieux — *Verrières, dans ce livre, est un lieu imaginaire que l'auteur a choisi comme le type des villes de province* (Stendhal, *Lettre
au comte Salvagnoli*).

① Le décor vous semble-t-il anonyme, ou Stendhal a-t-il au
contraire fait un effort pour donner une certaine « personnalité »
à Verrières? Relever quelques détails pittoresques concernant :
le paysage; les activités; les mœurs de la petite ville.

② Quel est le ton de ce premier chapitre? A-t-on l'impression
d'entrer dans un drame?

Les personnages

③ Montrer avec quel art Stendhal passe insensiblement de la présentation des lieux à celle des personnages.

④ Pour nous faire connaître M. de Rênal, Stendhal nous parle
surtout de sa fabrique et de sa maison : quel est l'intérêt de ce procédé? Ne peut-on y relever une nuance d'ironie?

⑤ Il est moins longuement question du père Sorel : ne peut-on
pas pourtant dire que le personnage est esquissé? Que savons-nous
de lui à la fin du chapitre ?

plus on acquiert de droits aux respects de ses voisins.
Les jardins de M. de Rênal, remplis de murs, sont encore
admirés parce qu'il a acheté, au poids de l'or, certains
petits morceaux du terrain qu'ils occupent. Par exemple,
cette scie à bois, dont la position singulière sur la rive du   5
Doubs vous a frappé en entrant à Verrières, et où vous
avez remarqué le nom de SOREL, écrit en caractères gigan-
tesques sur une planche qui domine le toit, elle occupait,
il y a six ans, l'espace sur lequel on élève en ce moment
le mur de la quatrième terrasse des jardins de M. de Rênal.   10

Malgré sa fierté, M. le maire a dû faire bien des démarches auprès du vieux Sorel, paysan dur et entêté; il a dû lui
compter de beaux louis d'or pour obtenir qu'il transportât
son usine ailleurs. Quant au ruisseau *public* qui faisait aller
la scie, M. de Rênal, au moyen du crédit dont il jouit à   15
Paris, a obtenu qu'il fût détourné. Cette grâce lui vint après
les élections de 182*.

Il a donné à Sorel quatre arpents pour un, à cinq cents
pas plus bas sur les bords du Doubs. Et, quoique cette
position fût beaucoup plus avantageuse pour son commerce   20
de planches de sapin, le père Sorel, comme on l'appelle
depuis qu'il est riche, a eu le secret d'obtenir de l'impatience et de la *manie de propriétaire*, qui animait son voisin,
une somme de 6 000 francs.

Il est vrai que cet arrangement a été critiqué par les   25
bonnes têtes de l'endroit. Une fois, c'était un jour de
dimanche, il y a quatre ans de cela, M. de Rênal, revenant
de l'église en costume de maire, vit de loin le vieux Sorel,
entouré de ses trois fils, sourire en le regardant. Ce sourire
a porté un jour fatal dans l'âme de M. le maire, il pense   30
depuis lors qu'il eût pu obtenir l'échange à meilleur marché.

Pour arriver à la considération publique à Verrières,
l'essentiel est de ne pas adopter, tout en bâtissant beaucoup
de murs, quelque plan apporté d'Italie par ces maçons,
qui au printemps traversent les gorges du Jura pour gagner   35
Paris. Une telle innovation vaudrait à l'imprudent bâtis-
seur une éternelle réputation de *mauvaise tête*, et il serait
à jamais perdu auprès des gens sages et modérés qui dis-
tribuent la considération en Franche-Comté.

Dans le fait, ces gens sages y exercent le plus ennuyeux   40
despotisme; c'est à cause de ce vilain mot que le séjour des
petites villes est insupportable pour qui a vécu dans cette

grande république qu'on appelle Paris. La tyrannie de l'opinion, et quelle opinion! est aussi *bête* dans les petites villes de France qu'aux États-Unis d'Amérique.

CHAPITRE 3

LE BIEN DES PAUVRES

M. de Rênal se promène en compagnie de sa femme, 5
« une femme de trente ans, mais encore assez jolie », et de
ses trois jeunes enfants. Il révèle son projet de leur donner
un précepteur.

— Je veux absolument prendre chez moi Sorel, le fils
du scieur de planches, dit M. de Rênal; il surveillera les
enfants qui commencent à devenir trop diables pour nous. 10
C'est un jeune prêtre, ou autant vaut, bon latiniste,
et qui fera faire des progrès aux enfants; car il a un caractère ferme, dit le curé. Je lui donnerai 300 francs et la nourriture. J'avais quelques doutes sur sa moralité, car il
était le Benjamin de ce vieux chirurgien [1], membre de la 15
Légion d'honneur, qui, sous prétexte qu'il était leur cousin, était venu se mettre en pension chez les Sorel. Cet
homme pouvait fort bien n'être au fond qu'un agent secret
des libéraux; il disait que l'air de nos montagnes faisait
du bien à son asthme; mais c'est ce qui n'est pas prouvé. 20
Il avait fait toutes les campagnes de *Buonaparté* en Italie, et
même avait, dit-on, signé *non* pour l'empire dans le temps.
Ce libéral montrait le latin au fils Sorel, et lui a laissé cette
quantité de livres qu'il avait apportés avec lui. Aussi n'aurais-je jamais songé à mettre le fils du charpentier auprès 25
de nos enfants; mais le curé [2] [...] m'a dit que ce Sorel
étudie la théologie depuis trois ans, avec le projet d'entrer
au séminaire; il n'est donc pas libéral, et il est latiniste.

Cet arrangement convient de plus d'une façon, continua
M. de Rênal, en regardant sa femme d'un air diplomatique; 30

---

1. Julien Sorel était en effet le protégé de son vieux cousin, ancien chirurgien-major
de l'armée d'Italie, et qui « était à la fois, suivant M. le Maire, jacobin et bonapartiste ». —
2. L'abbé Chélan, curé de Verrières, qui a pris en charge l'éducation du jeune Sorel.

le Valenod est tout fier des deux beaux normands qu'il vient d'acheter pour sa calèche. Mais il n'a pas de précepteur pour ses enfants.

— Il pourrait bien nous enlever celui-ci.

— Tu approuves donc mon projet? dit M. de Rênal, remerciant sa femme, par un sourire, de l'excellente idée qu'elle venait d'avoir. Allons, voilà qui est décidé.

— Ah, bon Dieu! mon cher ami, comme tu prends vite un parti!

— C'est que j'ai du caractère, moi, et le curé l'a bien vu. Ne dissimulons rien, nous sommes environnés de libéraux ici. Tous ces marchands de toile me portent envie, j'en ai la certitude; deux ou trois deviennent des richards; eh bien! j'aime assez qu'ils voient passer les enfants de M. de Rênal, allant à la promenade sous la conduite de *leur précepteur*. Cela imposera. Mon grand-père nous racontait souvent que, dans sa jeunesse, il avait eu un précepteur. C'est cent écus qu'il m'en pourra coûter, mais ceci doit être classé comme une dépense nécessaire pour soutenir notre rang [1].

Cette résolution subite laissa Mme de Rênal toute pensive. C'était une femme grande, bien faite, qui avait été la beauté du pays, comme on dit dans ces montagnes. Elle avait un certain air de simplicité, et de la jeunesse dans la démarche; aux yeux d'un Parisien, cette grâce naïve, pleine d'innocence et de vivacité, serait même allée jusqu'à rappeler des idées de douce volupté. Si elle eût appris ce genre de succès, Mme de Rênal en eût été bien honteuse. Ni la coquetterie, ni l'affectation n'avaient jamais approché de ce cœur. M. Valenod, le riche directeur du dépôt [2], passait pour lui avoir fait la cour, mais sans succès, ce qui avait jeté un éclat singulier sur sa vertu; car ce M. Valenod, grand jeune homme, taillé en force, avec un visage coloré et de gros favoris noirs, était un de ces êtres grossiers, effrontés et bruyants, qu'en province on appelle de beaux hommes.

Mme de Rênal, fort timide, et d'un caractère en apparence fort inégal, était surtout choquée du mouvement

---

1. Chérubin Beyle, père de Stendhal, avait tenu, pour les mêmes raisons, à donner un précepteur à son fils (voir la *Vie de Stendhal*, p. 5). — 2. Le dépôt de mendicité de Verrières, à la fois prison et asile pour indigents, dont le directeur, M. Valenod, s'enrichit de façon éhontée aux dépens de ses « pauvres ». De là le titre choisi par Stendhal pour ce chapitre.

continuel et des éclats de voix de M. Valenod. L'éloigne-
ment qu'elle avait pour ce qu'à Verrières on appelle de la
joie, lui avait valu la réputation d'être très fière de sa naissance. Elle n'y songeait pas, mais avait été fort contente
de voir les habitants de la ville venir moins chez elle. Nous ⁵
ne dissimulerons pas qu'elle passait pour sotte aux yeux
de *leurs* dames, parce que, sans nulle politique à l'égard de
son mari, elle laissait échapper les plus belles occasions de
se faire acheter de beaux chapeaux de Paris ou de Besançon.
Pourvu qu'on la laissât seule errer dans son beau jardin, ¹⁰
elle ne se plaignait jamais.

   C'était une âme naïve, qui jamais ne s'était élevée même
jusqu'à juger son mari et à s'avouer qu'il l'ennuyait. Elle
supposait, sans se le dire, qu'entre mari et femme il n'y
avait pas de plus douces relations. Elle aimait surtout ¹⁵
M. de Rênal quand il lui parlait de ses projets sur leurs
enfants, dont il destinait l'un à l'épée, le second à la magis-
trature, et le troisième à l'Église. En somme, elle trouvait
M. de Rênal beaucoup moins ennuyeux que tous les
hommes de sa connaissance [...]. ²⁰

● **Le ménage de M. et Mme de Rênal** — Trois personnages essentiels du roman nous sont présentés dans le chapitre 3, mais selon
une technique variée. Julien est présenté de façon indirecte : un
tiers parle de lui; M. de Rênal se peint lui-même par ses paroles;
quant à Mme de Rênal, Stendhal en esquisse un portrait dans les
derniers paragraphes.

① Quel procédé de présentation semble le plus heureux? Pourquoi?

② Quels traits du caractère de Julien sont ici indiqués? En quoi
Julien apparaît-il différent de son milieu? Le chirurgien-major,
dont il est question, n'a-t-il qu'un intérêt anecdotique ou son
influence sur Julien a-t-elle été profonde? Comment expliquer
que Julien veuille entrer au séminaire?

③ Théoriquement, M. de Rênal converse ici avec sa femme.
S'agit-il vraiment d'un dialogue au sens plein du terme? Cela ne
peint-il pas déjà le personnage? Quels autres traits du caractère
de M. de Rênal apparaissent dans ses propos? Préciser.

④ Stendhal donne en général peu de détails physiques sur ses
personnages. C'est le cas ici pour Mme de Rênal. Cependant ne
« sentons-nous » pas Mme de Rênal, si nous ne la « voyons » pas
vraiment? Forme-t-elle avec M. de Rênal un couple bien assorti?
Entre-t-elle dans les raisons de son mari? Ne nous paraît-elle
pas disponible pour une grande passion?

CHAPITRE 4

UN PÈRE ET UN FILS

Ma femme a réellement beaucoup de tête! se disait,
le lendemain à six heures du matin, le maire de Verrières,
en descendant à la scie du père Sorel. Quoi que je lui
aie dit, pour conserver la supériorité qui m'appartient,
je n'avais pas songé que si je ne prends pas ce petit abbé   5
Sorel, qui, dit-on, sait le latin comme un ange, le directeur du dépôt, cette âme sans repos, pourrait bien avoir
la même idée que moi et me l'enlever. Avec quel ton de
suffisance il parlerait du précepteur de ses enfants!... Ce
précepteur, une fois à moi, portera-t-il la soutane?   10

M. de Rênal était absorbé dans ce doute, lorsqu'il vit de
loin un paysan, homme de près de six pieds, qui, dès le
petit jour, semblait fort occupé à mesurer des pièces de
bois déposées le long du Doubs, sur le chemin de halage.
Le paysan n'eut pas l'air fort satisfait de voir approcher   15
M. le maire, car ses pièces de bois obstruaient le chemin et
étaient déposées là en contravention.

Le père Sorel, car c'était lui, fut très surpris et encore
plus content de la singulière proposition que M. de Rênal
lui faisait pour son fils Julien. Il ne l'en écouta pas moins   20
avec cet air de tristesse mécontente et de désintérêt dont
sait si bien se revêtir la finesse des habitants de ces montagnes. Esclaves du temps de la domination espagnole,
ils conservent encore ce trait de la physionomie du fellah
de l'Égypte.   25

La réponse de Sorel ne fut d'abord que la longue récita-
tion de toutes les formules de respect qu'il savait par cœur.
Pendant qu'il répétait ces vaines paroles, avec un sourire
gauche qui augmentait l'air de fausseté et presque de fri-
ponnerie naturel à sa physionomie, l'esprit actif du vieux   30
paysan cherchait à découvrir quelle raison pouvait porter
un homme aussi considérable à prendre chez lui son vau-
rien de fils. Il était fort mécontent de Julien, et c'était pour
lui que M. de Rênal lui offrait le gage inespéré de 300 francs
par an, avec la nourriture et même l'habillement. Cette   35

dernière prétention, que le père Sorel avait eu le génie de
mettre en avant subitement, avait été accordée de même
par M. de Rênal.

Cette demande frappa le maire. Puisque Sorel n'est pas
ravi et comblé de ma proposition, comme naturellement il
devrait l'être, il est clair, se dit-il, qu'on lui a fait des offres
d'un autre côté; et de qui peuvent-elles venir, si ce n'est du
Valenod? Ce fut en vain que M. de Rênal pressa Sorel de
conclure sur-le-champ : l'astuce du vieux paysan s'y refusa
opiniâtrement; il voulait, disait-il, consulter son fils, comme
si, en province, un père riche consultait un fils qui n'a
rien, autrement que pour la forme.

Une scie à eau se compose d'un hangar au bord d'un
ruisseau. Le toit est soutenu par une charpente qui porte
sur quatre gros piliers en bois. A huit ou dix pieds d'élévation, au milieu du hangar, on voit une scie qui monte et
descend, tandis qu'un mécanisme fort simple pousse contre
cette scie une pièce de bois. C'est une roue mise en mouvement par le ruisseau qui fait aller ce double mécanisme;
celui de la scie qui monte et descend, et celui qui pousse
doucement la pièce de bois vers la scie, qui la débite en
planches.

En approchant de son usine, le père Sorel appela Julien
de sa voix de stentor; personne ne répondit. Il ne vit que
ses fils aînés, espèce de géants qui, armés de lourdes haches,
équarrissaient les troncs de sapin, qu'ils allaient porter à
la scie. Tout occupés à suivre exactement la marque noire
tracée sur la pièce de bois, chaque coup de leur hache en
séparait des copeaux énormes. Ils n'entendirent pas la voix
de leur père. Celui-ci se dirigea vers le hangar; en y entrant,
il chercha vainement Julien à la place qu'il aurait dû occuper, à côté de la scie. Il l'aperçut à cinq ou six pieds plus
haut, à cheval sur l'une des pièces de la toiture. Au lieu de
surveiller attentivement l'action de tout le mécanisme,
Julien lisait. Rien n'était plus antipathique au vieux Sorel;
il eût peut-être pardonné à Julien sa taille mince, peu
propre aux travaux de force, et si différente de celle de ses
aînés; mais cette manie de lecture lui était odieuse, il ne
savait pas lire lui-même.

Ce fut en vain qu'il appela Julien deux ou trois fois.
L'attention que le jeune homme donnait à son livre, bien
plus que le bruit de la scie, l'empêcha d'entendre la terrible

voix de son père. Enfin, malgré son âge, celui-ci sauta lestement sur l'arbre soumis à l'action de la scie, et de là sur
la poutre transversale qui soutenait le toit. Un coup violent
fit voler dans le ruisseau le livre que tenait Julien ; un second
coup aussi violent, donné sur la tête, en forme de calotte,   5
lui fit perdre l'équilibre. Il allait tomber à douze ou quinze
pieds plus bas, au milieu des leviers de la machine en action,
qui l'eussent brisé, mais son père le retint de la main gauche,
comme il tombait :

— Eh bien, paresseux ! tu liras donc toujours tes mau-   10
dits livres, pendant que tu es de garde à la scie ? Lis-les le
soir, quand tu vas perdre ton temps chez le curé, à la bonne
heure.

Julien, quoique étourdi par la force du coup, et tout
sanglant, se rapprocha de son poste officiel, à côté de la   15
scie. Il avait les larmes aux yeux, moins à cause de la douleur physique que pour la perte de son livre qu'il adorait.

— Descends, animal, que je te parle.

Le bruit de la machine empêcha encore Julien d'entendre
cet ordre. Son père, qui était descendu, ne voulant pas se   20
donner la peine de remonter sur le mécanisme, alla chercher
une longue perche pour abattre des noix et l'en frappa sur
l'épaule. A peine Julien fut-il à terre, que le vieux Sorel,
le chassant rudement devant lui, le poussa vers la maison.
Dieu sait ce qu'il va me faire ! se disait le jeune homme.   25
En passant, il regarda tristement le ruisseau où était tombé
son livre ; c'était celui de tous qu'il affectionnait le plus,
le *Mémorial de Sainte-Hélène* [1].

Il avait les joues pourpres et les yeux baissés. C'était un
petit jeune homme de dix-huit à dix-neuf ans, faible en   30
apparence, avec des traits irréguliers, mais délicats, et un
nez aquilin. De grands yeux noirs, qui, dans les moments
tranquilles, annonçaient de la réflexion et du feu, étaient
animés en cet instant de l'expression de la haine la plus
féroce. Des cheveux châtain foncé, plantés fort bas, lui   35
donnaient un petit front, et, dans les moments de colère,
un air méchant. Parmi les innombrables variétés de la physionomie humaine, il n'en est peut-être point qui se soit
distinguée par une spécialité plus saisissante. Une taille

---

1. Stendhal a prêté à Julien sa propre admiration pour le *Mémorial de Sainte-Hélène*
et pour Napoléon.

svelte et bien prise annonçait plus de légèreté que de vigueur. Dès sa première jeunesse, son air extrêmement pensif et sa grande pâleur avaient donné l'idée à son père qu'il ne vivrait pas, ou qu'il vivrait pour être une charge à sa famille. Objet des mépris de tous à la maison, il haïssait ses frères et son père; dans les jeux du dimanche, sur la place publique, il était toujours battu.

Il n'y avait pas un an que sa jolie figure commençait à lui donner quelques voix amies parmi les jeunes filles. Méprisé de tout le monde, comme un être faible, Julien avait adoré ce vieux chirurgien-major qui un jour osa parler au maire au sujet des platanes [1].

Ce chirurgien payait quelquefois au père Sorel la journée de son fils, et lui enseignait le latin et l'histoire, c'est-à-dire ce qu'il savait d'histoire : la campagne de 1796 en Italie. En mourant, il lui avait légué sa croix de la Légion d'honneur, les arrérages de sa demi-solde et trente ou quarante volumes, dont le plus précieux venait de faire le saut dans le *ruisseau public* [2], détourné par le crédit de M. le maire.

A peine entré dans la maison, Julien se sentit l'épaule arrêtée par la puissante main de son père; il tremblait, s'attendait à quelques coups.

— Réponds-moi sans mentir, lui cria aux oreilles la voix dure du vieux paysan, tandis que sa main le retournait

---

● **Julien en famille** : *En approchant de son usine...* (p. 39, l. 23 et suiv.).

① Qu'est-ce qui caractérise un Sorel? Essayez de préciser ce qu'ont en commun le père et les frères aînés : au point de vue physique; au point de vue moral.

② Comment Stendhal a-t-il souligné le contraste entre Julien et sa famille? La position même où son père le trouve *à cinq ou six pieds plus haut, à cheval sur l'une des pièces de la toiture* (p. 39, l. 32) ne pourrait-elle pas passer pour symbolique?

③ Comment le vieux Sorel juge-t-il Julien et son goût pour la lecture? Pourquoi le bat-il encore, malgré son âge?

④ L'attitude de Julien, assez passive ici, ne révèle-t-elle pas pourtant certains traits de son caractère?

---

1. Le *chirurgien-major* avait reproché à M. de Rênal de trop faire élaguer les platanes qui ombrageaient la promenade publique de Verrières, le Cours de la Fidélité. — 2. Le ruisseau « qui faisait aller » la scie (voir p. 39, l. 19) du père Sorel, et dont M. de Rênal avait obtenu qu'il fût détourné, après avoir racheté au père Sorel le terrain où sa scierie était primitivement installée.

comme la main d'un enfant retourne un soldat de plomb.
Les grands yeux noirs et remplis de larmes de Julien se
trouvèrent en face des petits yeux gris et méchants du
vieux charpentier, qui avait l'air de vouloir lire jusqu'au
fond de son âme.   5

CHAPITRE 5

UNE NÉGOCIATION

Réponds-moi sans mentir, si tu le peux, chien de *lisard*[1];
d'où connais-tu Mᵐᵉ de Rênal, quand lui as-tu parlé?

— Je ne lui ai jamais parlé, répondit Julien, je n'ai
jamais vu cette dame qu'à l'église.

— Mais tu l'auras regardée, vilain effronté?   10

— Jamais! Vous savez qu'à l'église je ne vois que Dieu,
ajouta Julien, avec un petit air hypocrite, tout propre, selon
lui, à éloigner le retour des taloches.

— Il y a pourtant quelque chose là-dessous, répliqua
le paysan malin, et il se tut un instant; mais je ne saurai rien   15
de toi, maudit hypocrite. Au fait, je vais être délivré de
toi, et ma scie n'en ira que mieux. Tu as gagné M. le curé
ou tout autre, qui t'a procuré une belle place. Va faire ton
paquet, et je te mènerai chez M. de Rênal, où tu seras
précepteur des enfants.   20

— Qu'aurai-je pour cela?

— La nourriture, l'habillement et trois cents francs de
gages.

— Je ne veux pas être domestique.

— Animal, qui te parle d'être domestique, est-ce que je   25
voudrais que mon fils fût domestique?

— Mais, avec qui mangerai-je?

Cette demande déconcerta le vieux Sorel, il sentit qu'en
parlant il pourrait commettre quelque imprudence; il s'emporta contre Julien, qu'il accabla d'injures, en l'accusant de   30
gourmandise, et le quitta pour aller consulter ses autres fils.

Julien les vit bientôt après, chacun appuyé sur sa hache
et tenant conseil[2]. Après les avoir longtemps regardés,

---

1. Terme péjoratif, déformation de : liseur. — 2. Ces détails très sobres suffisent à Stendhal
pour nous « faire voir » la scène.

Julien, voyant qu'il ne pouvait rien deviner, alla se placer
de l'autre côté de la scie, pour éviter d'être surpris. Il voulait
penser à cette annonce imprévue qui changeait son sort,
mais il se sentit incapable de prudence; son imagination
était tout entière à se figurer ce qu'il verrait dans la belle   5
maison de M. de Rênal.

Il faut renoncer à tout cela, se dit-il, plutôt que de se
laisser réduire à manger avec les domestiques. Mon père
voudra m'y forcer; plutôt mourir. J'ai quinze francs huit
sous d'économies, je me sauve cette nuit; en deux jours, par   10
des chemins de traverse où je ne crains nul gendarme, je
suis à Besançon; là, je m'engage comme soldat, et, s'il le
faut, je passe en Suisse. Mais alors plus d'avancement, plus
d'ambition pour moi, plus de ce bel état de prêtre qui
mène à tout.   15

Cette horreur pour manger avec des domestiques n'était
pas naturelle à Julien, il eût fait pour arriver à la fortune
des choses bien autrement pénibles. Il puisait cette répu-
gnance dans les *Confessions*[1] de Rousseau. C'était le seul
livre à l'aide duquel son imagination se figurait le monde.   20
Le recueil des bulletins de la grande armée et le *Mémorial
de Sainte-Hélène* complétaient son Coran. Il se serait fait
tuer pour ces trois ouvrages. Jamais il ne crut en aucun
autre. D'après un mot du vieux chirurgien major, il regardait tous les autres livres du monde comme menteurs, et   25
écrits par des fourbes pour avoir de l'avancement.

Avec une âme de feu, Julien avait une de ces mémoires
étonnantes si souvent unies à la sottise. Pour gagner le
vieux curé Chélan, duquel il voyait bien que dépendait son
sort à venir, il avait appris par cœur tout le Nouveau   30
Testament en latin; il savait aussi le livre *du Pape* de
M. de Maistre[2] et croyait à l'un aussi peu qu'à l'autre.

Comme par un accord mutuel, Sorel et son fils évitèrent
de se parler ce jour-là. Sur la brune, Julien alla prendre
sa leçon de théologie chez le curé, mais il ne jugea pas   35
prudent de lui rien dire de l'étrange proposition qu'on
avait faite à son père. Peut-être est-ce un piège, se disait-il,
il faut faire semblant de l'avoir oublié.

1. C'était aussi un des livres de chevet de Stendhal dans sa jeunesse. — 2. Philosophe
religieux (1753-1821), le principal maître à penser du parti ultra sous la Restauration :
voir p. 124, note 2.

Le lendemain de bonne heure, M. de Rênal fit appeler le vieux Sorel, qui, après s'être fait attendre une heure ou deux, finit par arriver, en faisant dès la porte cent excuses, entremêlées d'autant de révérences. A force de parcourir toutes sortes d'objections, Sorel comprit que son fils mangerait avec le maître et la maîtresse de la maison, et les jours où il y aurait du monde, seul dans une chambre à part avec les enfants. Toujours plus disposé à incidenter à mesure qu'il distinguait un véritable empressement chez M. le maire, et d'ailleurs rempli de défiance et d'étonnement, Sorel demanda à voir la chambre où coucherait son fils. C'était une grande pièce meublée fort proprement, mais dans laquelle on était déjà occupé à transporter les lits des trois enfants.

Cette circonstance fut un trait de lumière pour le vieux paysan; il demanda aussitôt avec assurance à voir l'habit que l'on donnerait à son fils. M. de Rênal ouvrit son bureau et prit cent francs.

— Avec cet argent, votre fils ira chez M. Durand, le drapier, et lèvera un habit noir complet.

— Et quand même je le retirerais de chez vous, dit le paysan, qui avait tout à coup oublié ses formes révérencieuses, cet habit noir lui restera?

— Sans doute.

— Eh bien! dit Sorel d'un ton de voix traînard, il ne reste donc plus qu'à nous mettre d'accord sur une seule chose : l'argent que vous lui donnerez.

— Comment! s'écria M. de Rênal indigné, nous sommes d'accord depuis hier : je donne trois cents francs; je crois que c'est beaucoup, et peut-être trop.

— C'était votre offre, je ne le nie point, dit le vieux Sorel, parlant encore plus lentement; et, par un effort de génie qui n'étonnera que ceux qui ne connaissent pas les paysans francs-comtois, il ajouta, en regardant fixement M. de Rênal : *Nous trouvons mieux ailleurs* [1]!

A ces mots, la figure du maire fut bouleversée. Il revint cependant à lui, et, après une conversation savante de deux grandes heures, où pas un mot ne fut dit au hasard, la finesse du paysan l'emporta sur la finesse de l'homme riche,

---

1. On a vu (p. 38, l. 5 et suiv.) que M. de Rênal vit dans la crainte que M. Valenod n'engage Julien. Le père Sorel, sans s'en douter, a touché juste.

qui n'en a pas besoin pour vivre. Tous les nombreux articles qui devaient régler la nouvelle existence de Julien se trouvèrent arrêtés; non seulement ses appointements furent réglés à quatre cent francs, mais on dut les payer d'avance, le premier de chaque mois.   5

— Eh bien! je lui remettrai trente-cinq francs, dit M. de Rênal.

— Pour faire la somme ronde, un homme riche et généreux comme monsieur notre maire, dit le paysan d'une voix *câline*, ira bien jusqu'à trente-six francs.   10

— Soit, dit M. de Rênal, mais finissons-en.

Pour le coup, la colère lui donnait le ton de la fermeté. Le paysan vit qu'il fallait cesser de marcher en avant. Alors, à son tour, M. de Rênal fit des progrès. Jamais il ne voulut remettre le premier mois de trente-six francs au   15 vieux Sorel, fort empressé de le recevoir pour son fils. M. de Rênal vint à penser qu'il serait obligé de raconter à sa femme le rôle qu'il avait joué dans toute cette négociation.

— Rendez-moi les cent francs que je vous ai remis, dit-il avec humeur. M. Durand me doit quelque chose.   20 J'irai avec votre fils faire la levée du drap noir.

Après cet acte de vigueur, Sorel rentra prudemment dans ses formules respectueuses; elles prirent un bon quart d'heure. A la fin, voyant qu'il n'y avait décidément plus rien à gagner, il se retira. Sa dernière révérence finit   25 par ces mots :

— Je vais envoyer mon fils au château.

C'était ainsi que les administrés de M. le maire appelaient sa maison quand ils voulaient lui plaire.

● **A malin, malin et demi :** *Le lendemain de bonne heure...* (p. 44, l. 1 et suiv.).

① Est-ce par affection pour son fils que le père Sorel se montre un négociateur si difficile?

② Préciser ses sentiments envers M. de Rênal. Comment expliquer qu'il soit à la fois respectueux et méfiant?

③ A quel personnage de Balzac le père Sorel peut-il faire songer? Pourquoi?

④ Quelles sont les réactions successives de M. de Rênal devant le père Sorel? Ne s'agit-il pas d'une sorte de bataille? Quelles en sont les péripéties? Qui l'a emporté finalement? Pourquoi?

De retour à son usine, ce fut en vain que Sorel chercha son fils. Se méfiant de ce qui pouvait arriver, Julien était sorti au milieu de la nuit. Il avait voulu mettre en sûreté ses livres et sa croix de la Légion d'honneur. Il avait transporté le tout chez un jeune marchand de bois, son ami, nommé Fouqué, qui habitait dans la haute montagne qui domine Verrières.

Quand il reparut : — Dieu sait, maudit paresseux, lui dit son père, si tu auras jamais assez d'honneur pour me payer le prix de ta nourriture, que j'avance depuis tant d'années! Prends tes guenilles, et va-t'en chez M. le maire.

Julien, étonné de n'être pas battu, se hâta de partir. Mais à peine hors de la vue de son terrible père, il ralentit le pas. Il jugea qu'il serait utile à son hypocrisie [1] d'aller faire une station à l'église.

Ce mot vous surprend? Avant d'arriver à cet horrible mot, l'âme du jeune paysan avait eu bien du chemin à parcourir.

Dès sa première enfance, la vue de certains dragons du 6e, aux longs manteaux blancs, et la tête couverte de casques aux longs crins noirs, qui revenaient d'Italie [2] et que Julien vit attacher leurs chevaux à la fenêtre grillée de la maison de son père, le rendit fou de l'état militaire. Plus tard il écoutait avec transport les récits des batailles du pont de Lodi, d'Arcole, de Rivoli, que lui faisait le vieux chirurgien-major. Il remarqua les regards enflammés que le vieillard jetait sur sa croix.

Mais lorsque Julien avait quatorze ans, on commença à bâtir à Verrières une église, que l'on peut appeler magnifique pour une aussi petite ville. Il y avait surtout quatre colonnes de marbre dont la vue frappa Julien; elles devinrent célèbres dans le pays, par la haine mortelle qu'elles suscitèrent entre le juge de paix et le jeune vicaire [3], envoyé de Besançon, qui passait pour être l'espion de la congrégation [4]. Le juge de paix fut sur le point de perdre sa place, du moins telle était l'opinion commune. N'avait-il pas osé

---

1. Julien nous était apparu sympathique. Aussi Stendhal va-t-il éprouver le besoin d'expliquer ce mot brutalement péjoratif dont il le qualifie. — 2. Souvenir personnel de Stendhal, qui avait servi dans ce corps de 1800 à 1802. — 3. L'abbé Maslon, qui jouera un certain rôle dans l'intrigue du roman. — 4. Association laïque de catholiques militants, dont le but proclamé était de rechristianiser la France après la Révolution, mais qu'on soupçonna rapidement, non sans raison, d'avoir des arrière-pensées politiques et d'utiliser des procédés de délation.

avoir un différend avec un prêtre qui, presque tous les
quinze jours, allait à Besançon, où il voyait, disait-on, monseigneur l'évêque?

Sur ces entrefaites, le juge de paix, père d'une nombreuse famille, rendit plusieurs sentences qui semblèrent   5
injustes; toutes furent portées contre ceux des habitants
qui lisaient le *Constitutionnel* [1]? Le bon parti triompha.
Il ne s'agissait, il est vrai, que de sommes de trois ou de
cinq francs; mais une de ces petites amendes dut être
payée par un cloutier, parrain de Julien. Dans sa colère,   10
cet homme s'écriait : « Quel changement! et dire que,
depuis plus de vingt ans, le juge de paix passait pour un si
honnête homme! » Le chirurgien-major, ami de Julien,
était mort.

Tout à coup Julien cessa de parler de Napoléon; il   15
annonça le projet de se faire prêtre, et on le vit constamment, dans la scie de son père, occupé à apprendre par
cœur une bible latine que le curé lui avait prêtée. Ce bon
vieillard, émerveillé de ses progrès, passait des soirées
entières à lui enseigner la théologie. Julien ne faisait   20

● **Du Rouge au Noir :** *Dès sa première enfance...* (p. 46, l. 19 et
suiv.).

Le personnage de Julien va être complexe. Avant de nous le
montrer par ses actes, Stendhal tient à nous résumer l'histoire
de son enfance : *Dès sa première enfance, il avait eu des moments
d'exaltation* (p. 48, l. 8).

① Ce terme n'est-il pas important pour nous faire comprendre
un personnage « hypocrite »? N'y a-t-il pas quelque chose d'enfan-
tin et d'innocent dans les rêveries provoquées chez Julien par le
spectacle des régiments de dragons?

② Quand Julien décide-t-il de changer d'orientation? Quel
autre spectacle se substitue à celui des dragons?

③ *Pour Julien, faire fortune, c'était d'abord sortir de Verrières*
(p. 48, l. 5). Pour quelles raisons Julien souhaite-t-il quitter
Verrières? D'après ce qu'on connaît de lui à cet endroit du roman,
peut-on le qualifier purement et simplement d'arriviste?

④ L'anecdote de la faute de Julien et de sa punition par lui-
même (p. 48, l. 33 et suiv.) n'éclaire-t-elle pas son caractère? Cette
anecdote nous le rend-elle sympathique ou antipathique?

---

1. Journal libéral.

paraître devant lui que des sentiments pieux. Qui eût pu deviner que cette figure de jeune fille, si pâle et si douce, cachait la résolution inébranlable de s'exposer à mille morts plutôt que de ne pas faire fortune!

Pour Julien, faire fortune, c'était d'abord sortir de Verrières; il abhorrait sa patrie. Tout ce qu'il y voyait glaçait son imagination.

Dès sa première enfance, il avait eu des moments d'exaltation. Alors il songeait avec délices qu'un jour il serait présenté aux jolies femmes de Paris, il saurait attirer leur attention par quelque action d'éclat. Pourquoi ne serait-il pas aimé de l'une d'elles, comme Bonaparte, pauvre encore, avait été aimé de la brillante Mme de Beauharnais? Depuis bien des années, Julien ne passait peut-être pas une heure de sa vie sans se dire que Bonaparte, lieutenant obscur et sans fortune, s'était fait le maître du monde avec son épée. Cette idée le consolait de ses malheurs qu'il croyait grands, et redoublait sa joie quand il en avait.

La construction de l'église et les sentences du juge de paix l'éclairèrent tout à coup; une idée qui lui vint le rendit comme fou pendant quelques semaines, et enfin s'empara de lui avec la toute-puissance de la première idée qu'une âme passionnée croit avoir inventée.

« Quand Bonaparte fit parler de lui, la France avait peur d'être envahie; le mérite militaire était nécessaire et à la mode. Aujourd'hui, on voit des prêtres de quarante ans avoir cent mille francs d'appointements, c'est-à-dire trois fois autant que les fameux généraux de division de Napoléon. Il leur faut des gens qui les secondent. Voilà ce juge de paix, si bonne tête, si honnête homme, jusqu'ici, si vieux, qui se déshonore par crainte de déplaire à un jeune vicaire de trente ans. Il faut être prêtre [1]. »

Une fois, au milieu de sa nouvelle piété, il y avait déjà deux ans que Julien étudiait la théologie, il fut trahi par une irruption soudaine du feu qui dévorait son âme. Ce fut chez M. Chélan, à un dîner de prêtres auquel le bon curé l'avait présenté comme un prodige d'instruction, il lui arriva de louer Napoléon avec fureur. Il se lia le bras droit contre la poitrine, prétendit s'être disloqué le bras en remuant un tronc de sapin, et le porta pendant deux

---

1. Ce passage peut fournir une explication du titre du roman : voir p. 26.

mois dans cette position gênante. Après cette peine afflic-
tive, il se pardonna [1]. Voilà le jeune homme de dix-neuf ans,
mais faible en apparence, et à qui l'on en eût tout au plus
donné dix-sept, qui, portant un petit paquet sous le bras,
entrait dans la magnifique église de Verrières.   5

Il la trouva sombre et solitaire. A l'occasion d'une fête,
toutes les croisées de l'édifice avaient été couvertes d'étoffe
cramoisie. Il en résultait, aux rayons du soleil, un effet
de lumière éblouissant, du caractère le plus imposant et
le plus religieux. Julien tressaillit. Seul, dans l'église, il   15
s'établit dans le banc qui avait la plus belle apparence.
Il portait les armes de M. de Rênal.

Sur le prie-Dieu, Julien remarqua un morceau de papier
imprimé, étalé là comme pour être lu. Il y porta les yeux et vit :

Détails de l'exécution et des derniers moments de Louis   20
Jenrel, exécuté à Besancon, le...

Le papier était déchiré. Au revers on lisait les deux
premiers mots d'une ligne, c'étaient : *Le premier pas.*

— Qui a pu mettre ce papier là, dit Julien? Pauvre
malheureux, ajouta-t-il avec un soupir, son nom finit   25
comme le mien... et il froissa le papier.

● **L'exposition du roman** (chapitres 1 à 5). — Ces premiers chapitres
constituent une sorte d'*exposition* du roman. Ils nous font connaître
les lieux et surtout certains personnages essentiels.

① Étudier la présentation de ces personnages par le procédé du
contraste.

— *Contraste entre M. et Mme de Rênal.* L'opposition n'est encore
que suggérée et sera développée par la suite jusqu'à la rupture. Mais
déjà a-t-on l'impression que les pensées du couple sont à
l'unisson? Ne sont-ils pas divisés sur le point qui devrait le plus
les unir : le soin de leurs enfants?

— *Contraste entre M. de Rênal et le père Sorel.*

① Quelle catégorie sociale représente chacun d'eux? Quels sont les
traits distinctifs de ces deux catégories sociales? En quoi consiste
le « génie » du père Sorel?

— *Contraste entre Julien et sa famille.*

② Relever les détails qui font que Julien s'en distingue, physiquement, intellectuellement, psychologiquement, moralement.
Pourquoi Stendhal insiste-t-il sur l'absence de toute tendresse
familiale autour de Julien?

---

1. Noter le caractère « second » de l'hypocrisie chez Julien : elle est une leçon de la vie;
mais le premier mouvement du personnage est le plus souvent, comme ici, un mouvement
de passion irraisonné.

En sortant, Julien crut voir du sang près du bénitier, c'était de l'eau bénite qu'on avait répandue : le reflet des rideaux rouges qui couvraient les fenêtres la faisait paraître du sang.

Enfin, Julien eut honte de sa terreur secrète.

— Serais-je un lâche! se dit-il, *aux armes!*

Ce mot si souvent répété dans les récits de batailles du vieux chirurgien était héroïque pour Julien. Il se leva et marcha rapidement vers la maison de M. de Rênal.

Malgré ces belles résolutions, dès qu'il l'aperçut à vingt pas de lui, il fut saisi d'une invincible timidité. La grille de fer était ouverte, elle lui semblait magnifique, il fallait entrer là dedans.

Julien n'était pas la seule personne [1] dont le cœur fût troublée par son arrivée dans cette maison. L'extrême timidité de Mme de Rênal était déconcertée par l'idée de cet étranger, qui, d'après ses fonctions, allait se trouver constamment entre elle et ses enfants. Elle était accoutumée à avoir ses fils couchés dans sa chambre. Le matin, bien des larmes avaient coulé quand elle avait vu transporter leurs petits lits dans l'appartement destiné au précepteur. Ce fut en vain qu'elle demanda à son mari que le lit de Stanislas-Xavier, le plus jeune, fût reporté dans sa chambre.

La délicatesse de femme était poussée à un point excessif chez Mme de Rênal. Elle se faisait l'image la plus désagréable d'un être grossier et mal peigné, chargé de gronder ses enfants, uniquement parce qu'il savait le latin, un langage barbare pour lequel on fouetterait ses fils [2].

CHAPITRE 6

L'ENNUI

Avec la vivacité et la grâce qui lui étaient naturelles quand elle était loin des regards des hommes, Mme de Rênal sortait par la porte-fenêtre du salon qui donnait sur le jardin, quand elle aperçut près de la porte d'entrée la

---

1. Avant même leur rencontre, Stendhal suggère une sorte de parallélisme entre Mme de Rênal et Julien Sorel. — 2. L'effet de surprise se trouve ainsi préparé, et l'on comprendra mieux le premier émoi de Mme de Rênal.

figure d'un jeune paysan presque encore enfant, extrêmement pâle et qui venait de pleurer. Il était en chemise
bien blanche, et avait sous le bras une veste fort propre
de ratine violette.

Le teint de ce petit paysan était si blanc, ses yeux si doux, 5
que l'esprit un peu romanesque de Mme de Rênal eut
d'abord l'idée que ce pouvait être une jeune fille déguisée,
qui venait demander quelque grâce à M. le maire. Elle eut
pitié de cette pauvre créature, arrêtée à la porte d'entrée,
et qui évidemment n'osait pas lever la main jusqu'à la 10
sonnette. Mme de Rênal s'approcha, distraite un instant de
l'amer chagrin que lui donnait l'arrivée du précepteur.
Julien, tourné vers la porte, ne la voyait pas s'avancer. Il
tressaillit quand une voix douce dit tout près de son oreille :

— Que voulez-vous ici, mon enfant? 15

Julien se tourna vivement, et, frappé du regard si rempli
de grâce de Mme de Rênal, il oublia une partie de sa timidité. Bientôt, étonné de sa beauté, il oublia tout, même ce
qu'il venait faire. Mme de Rênal avait répété sa question.

— Je viens pour être précepteur, Madame, lui dit-il 20
enfin, tout honteux de ses larmes qu'il essuyait de son
mieux.

Mme de Rênal resta interdite, ils étaient fort près l'un
de l'autre à se regarder. Julien n'avait jamais vu un être
aussi bien vêtu et surtout une femme avec un teint si éblouis- 25
sant, lui parler d'un air doux. Mme de Rênal regardait les
grosses larmes qui s'étaient arrêtées sur les joues si pâles
d'abord et maintenant si roses de ce jeune paysan. Bientôt
elle se mit à rire, avec toute la gaieté folle d'une jeune fille,
elle se moquait d'elle-même et ne pouvait se figurer tout 30
son bonheur. Quoi, c'était là ce précepteur qu'elle s'était
figuré comme un prêtre sale et mal vêtu, qui viendrait gronder et fouetter ses enfants!

— Quoi, Monsieur, lui dit-elle enfin, vous savez le latin?

Ce mot de Monsieur étonna si fort Julien qu'il réfléchit 35
un instant.

— Oui, Madame, dit-il timidement.

Mme de Rênal était si heureuse, qu'elle osa dire à Julien :

— Vous ne gronderez pas trop ces pauvres enfants?

— Moi, les gronder, dit Julien étonné, et pourquoi? 40

— N'est-ce pas, Monsieur, ajouta-t-elle après un petit
silence et d'une voix dont chaque instant augmentait

l'émotion, vous serez bon pour eux, vous me le promettez?

S'entendre appeler de nouveau Monsieur, bien sérieusement, et par une dame si bien vêtue, était au-dessus de
toutes les prévisions de Julien : dans tous les châteaux en
Espagne de sa jeunesse, il s'était dit qu'aucune dame comme   5
il faut ne daignerait lui parler que quand il aurait un bel
uniforme. Mme de Rênal, de son côté, était complètement
trompée par la beauté du teint, les grands yeux noirs de
Julien et ses jolis cheveux qui frisaient plus qu'à l'ordinaire,
parce que pour se rafraîchir il venait de plonger la tête dans   10
le bassin de la fontaine publique. A sa grande joie, elle
trouvait l'air timide d'une jeune fille à ce fatal précepteur,
dont elle avait tant redouté pour ses enfants la dureté et
l'air rébarbatif. Pour l'âme si paisible de Mme de Rênal,
le contraste de ses craintes et de ce qu'elle voyait fut un   15
grand événement. Enfin elle revint de sa surprise. Elle fut
étonnée de se trouver ainsi à la porte de sa maison avec ce
jeune homme presque en chemise et si près de lui.

— Entrons, Monsieur, lui dit-elle d'un air assez embarrassé.   20

De sa vie une sensation purement agréable n'avait aussi
profondément ému Mme de Rênal, jamais une apparition
aussi gracieuse n'avait succédé à des craintes plus inquié-
tantes. Ainsi ces jolis enfants, si soignés par elle, ne tom-
beraient pas dans les mains d'un prêtre sale et grognon. A   25
peine entrée sous le vestibule, elle se retourna vers Julien
qui la suivait timidement. Son air étonné, à l'aspect d'une
maison si belle, était une grâce de plus aux yeux de Mme de
Rênal. Elle ne pouvait en croire ses yeux, il lui semblait
surtout que le précepteur devait avoir un habit noir.   30

— Mais, est-il vrai, Monsieur, lui dit-elle en s'arrêtant
encore, et craignant mortellement de se tromper, tant sa
croyance la rendait heureuse, vous savez le latin?

Ces mots choquèrent l'orgueil de Julien et dissipèrent
le charme dans lequel il vivait depuis un quart d'heure.   35

— Oui, Madame, lui dit-il en cherchant à prendre un air
froid; je sais le latin aussi bien que M. le curé, et même
quelquefois il a la bonté de dire mieux que lui.

Mme de Rênal trouva que Julien avait l'air fort méchant,
il s'était arrêté à deux pas d'elle. Elle s'approcha et lui dit   40
à mi-voix :

— N'est-ce pas, les premiers jours, vous ne donnerez

pas le fouet à mes enfants, même quand ils ne sauraient pas leurs leçons.

Ce ton si doux et presque suppliant d'une si belle dame fit tout à coup oublier à Julien ce qu'il devait à sa réputation de latiniste. La figure de Mme de Rênal était près de la sienne, il sentit le parfum des vêtements d'été d'une femme, chose si étonnante pour un pauvre paysan. Julien rougit extrêmement et dit avec un soupir et d'une voix défaillante :

— Ne craignez rien, Madame, je vous obéirai en tout.

Ce fut en ce moment seulement, quand son inquiétude pour ses enfants fut tout à fait dissipée, que Mme de Rênal fut frappée de l'extrême beauté de Julien. La forme presque féminine de ses traits et son air d'embarras ne semblèrent point ridicules à une femme extrêmement timide elle-même. L'air mâle que l'on trouve communément nécessaire à la beauté d'un homme lui eût fait peur.

— Quel âge avez-vous, Monsieur? dit-elle à Julien.

— Bientôt dix-neuf ans.

— Mon fils aîné a onze ans, reprit Mme de Rênal tout à fait rassurée, ce sera presque un camarade pour vous, vous

---

● **Première rencontre de Julien et de Mme de Rênal :** *Avec la viva-cité...* (p. 50, l. 28 et suiv.).

① N'y a-t-il pas une secrète ressemblance entre les deux person-nages (timidité, isolement au milieu des leurs, etc.)?

② A quoi tient le charme de Mme de Rênal? Ne pourrait-on parler aussi du charme de Julien?

Une âme à imagination est tendre et défiante, je dis même l'âme la plus naïve. Elle peut être méfiante sans s'en douter; elle a trouvé tant de désappointements dans la vie! Donc tout ce qui est prévu et officiel dans la présentation d'un homme effarouche l'imagination et éloigne la possibilité de la cristallisation. L'amour triomphe, au contraire, dans le romanesque à la première vue. Rien de plus simple; l'étonnement qui fait longuement songer à une chose extraordinaire, est déjà la moitié du mouvement cérébral nécessaire pour la cristalli-sation [...]. L'amour aime, à la première vue, une physionomie qui indique à la fois dans un homme quelque chose à respecter et à plaindre (Stendhal, *De l'Amour*, 1, 21).

③ Cette analyse peut-elle s'appliquer à Mme de Rênal?

④ Quels sont les sentiments de Julien? Comment se manifes-tent-ils?

⑤ Montrer comment, par un art très sobre, Stendhal a su rendre cette scène (I, 6) très vivante.

lui parlerez raison. Une fois son père a voulu le battre,
l'enfant a été malade pendant toute une semaine, et cependant c'était un bien petit coup.

Quelle différence avec moi, pensa Julien. Hier encore,
mon père m'a battu. Que ces gens riches sont heureux!   5

Mme de Rênal en était déjà à saisir les moindres nuances
de ce qui se passait dans l'âme du précepteur; elle prit ce mouvement de tristesse pour de la timidité, et voulut l'encourager.

— Quel est votre nom, Monsieur? lui dit-elle avec un
accent et une grâce dont Julien sentit tout le charme, sans   10
pouvoir s'en rendre compte.

— On m'appelle Julien Sorel, Madame; je tremble en
entrant pour la première fois de ma vie dans une maison
étrangère, j'ai besoin de votre protection et que vous me
pardonniez bien des choses les premiers jours. Je n'ai jamais   15
été au collège, j'étais trop pauvre; je n'ai jamais parlé à
d'autres hommes que mon cousin le chirurgien-major,
membre de la Légion d'honneur, et M. le curé Chélan. Il
vous rendra bon témoignage de moi. Mes frères m'ont
toujours battu, ne les croyez pas s'ils vous disent du mal   20
de moi, pardonnez mes fautes, Madame, je n'aurai jamais
mauvaise intention.

Julien se rassurait pendant ce long discours, il examinait
Mme de Rênal. Tel est l'effet de la grâce parfaite, quand elle
est naturelle au caractère, et que surtout la personne qu'elle   25
décore ne songe pas à avoir de la grâce; Julien, qui se
connaissait fort bien en beauté féminine, eût juré dans cet
instant qu'elle n'avait que vingt ans. Il eut sur-le-champ
l'idée hardie de lui baiser la main. Bientôt il eut peur de
son idée; un instant après il se dit : il y aurait de la   30
lâcheté à moi de ne pas exécuter une action qui peut m'être
utile, et diminuer le mépris que cette belle dame a probablement pour un pauvre ouvrier à peine arraché à la scie.
Peut-être Julien fut-il un peu encouragé par ce mot de joli
garçon, que depuis six mois il entendait répéter le dimanche   35
par quelques jeunes filles. Pendant ces débats intérieurs,
Mme de Rênal lui adressait deux ou trois mots d'instruction
sur la façon de débuter avec les enfants. La violence que se
faisait Julien le rendit de nouveau fort pâle; il dit, d'un air
contraint :   40

— Jamais, Madame, je ne battrai vos enfants; je le jure
devant Dieu.

Et en disant ces mots, il osa prendre la main de Mme de Rênal et la porter à ses lèvres. Elle fut étonnée de ce geste et, par réflexion, choquée. Comme il faisait très chaud, son bras était tout à fait nu sous son châle, et le mouvement de Julien, en portant la main à ses lèvres, l'avait entièrement découvert. Au bout de quelques instants, elle se gronda elle-même, il lui sembla qu'elle n'avait pas été assez rapidement indignée.

M. de Rênal, qui avait entendu parler, sortit de son cabinet; du même air majestueux et paterne qu'il prenait lorsqu'il faisait des mariages à la mairie, il dit à Julien :

— Il est essentiel que je vous parle avant que les enfants ne vous voient.

Il fit entrer Julien dans une chambre et retint sa femme qui voulait les laisser seuls. La porte fermée, M. de Rênal s'assit avec gravité.

— M. le curé m'a dit que vous étiez un bon sujet, tout le monde vous traitera ici avec honneur, et si je suis content, j'aiderai à vous faire par la suite un petit établissement. Je veux que vous ne voyiez plus ni parents ni amis, leur ton ne peut convenir à mes enfants. Voici trente-six francs pour le premier mois; mais j'exige votre parole de ne pas donner un sou de cet argent à votre père.

M. de Rênal était piqué contre le vieillard, qui, dans cette affaire, avait été plus fin que lui.

— Maintenant, *Monsieur*, car d'après mes ordres tout le monde ici va vous appeler Monsieur, et vous sentirez l'avan-

---

• **Incertitudes sentimentales :** — *Mais, est-il vrai, Monsieur?...* (p. 52, l. 31 et suiv.). — Mme de Rênal et Julien Sorel nous apparaissent ici singulièrement « fragiles » : un rien les blesse, les choque, les effraie. Le rythme du passage est précisément fait de ces pulsations.

① Tenter de préciser les sentiments qui se succèdent dans l'âme de Julien, et leur origine. Mme de Rênal est-elle *simple* aux yeux de Julien? Montrer qu'il voit en elle tour à tour la femme, la mère et l'aristocrate.

② Les sentiments de Mme de Rênal sont plus constants : quelle est sa préoccupation dominante? Montrer qu'un élément nouveau intervient à la fin, lorsque Julien lui a baisé la main. Apprécier la légèreté et la subtilité de l'analyse psychologique de la page 55 (l. 1 à 8).

tage d'entrer dans une maison de gens comme il faut;
maintenant, Monsieur, il n'est pas convenable que les
enfants vous voient en veste. Les domestiques l'ont-ils
vu? dit M. de Rênal à sa femme.

— Non, mon ami, répondit-elle d'un air profondément 5
pensif.

— Tant mieux. Mettez ceci, dit-il au jeune homme
surpris, en lui donnant une redingote à lui. Allons maintenant chez M. Durand, le marchand de drap.

Plus d'une heure après, quand M. de Rênal rentra avec 10
le nouveau précepteur tout habillé de noir, il retrouva sa
femme assise à la même place. Elle se sentit tranquillisée
par la présence de Julien, en l'examinant elle oubliait d'en
avoir peur. Julien ne songeait point à elle; malgré toute sa
méfiance du destin et des hommes, son âme dans ce moment 15
n'était que celle d'un enfant; il lui semblait avoir vécu des
années depuis l'instant où, trois heures auparavant, il était
tremblant dans l'église. Il remarqua l'air glacé de Mme de
Rênal, il comprit qu'elle était en colère de ce qu'il avait osé
lui baiser la main. Mais le sentiment d'orgueil que lui 20
donnait le contact d'habits si différents de ceux qu'il avait
coutume de porter le mettait tellement hors de lui-même,
et il avait tant d'envie de cacher sa joie, que tous ses mouvements avaient quelque chose de brusque et de fou.
Mme de Rênal le contemplait avec des yeux étonnés. 25

— De la gravité, Monsieur, lui dit M. de Rênal, si vous
voulez être respecté de mes enfants et de mes gens.

— Monsieur, répondit Julien, je suis gêné dans ces
nouveaux habits; moi, pauvre paysan, je n'ai jamais porté
que des vestes; j'irai, si vous le permettez, me renfermer 30
dans ma chambre.

— Que te semble de cette nouvelle acquisition, dit M. de
Rênal à sa femme?

Par un mouvement presque instinctif, et dont certainement elle ne se rendit pas compte, Mme de Rênal déguisa 35
la vérité à son mari.

— Je ne suis point aussi enchantée que vous de ce
petit paysan, vos prévenances en feront un impertinent
que vous serez obligé de renvoyer avant un mois.

— Eh bien! nous le renverrons, ce sera une centaine 40
de francs qu'il m'en pourra coûter, et Verrières sera accoutumée à voir un précepteur aux enfants de M. de Rênal. Ce

but n'eût point été rempli si j'eusse laissé à Julien l'accoutrement d'un ouvrier. En le renvoyant, je retiendrai, bien entendu, l'habit noir complet que je viens de lever chez le drapier. Il ne lui restera que ce que je viens de trouver tout fait chez le tailleur, et dont je l'ai couvert.

L'heure que Julien passa dans sa chambre parut un instant à Mme de Rênal. Les enfants, auxquels l'on avait annoncé le nouveau précepteur, accablaient leur mère de questions. Enfin Julien parut. C'était un autre homme. C'eût été mal parler que de dire qu'il était grave; c'était la gravité incarnée. Il fut présenté aux enfants, et leur parla d'un air qui étonna M. de Rênal lui-même.

— Je suis ici, Messieurs, leur dit-il en finissant son allocution, pour vous apprendre le latin. Vous savez ce que c'est que de réciter une leçon. Voici la sainte Bible, dit-il en leur montrant un petit volume in-32, relié en noir. C'est particulièrement l'histoire de Notre-Seigneur Jésus-Christ, c'est la partie, qu'on appelle le Nouveau Testament. Je vous ferai souvent réciter des leçons, faites-moi réciter la mienne.

Adolphe, l'aîné des enfants, avait pris le livre.

— Ouvrez-le, au hasard, continua Julien, et dites-moi le premier mot d'un alinéa. Je réciterai par cœur le livre sacré, règle de notre conduite à tous, jusqu'à ce que vous m'arrêtiez.

● **Une exhibition de mémoire :** *L'heure que Julien...* (p. 57, l. 6 et suiv.).

Après les émois de la première rencontre entre Julien et Mme de Rênal, voici une scène de détente.

① Qu'est-ce qui fait de ce passage une petite scène de comédie?

② Julien, bien qu'il soit *la gravité incarnée* (p. 57, l. 11), ne joue-t-il pas un peu? Dans quelle mesure aussi est-il sérieux?
La comédie est également du côté des spectateurs :
— *Les enfants.*

③ Montrer comment Stendhal a su nous les faire paraître naturels dans leur rôle.
— *Les domestiques;* leur va-et-vient, leurs sentiments probables.
— *Les parents* (il n'est question que de M. de Rênal).

④ En quoi son attitude est-elle ridicule? En quoi cette scène complète-t-elle son portrait, commencé au cours des premiers chapitres du roman?

Adolphe ouvrit le livre, lut un mot, et Julien récita
toute la page avec la même facilité que s'il eût parlé français. M. de Rênal regardait sa femme d'un air de triomphe.
Les enfants, voyant l'étonnement de leurs parents, ouvraient
de grands yeux. Un domestique vint à la porte du salon,   5
Julien continua de parler latin. Le domestique resta d'abord
immobile, et ensuite disparut. Bientôt la femme de
chambre de Madame et la cuisinière arrivèrent près de la
porte; alors Adolphe avait déjà ouvert le livre en huit
endroits, et Julien récitait toujours avec la même facilité.   10

— Ah, mon Dieu! le joli petit prêtre, dit tout haut la
cuisinière, bonne fille fort dévote.

L'amour-propre de M. de Rênal était inquiet; loin de
songer à examiner le précepteur, il était tout occupé à
chercher dans sa mémoire quelques mots latins; enfin, il   15
put dire un vers d'Horace. Julien ne savait de latin que sa
Bible. Il répondit en fronçant le sourcil :

— Le saint ministère auquel je me destine m'a défendu
de lire un poète aussi profane.

M. de Rênal cita un assez grand nombre de prétendus   20
vers d'Horace. Il expliqua à ses enfants ce que c'était
qu'Horace; mais les enfants, frappés d'admiration, ne
faisaient guère attention à ce qu'il disait. Ils regardaient
Julien.

Les domestiques étant toujours à la porte, Julien crut   25
devoir prolonger l'épreuve :

— Il faut, dit-il au plus jeune des enfants, que M. Stanislas-Xavier m'indique aussi un passage du livre saint.

Le petit Stanislas, tout fier, lut tant bien que mal le
premier mot d'un alinéa, et Julien dit toute la page. Pour   30
que rien ne manquât au triomphe de M. de Rênal, comme
Julien récitait, entrèrent M. Valenod, le possesseur des
beaux chevaux normands, et M. Charcot de Maugiron,
sous-préfet de l'arrondissement. Cette scène valut à Julien
le titre de Monsieur; les domestiques eux-mêmes n'osèrent   35
pas le lui refuser.

Le soir, tout Verrières afflua chez M. de Rênal pour voir
la merveille. Julien répondait à tous d'un air sombre
qui tenait à distance. Sa gloire s'étendit si rapidement dans
la ville, que peu de jours après M. de Rênal, craignant   40
qu'on ne le lui enlevât, lui proposa de signer un engagement de deux ans.

— Non, Monsieur, répondit froidement Julien, si vous vouliez me renvoyer je serais obligé de sortir. Un engagement qui me lie sans vous obliger à rien n'est point égal, je le refuse.

Julien sut si bien faire que, moins d'un mois après son arrivée dans la maison, M. de Rênal lui-même le respectait. Le curé étant brouillé avec MM. de Rênal et Valenod, personne ne put trahir l'ancienne passion de Julien pour Napoléon, il n'en parlait qu'avec horreur.

CHAPITRE 7

LES AFFINITÉS ÉLECTIVES

Les enfants l'adoraient, lui ne les aimait point ; sa pensée était ailleurs. Tout ce que ces marmots pouvaient faire ne l'impatientait jamais. Froid, juste, impassible, et cependant aimé, parce que son arrivée avait en quelque sorte chassé l'ennui de la maison, il fut un bon précepteur. Pour lui, il n'éprouvait que haine et horreur pour la haute société où il était admis, à la vérité au bas bout de la table, ce qui explique peut-être la haine et l'horreur. Il y eut certains dîners d'apparat, où il put à grand'peine contenir sa haine pour tout ce qui l'environnait. Un jour de la Saint-Louis entre autres, M. Valenod tenait le dé [1] chez M. de Rênal, Julien fut sur le point de se trahir ; il se sauva dans le jardin, sous prétexte de voir les enfants. Quels éloges de la probité ! s'écria-t-il ; on dirait que c'est la seule vertu ; et cependant quelle considération, quel respect bas pour un homme qui évidemment a doublé et triplé sa fortune, depuis qu'il administre le bien des pauvres [2] ! je parierais qu'il gagne même sur les fonds destinés aux enfants trouvés, à ces pauvres dont la misère est encore plus sacrée que celle des autres ! Ah ! monstres ! monstres ! Et moi aussi, je suis une sorte d'enfant trouvé, haï de mon père, de mes frères, de toute ma famille.

Quelques jours avant la Saint-Louis, Julien, se promenant seul et disant son bréviaire dans un petit bois, qu'on appelle le Belvédère, et qui domine le Cours de la Fidélité, avait

---

1. Dirigeait la conversation. — 2. Voir p. 36, note 2.

cherché en vain à éviter ses deux frères, qu'il voyait venir
de loin par un sentier solitaire. La jalousie de ces ouvriers
grossiers avait été tellement provoquée par le bel habit
noir, par l'air extrêmement propre de leur frère, par le
mépris sincère qu'il avait pour eux, qu'ils l'avaient battu   5
au point de le laisser évanoui et tout sanglant. Mme de
Rênal, se promenant avec M. Valenod et le sous-préfet,
arriva par hasard dans le petit bois; elle vit Julien étendu
sur la terre et le crut mort. Son saisissement fut tel, qu'il
donna de la jalousie à M. Valenod.   10

Il prenait l'alarme trop tôt. Julien trouvait Mme de Rênal
fort belle, mais il la haïssait à cause de sa beauté; c'était le
premier écueil qui avait failli arrêter sa fortune. Il lui parlait
le moins possible, afin de faire oublier le transport qui, le
premier jour, l'avait porté à lui baiser la main.   15

Élisa, la femme de chambre de Mme de Rênal, n'avait pas
manqué de devenir amoureuse du jeune précepteur; elle
en parlait souvent à sa maîtresse. L'amour de Mlle Élisa
avait valu à Julien la haine d'un des valets. Un jour, il
entendit cet homme qui disait à Élisa : Vous ne voulez   20
plus me parler depuis que ce précepteur crasseux est entré
dans la maison. Julien ne méritait pas cette injure; mais,
par instinct de joli garçon, il redoubla de soins pour sa
personne. La haine de M. Valenod redoubla aussi. Il dit
publiquement que tant de coquetterie ne convenait pas à   25
un jeune abbé. A la soutane près, c'était le costume que
portait Julien.

Mme de Rênal remarqua qu'il parlait plus souvent que
de coutume à Mlle Élisa; elle apprit que ces entretiens
étaient causés par la pénurie de la très petite garde-robe de   30
Julien. Il avait si peu de linge, qu'il était obligé de le faire
laver fort souvent hors de la maison, et c'est pour ces petits
soins qu'Élisa lui était utile. Cette extrême pauvreté, qu'elle
ne soupçonnait pas, toucha Mme de Rênal; elle eut envie
de lui faire des cadeaux, mais elle n'osa pas; cette résistance   35
intérieure fut le premier sentiment pénible que lui causa
Julien. Jusque-là le nom de Julien et le sentiment d'une
joie pure et tout intellectuelle étaient synonymes pour elle.
Tourmentée par l'idée de la pauvreté de Julien, Mme de
Rênal parla à son mari de lui faire un cadeau de linge :   40

— Quelle duperie! répondit-il. Quoi! faire des cadeaux
à un homme dont nous sommes parfaitement contents,

et qui nous sert bien? ce serait dans le cas où il se néglige-
rait qu'il faudrait stimuler son zèle.

Mme de Rênal fut humiliée de cette manière de voir; elle
ne l'eût pas remarquée avant l'arrivée de Julien.[1] Elle ne
voyait jamais l'extrême propreté de la mise, d'ailleurs fort
simple, du jeune abbé, sans se dire : Ce pauvre garçon,
comment peut-il faire?

Peu à peu, elle eut pitié de tout ce qui manquait à Julien,
au lieu d'en être choquée.

Mme de Rênal était une de ces femmes de province que
l'on peut très bien prendre pour des sottes pendant les
quinze premiers jours qu'on les voit. Elle n'avait aucune
expérience de la vie, et ne se souciait pas de parler. Douée
d'une âme délicate et dédaigneuse, cet instinct de bonheur
naturel à tous les êtres faisait que, la plupart du temps, elle
ne donnait aucune attention aux actions des personnages
grossiers au milieu desquels le hasard l'avait jetée.

On l'eût remarquée pour le naturel et la vivacité d'esprit,
si elle eût reçu la moindre éducation. Mais en sa qualité
d'héritière, elle avait été élevée chez des religieuses adora-
trices passionnées du *Sacré-Cœur de Jésus*, et animées d'une
haine violente pour les Français ennemis des jésuites.
Mme de Rênal s'était trouvé assez de sens pour oublier
bientôt, comme absurde, tout ce qu'elle avait appris au
couvent; mais elle ne mit rien à la place, et finit par ne rien
savoir. Les flatteries précoces dont elle avait été l'objet
en sa qualité d'héritière d'une grande fortune, et un penchant décidé à la dévotion passionnée lui avaient donné
une manière de vivre tout intérieure. Avec l'apparence de
la condescendance la plus parfaite, et d'une abnégation de
volonté, que les maris de Verrières citaient en exemple à
leurs femmes, et qui faisait l'orgueil de M. de Rênal, la
conduite habituelle de son âme était en effet le résultat de
l'humeur la plus altière. Telle princesse, citée à cause de
son orgueil, prête infiniment plus d'attention à ce que ses
gentilshommes font autour d'elle, que cette femme si douce,
si modeste en apparence, n'en donnait à tout ce que disait
ou faisait son mari. Jusqu'à l'arrivée de Julien, elle n'avait
réellement eu d'attention que pour ses enfants. Leurs petites

---

1. L'amour naissant de Mme de Rênal — dont elle n'a pas encore conscience — l'éloigne
déjà de son mari, et elle remarque la bassesse de ses sentiments.

maladies, leurs douleurs, leurs petites joies occupaient toute la sensibilité de cette âme qui, de la vie, n'avait adoré que Dieu, quand elle était au *Sacré-Cœur* de Besançon.

Sans qu'elle daignât le dire à personne, un accès de fièvre d'un de ses fils la mettait presque dans le même état que si l'enfant eût été mort. Un éclat de rire grossier, un haussement d'épaules, accompagné de quelque maxime triviale sur la folie des femmes, avaient constamment accueilli les confidences de ce genre de chagrins, que le besoin d'épanchement l'avait portée à faire à son mari, dans les premières années de leur mariage. Ces sortes de plaisanteries, quand surtout elles portaient sur les maladies de ses enfants, retournaient le poignard dans le cœur de Mme de Rênal. Voilà ce qu'elle trouva au lieu des flatteries empressées et mielleuses du couvent jésuitique où elle avait passé sa jeunesse. Son éducation fut faite par la douleur. Trop fière pour parler de ce genre de chagrins, même à son amie Mme Derville, elle se figura que tous les hommes étaient comme son mari, M. Valenod et le sous-préfet Charcot de Maugiron. La grossièreté, et la plus brutale insensibilité à tout ce qui n'était pas intérêt d'argent, de préséance ou de croix; la haine aveugle pour tout raisonnement qui les contrariait lui parurent des choses naturelles à ce sexe, comme porter des bottes et un chapeau de feutre.

Après de longues années, Mme de Rênal n'était pas encore accoutumée à ces gens à argent au milieu desquels il fallait vivre.

De là le succès du petit paysan Julien. Elle trouva des jouissances douces, et toutes brillantes du charme de la nouveauté dans la sympathie de cette âme noble et fière. Mme de Rênal lui eut bientôt pardonné son ignorance extrême qui était une grâce de plus, et la rudesse de ses façons qu'elle parvint à corriger. Elle trouva qu'il valait la peine de l'écouter, même quand on parlait des choses les plus communes, même quand il s'agissait d'un pauvre chien écrasé, comme il traversait la rue, par la charrette d'un paysan allant au trot. Le spectacle de cette douleur donnait son gros rire à son mari, tandis qu'elle voyait se contracter les beaux sourcils noirs et si bien arqués de Julien. La générosité, la noblesse d'âme, l'humanité lui semblèrent peu à peu n'exister que chez ce jeune abbé. Elle eut pour

lui seul toute la sympathie et même l'admiration que ces
vertus excitent chez les âmes bien nées.

A Paris, la position de Julien envers Mᵐᵉ de Rênal eût
été bien vite simplifiée; mais à Paris, l'amour est fils des
romans. Le jeune précepteur et sa timide maîtresse auraient   5
retrouvé dans trois ou quatre romans, et jusque dans les
couplets du Gymnase[1], l'éclaircissement de leur position.
Les romans leur auraient tracé le rôle à jouer, montré le
modèle à imiter; et ce modèle, tôt ou tard, et quoique sans
nul plaisir, et peut-être en rechignant, la vanité eût forcé   10
Julien à le suivre.

Dans une petite ville de l'Aveyron ou des Pyrénées, le
moindre incident eût été rendu décisif par le feu du climat.[2]
Sous nos cieux plus sombres, un jeune homme pauvre, et
qui n'est qu'ambitieux parce que la délicatesse de son cœur   15
lui fait un besoin de quelques-unes des jouissances que
donne l'argent, voit tous les jours une femme de trente ans
sincèrement sage, occupée de ses enfants, et qui ne prend
nullement dans les romans des exemples de conduite. Tout
va lentement, tout se fait peu à peu dans les provinces,   20
il y a plus de naturel.

Souvent, en songeant à la pauvreté du jeune précepteur,
Mᵐᵉ de Rênal était attendrie jusqu'aux larmes. Julien la
surprit, un jour, pleurant tout à fait.

● **Portrait de Mᵐᵉ de Rênal :** *Mᵐᵉ de Rênal était une de ces
femmes...* (p. 61, l. 10 et suiv.).

En écrivant que Mᵐᵉ de Rênal *était une de ces femmes de province...*
Stendhal suggère que beaucoup peuvent lui ressembler. Ne
montre-t-il pas pourtant ici ce que son héroïne a d'unique?

① Préciser les influences successives qu'elle a subies : famille
fortunée, éducation au *Sacré-Cœur de Jésus*, milieu social de
Verrières. Ces influences l'ont-elles profondément marquée?
Nous apparaît-elle comme on pourrait l'imaginer d'après ce bref
« historique » de sa vie?

② Ne peut-on parler d'une certaine solitude de Mᵐᵉ de Rênal?
Pourquoi s'intéresse-t-elle immédiatement à Julien? Préciser ses
premiers sentiments envers lui.

---

1. Théâtre parisien construit en 1820, sous la Restauration; on y jouait des comédies-
vaudevilles à couplets. — 2. Dans son livre *De l'Amour* (1822), Stendhal avait souligné
l'influence du *climat* sur le développement de la passion.

— Eh! Madame, vous serait-il arrivé quelque malheur?

— Non, mon ami, lui répondit-elle; appelez les enfants, allons nous promener.

Elle prit son bras et s'appuya d'une façon qui parut singulière à Julien. C'était pour la première fois qu'elle l'avait appelé mon ami.

Vers la fin de la promenade, Julien remarqua qu'elle rougissait beaucoup. Elle ralentit le pas.

— On vous aura raconté, dit-elle sans le regarder, que je suis l'unique héritière d'une tante fort riche qui habite Besançon. Elle me comble de présents... Mes fils font des progrès... si étonnants... que je voudrais vous prier d'accepter un petit présent comme marque de ma reconnaissance. Il ne s'agit que de quelques louis pour vous faire du linge. Mais... ajouta-t-elle en rougissant encore plus, et elle cessa de parler.

— Quoi, Madame, dit Julien?

— Il serait inutile, continua-t-elle en baissant la tête, de parler de ceci à mon mari.

— Je suis petit, Madame, mais je ne suis pas bas, reprit Julien en s'arrêtant les yeux brillants de colère, et se relevant de toute sa hauteur, c'est à quoi vous n'avez pas assez réfléchi. Je serais moins qu'un valet si je me mettais dans le cas de cacher à M. de Rênal quoi que ce soit de relatif *à mon argent.*

Mme de Rênal était atterrée.

— M. le maire, continua Julien, m'a remis cinq fois trente-six francs depuis que j'habite sa maison, je suis prêt à montrer mon livre de dépenses à M. de Rênal et à qui que ce soit, même à M. Valenod qui me hait.

A la suite de cette sortie, Mme de Rênal était restée pâle et tremblante, et la promenade se termina sans que ni l'un ni l'autre pût trouver un prétexte pour renouer le dialogue. L'amour pour Mme de Rênal devint de plus en plus impossible dans le cœur orgueilleux de Julien; quant à elle, elle le respecta, elle l'admira; elle en avait été grondée. Sous prétexte de réparer l'humiliation involontaire qu'elle lui avait causée, elle se permit les soins les plus tendres. La nouveauté de ces manières fit pendant huit jours le bonheur de Mme de Rênal. Leur effet fut d'apaiser en partie la colère de Julien; il était loin d'y voir rien qui pût ressembler à un goût personnel.

Voilà, se disait-il, comme sont ces gens riches, ils humilient, et croient ensuite pouvoir tout réparer par quelques singeries!

Le cœur de Mme de Rênal était trop plein, et encore trop innocent, pour que, malgré ses résolutions à cet égard, 5 elle ne racontât pas à son mari l'offre qu'elle avait faite à Julien, et la façon dont elle avait été repoussée.

— Comment, reprit M. de Rênal vivement piqué, avez-vous pu tolérer un refus de la part d'un *domestique?*

Et comme Mme de Rênal se récriait sur ce mot : 10

— Je parle, Madame, comme feu M. le prince de Condé, présentant ses chambellans à sa nouvelle épouse : « *Tous ces gens-là*, lui dit-il, *sont nos domestiques*. » Je vous ai lu ce passage des Mémoires de Besenval[1], essentiel pour les préséances. Tout ce qui n'est pas gentilhomme qui vit chez 15 vous et reçoit un salaire est votre domestique. Je vais dire deux mots à ce M. Julien, et lui donner cent francs.

— Ah! mon ami, dit Mme de Rênal tremblante, que ce ne soit pas du moins devant les domestiques!

● **Une initiative malheureuse :** *Souvent en songeant à la pauvreté...* (p. 63, l. 22 et suiv.).

① L'attitude de Mme de Rênal devant la pauvreté de Julien est-elle aussi simple qu'elle le pense elle-même? Stendhal dit (l. 23) qu'elle en est *attendrie :* commenter ce terme. N'est-il pas révélateur?

② Comment se marque cet attendrissement, dans les attitudes, les paroles, les désirs de Mme de Rênal?

③ Les pensées de Mme de Rênal sont d'une extrême délicatesse : pourquoi Julien est-il indigné de sa proposition? Tenter de faire la part de la maladresse de Mme de Rênal et de la sensibilité à fleur de peau de Julien.

④ Les conséquences de cet épisode : en quel sens a-t-il rapproché Mme de Rênal de Julien? En quel sens a-t-il éloigné Julien de Mme de Rênal?

⑤ Étudier la variété des procédés littéraires : dialogue rapporté au style direct, récit impersonnel de Stendhal, commentaires de Julien.

---

1. Le baron de *Besenval* commandait le régiment des gardes suisses sous Louis XVI. Ses *Mémoires* avaient été publiés en 1808.

— Oui, ils pourraient être jaloux et avec raison, dit son mari en s'éloignant et pensant à la quotité de la somme.

Mme de Rênal tomba sur une chaise, presque évanouie de douleur. Il va humilier Julien, et par ma faute! Elle eut horreur de son mari, et se cacha la figure avec les mains. Elle se promit bien de ne jamais faire de confidences.

Lorsqu'elle revit Julien, elle était toute tremblante, sa poitrine était tellement contractée qu'elle ne put parvenir à prononcer la moindre parole. Dans son embarras elle lui prit les mains qu'elle serra.

— Eh bien! mon ami, lui dit-elle enfin, êtes-vous content de mon mari?

— Comment ne le serais-je pas? répondit Julien avec un sourire amer; il m'a donné cent francs.

Mme de Rênal le regarda comme incertaine.

— Donnez-moi le bras, dit-elle enfin avec un accent de courage que Julien ne lui avait jamais vu.

Elle osa aller jusque chez le libraire de Verrières, malgré son affreuse réputation de libéralisme. Là, elle choisit pour dix louis de livres qu'elle donna à ses fils. Mais ces livres étaient ceux qu'elle savait que Julien désirait. Elle exigea que là, dans la boutique du libraire, chacun des enfants écrivît son nom sur les livres qui lui étaient échus en partage. Pendant que Mme de Rênal était heureuse de la sorte de réparation qu'elle avait l'audace de faire à Julien, celui-ci était étonné de la quantité de livres qu'il apercevait chez le libraire. Jamais il n'avait osé entrer en un lieu aussi profane; son cœur palpitait. Loin de songer à deviner ce qui se passait dans le cœur de Mme de Rênal, il rêvait profondément au moyen qu'il y aurait, pour un jeune étudiant en théologie, de se procurer quelques-uns de ces livres. Enfin il eut l'idée qu'il serait possible avec de l'adresse de persuader à M. de Rênal qu'il fallait donner pour sujet de thème à ses fils l'histoire des gentilshommes célèbres nés dans la province. Après un mois de soins, Julien vit réussir cette idée, et à un tel point que, quelque temps après, il osa hasarder, en parlant à M. de Rênal, la mention d'une action bien autrement pénible pour le noble maire; il s'agissait de contribuer à la fortune d'un libéral, en prenant un abonnement chez le libraire. M. de Rênal convenait bien qu'il était sage de donner à son fils aîné l'idée *de visu* de plusieurs ouvrages qu'il entendrait mentionner dans la conversation, lorsqu'il serait à l'École militaire; mais Julien voyait M. le maire s'obstiner à ne pas aller plus loin. Il soupçonnait une raison secrète, mais ne pouvait la deviner.

— Je pensais, Monsieur, lui dit-il un jour, qu'il y aurait une haute inconvenance à ce que le nom d'un bon gentilhomme tel qu'un Rênal parût sur le sale registre du libraire.

Le front de M. de Rênal s'éclaircit.

— Ce serait aussi une bien mauvaise note, continua Julien, d'un ton plus humble, pour un pauvre étudiant en théologie, si l'on pouvait un jour découvrir que son nom a été sur le registre d'un libraire loueur de livres. Les libéraux pourraient m'accuser d'avoir demandé les livres les plus infâmes; qui sait même s'ils n'iraient pas jusqu'à écrire après mon nom les titres de ces livres pervers?

Mais Julien s'éloignait de la trace. Il voyait la physionomie du maire reprendre l'expression de l'embarras et de l'humeur. Julien se tut. Je tiens mon homme, se dit-il.

Quelques jours après, l'aîné des enfants interrogeant Julien sur un livre annoncé dans *La Quotidienne*,[1] en présence de M. de Rênal :

— Pour éviter tout sujet de triomphe au parti jacobin, dit le jeune précepteur, et cependant me donner les moyens de répondre à M. Adolphe, on pourrait faire prendre un abonnement chez le libraire par le dernier de vos gens.

— Voilà une idée qui n'est pas mal, dit M. de Rênal, évidemment fort joyeux.

— Toutefois il faudrait spécifier, dit Julien de cet air grave et presque malheureux qui va si bien à de certaines gens, quand ils voient le succès des affaires qu'ils ont le plus longtemps désirées, il faudrait spécifier que le domestique ne pourra prendre aucun roman. Une fois dans la maison, ces livres dangereux pourraient corrompre les filles de Madame, et le domestique lui-même.

— Vous oubliez les pamphlets politiques, ajouta M. de Rênal, d'un air hautain. Il voulait cacher l'admiration que lui donnait le savant mezzo-termine [2] inventé par le précepteur de ses enfants.

---

1. Le plus violent des journaux *ultra*. — 2. Moyen terme, compromis.

La vie de Julien se composait ainsi d'une suite de petites négociations; et leur succès l'occupait beaucoup plus que le sentiment de préférence marquée qu'il n'eût tenu qu'à lui de lire dans le cœur de Mme de Rênal.

La position morale où il avait été toute sa vie se renouvelait chez M. le maire de Verrières. Là, comme à la scierie de son père, il méprisait profondément les gens avec qui il vivait, et en était haï. Il voyait chaque jour dans les récits faits par le sous-préfet, par M. Valenod, par les autres amis de la maison, à l'occasion de choses qui venaient de se passer sous leurs yeux, combien leurs idées ressemblaient peu à la réalité. Une action lui semblait-elle admirable, c'était celle-là précisément qui attirait le blâme des gens qui l'environnaient. Sa réplique intérieure était toujours : Quels monstres ou quels sots! Le plaisant, avec tant d'orgueil, c'est que souvent il ne comprenait absolument rien à ce dont on parlait.

De la vie, il n'avait parlé avec sincérité qu'au vieux chirurgien-major; le peu d'idées qu'il avait étaient relatives aux campagnes de Bonaparte en Italie ou à la chirurgie. Son jeune courage se plaisait au récit circonstancié des opérations les plus douloureuses; il se disait : Je n'aurais pas sourcillé.

La première fois que Mme de Rênal essaya avec lui une conversation étrangère à l'éducation des enfants, il se mit à parler d'opérations chirurgicales; elle pâlit et le pria de cesser.

Julien ne savait rien au delà. Ainsi, passant sa vie avec Mme de Rênal, le silence le plus singulier s'établissait entre eux dès qu'ils étaient seuls. Dans le salon, quelle que fût l'humilité de son maintien, elle trouvait dans ses yeux un air de supériorité intellectuelle envers tout ce qui venait chez elle. Se trouvait-elle seule un instant avec lui, elle le voyait visiblement embarrassé. Elle en était inquiète, car son instinct de femme lui faisait comprendre que cet embarras n'était nullement tendre.

D'après je ne sais quelle idée prise dans quelque récit de la bonne société, telle que l'avait vue le vieux chirurgien-major, dès qu'on se taisait dans un lieu où il se trouvait avec une femme, Julien se sentait humilié, comme si ce silence eût été son tort particulier. Cette sensation était cent fois plus pénible dans le tête-à-tête. Son imagination

remplie des notions les plus exagérées, les plus espagnoles,[1]
sur ce qu'un homme doit dire, quand il est seul avec une
femme, ne lui offrait dans son trouble que des idées inad-
missibles. Son âme était dans les nues, et cependant il ne
pouvait sortir du silence le plus humiliant. Ainsi son air ⁵
sévère, pendant ses longues promenades avec Mᵐᵉ de
Rênal et les enfants, était augmenté par les souffrances les
plus cruelles. Il se méprisait horriblement. Si par malheur
il se forçait à parler, il lui arrivait de dire les choses les plus
ridicules. Pour comble de misère, il voyait et s'exagérait ¹⁰
son absurdité; mais ce qu'il ne voyait pas, c'était l'expression de ses yeux, ils étaient si beaux et annonçaient une âme
si ardente, que, semblables aux bons acteurs, ils donnaient
quelquefois un sens charmant à ce qui n'en avait pas.
Mᵐᵉ de Rênal remarqua que, seul avec elle, il n'arrivait ¹⁵
jamais à dire quelque chose de bien que lorsque, distrait
par quelque événement imprévu, il ne songeait pas à bien
tourner un compliment. Comme les amis de la maison ne la
gâtaient pas en lui présentant des idées nouvelles et brillantes, elle jouissait avec délices des éclairs d'esprit de ²⁰
Julien.

Depuis la chute de Napoléon, toute apparence de galan-
terie est sévèrement bannie des mœurs de la province. On a
peur d'être destitué. Les fripons cherchent un appui dans

● **Timidités** : *Ainsi, passant sa vie avec Mᵐᵉ de Rênal...* (p. 68,
l. 28 et suiv.).

① Pourquoi Julien se sent-il mal à l'aise quand il est en tête à
tête avec Mᵐᵉ de Rênal? Montrer le caractère hétérogène des
influences qui l'ont formé : son milieu, ses lectures, le vieux chirurgien-major. Doit-on s'étonner qu'il ait du mal à se montrer
naturel? Comment Julien se voit-il lui même? Est-il bon juge?

② Mᵐᵉ de Rênal, elle, n'est pas mal à l'aise en face de Julien.
Faut-il attribuer cette aisance à son habitude de la vie sociale?
N'y a-t-il pas une autre raison plus profonde? Quel jugement
Mᵐᵉ de Rênal porte-t-elle sur Julien? D'après ce que nous savons
d'elle, est-il vraisemblable qu'elle n'ait pas pris conscience de ses
sentiments pour Julien?

---

1. On se rappelle (voir p. 6) que Stendhal croyait devoir son « espagnolisme » à sa
grand-tante Élisabeth Gagnon.

la congrégation [1]; et l'hypocrisie a fait les plus beaux progrès même dans les classes libérales. L'ennui redouble. Il ne reste d'autre plaisir que la lecture et l'agriculture.

Mme de Rênal, riche héritière d'une tante dévote, mariée à seize ans à un bon gentilhomme, n'avait de sa vie éprouvé ni vu rien qui ressemblât le moins du monde à l'amour. Ce n'était guère que son confesseur, le bon curé Chélan, qui lui avait parlé de l'amour, à propos des poursuites de M. Valenod, et il lui en avait fait une image si dégoûtante, que ce mot ne lui représentait que l'idée du libertinage le plus abject. Elle regardait comme une exception, ou même comme tout à fait hors de nature, l'amour tel qu'elle l'avait trouvé dans le très petit nombre de romans que le hasard avait mis sous ses yeux. Grâce à cette ignorance, Mme de Rênal, parfaitement heureuse, occupée sans cesse de Julien, était loin de se faire le plus petit reproche.

CHAPITRE 8

PETITS ÉVÉNEMENTS

L'angélique douceur que Mme de Rênal devait à son caractère et à son bonheur actuel n'était un peu altérée que quand elle venait à songer à sa femme de chambre Élisa. Cette fille fit un héritage, alla se confesser au curé Chélan et lui avoua le projet d'épouser Julien. Le curé eut une véritable joie du bonheur de son ami; mais sa surprise fut extrême quand Julien lui dit d'un air résolu que l'offre de Mlle Élisa ne pouvait lui convenir.

— Prenez garde, mon enfant, à ce qui se passe dans votre cœur, dit le curé fronçant le sourcil; je vous félicite de votre vocation, si c'est à elle seule que vous devez le mépris d'une fortune plus que suffisante. Il y a cinquante-six ans sonnés que je suis curé de Verrières, et cependant,

---

1. Voir p. 46, note 4.

suivant toute apparence, je vais être destitué[1]. Ceci m'afflige,
et toutefois j'ai huit cents livres de rente. Je vous fais part
de ce détail afin que vous ne vous fassiez pas d'illusion
sur ce qui vous attend dans l'état de prêtre. Si vous songez
à faire la cour aux hommes qui ont la puissance, votre 5
perte éternelle est assurée. Vous pourrez faire fortune,
mais il faudra nuire aux misérables, flatter le sous-préfet,
le maire, l'homme considéré, et servir ses passions : cette
conduite, qui dans le monde s'appelle savoir-vivre, peut,
pour un laïque, n'être pas absolument incompatible avec 10
le salut; mais, dans notre état, il faut opter; il s'agit de faire
fortune dans ce monde ou dans l'autre, il n'y a pas de milieu.
Allez, mon cher ami, réfléchissez, et revenez dans trois
jours me rendre une réponse définitive. J'entrevois avec
peine, au fond de votre caractère, une ardeur sombre qui 15
ne m'annonce pas la modération et la parfaite abnégation
des avantages terrestres nécessaires à un prêtre; j'augure
bien de votre esprit; mais, permettez-moi de vous le dire,
ajouta le bon curé, les larmes aux yeux, dans l'état de prêtre,
je tremblerai pour votre salut. 20

Julien avait honte de son émotion; pour la première fois
de sa vie, il se voyait aimé; il pleurait avec délices, et alla
cacher ses larmes dans les grands bois au-dessus de Verrières[2].

Pourquoi l'état où je me trouve? se dit-il enfin; je sens 25
que je donnerais cent fois ma vie pour ce bon curé Chélan,
et cependant il vient de me prouver que je ne suis qu'un
sot. C'est lui surtout qu'il m'importe de tromper, et il me
devine. Cette ardeur secrète dont il me parle, c'est mon
projet de faire fortune. Il me croit indigne d'être prêtre, 30
et cela précisément quand je me figurais que le sacrifice
de cinquante louis de rente allait lui donner la plus haute
idée de ma piété et de ma vocation.

A l'avenir, continua Julien, je ne compterai que sur les
parties de mon caractère que j'aurai éprouvées. Qui m'eût 35
dit que je trouverais du plaisir à répandre des larmes!
que j'aimerais celui qui me prouve que je ne suis qu'un sot!

Trois jours après, Julien avait trouvé le prétexte dont il
eût dû se munir dès le premier jour; ce prétexte était

---

1. L'abbé Chélan va être la victime de la congrégation (sur ce terme, voir la note 4,
p. 46). — 2. On voit que la nature profonde de Julien est bien une sensibilité passionnée.
Le calcul ne vient qu'après coup.

une calomnie, mais qu'importe? Il avoua au curé, avec
beaucoup d'hésitation, qu'une raison qu'il ne pouvait lui
expliquer, parce qu'elle nuirait à un tiers, l'avait détourné
tout d'abord de l'union projetée. C'était accuser la conduite
d'Élisa. M. Chélan trouva dans ses manières un certain   5
feu tout mondain, bien différent de celui qui eût dû animer
un jeune lévite.

— Mon ami, lui dit-il encore, soyez un bon bourgeois
de campagne, estimable et instruit, plutôt qu'un prêtre
sans vocation.   10

Julien répondit à ces nouvelles remontrances, fort bien,
quant aux paroles : il trouvait les mots qu'eût employés
un jeune séminariste fervent; mais le ton dont il les prononçait, mais le feu mal caché qui éclatait dans ses yeux
alarmaient M. Chélan.   15

Il ne faut pas trop mal augurer de Julien; il inventait
correctement les paroles d'une hypocrisie cauteleuse et
prudente. Ce n'est pas mal à son âge. Quant au ton et aux
gestes, il vivait avec des campagnards; il avait été privé de
la vue des grands modèles. Par la suite, à peine lui eut-il   20
été donné d'approcher de ces messieurs, qu'il fut admirable
pour les gestes comme pour les paroles.

Mme de Rênal fut étonnée que la nouvelle fortune de
sa femme de chambre ne rendît pas cette fille plus heureuse; elle la voyait aller sans cesse chez le curé, et en reve- 25
nir les larmes aux yeux; enfin Élisa lui parla de son mariage.

Mme de Rênal se crut malade [1]; une sorte de fièvre l'empêchait de trouver le sommeil; elle ne vivait que lorsqu'elle
avait sous les yeux sa femme de chambre ou Julien. Elle
ne pouvait penser qu'à eux et au bonheur qu'ils trouve-   30
raient dans leur ménage. La pauvreté de cette petite maison,
où l'on devrait vivre avec cinquante louis de rente, se peignait à elle sous des couleurs ravissantes. Julien pourrait
très bien se faire avocat à Bray, la sous-préfecture à deux
lieues de Verrières; dans ce cas elle le verrait quelquefois. 35

Mme de Rênal crut sincèrement qu'elle allait devenir
folle; elle le dit à son mari, et enfin tomba malade. Le soir
même, comme sa femme de chambre la servait, elle remarqua que cette fille pleurait. Elle abhorrait Élisa dans ce

---

1. Nouveau palier dans la genèse de la passion : la jalousie, encore inconsciente, exacerbe
les sentiments.

moment, et venait de la brusquer; elle lui en demanda pardon. Les larmes d'Élisa redoublèrent; elle dit que si sa maîtresse le lui permettait, elle lui conterait tout son malheur.

— Dites, répondit Mme de Rênal.

— Eh bien, Madame, il me refuse; des méchants lui auront dit du mal de moi, il les croit.

— Qui vous refuse? dit Mme de Rênal respirant à peine.

— Eh qui, Madame, si ce n'est M. Julien? répliqua la femme de chambre en sanglotant. M. le curé n'a pu vaincre sa résistance; car M. le curé trouve qu'il ne doit pas refuser une honnête fille, sous prétexte qu'elle a été femme de chambre. Après tout, le père de M. Julien n'est autre chose qu'un charpentier; lui-même comment gagnait-il sa vie avant d'être chez Madame?

Mme de Rênal n'écoutait plus; l'excès du bonheur lui avait presque ôté l'usage de la raison. Elle se fit répéter plusieurs fois l'assurance que Julien avait refusé d'une façon positive, et qui ne permettait plus de revenir à une résolution plus sage.

— Je veux tenter un dernier effort, dit-elle à sa femme de chambre, je parlerai à M. Julien.

Le lendemain après le déjeuner, Mme de Rênal se donna la délicieuse volupté de plaider la cause de sa rivale, et de voir la main et la fortune d'Élisa refusées constamment pendant une heure.

Peu à peu Julien sortit de ses réponses compassées, et finit par répondre avec esprit aux sages représentations de Mme de Rênal. Elle ne put résister au torrent de bonheur qui inondait son âme après tant de jours de désespoir. Elle se trouva mal tout à fait. Quand elle fut remise et bien établie dans sa chambre, elle renvoya tout le monde. Elle était profondément étonnée.

Aurais-je de l'amour pour Julien, se dit-elle enfin [1]?

Cette découverte, qui dans tout autre moment l'aurait plongée dans les remords et dans une agitation profonde, ne fut pour elle qu'un spectacle singulier, mais comme indifférent. Son âme, épuisée par tout ce qu'elle venait d'éprouver, n'avait plus de sensibilité au service des passions.

---

1. Mme de Rênal n'est plus loin de prendre conscience de ses sentiments.

Mme de Rênal voulut travailler, et tomba dans un profond sommeil; quand elle se réveilla, elle ne s'effraya pas autant qu'elle l'aurait dû. Elle était trop heureuse pour pouvoir prendre en mal quelque chose. Naïve et innocente, jamais cette bonne provinciale n'avait torturé son âme, pour tâcher d'en arracher un peu de sensibilité à quelque nouvelle nuance de sentiment ou de malheur. Entièrement absorbée avant l'arrivée de Julien par cette masse de travail qui, loin de Paris, est le lot d'une bonne mère de famille, Mme de Rênal pensait aux passions, comme nous pensons à la loterie : duperie certaine et bonheur cherché par des fous.

La cloche du dîner sonna; Mme de Rênal rougit beaucoup quand elle entendit la voix de Julien, qui amenait les enfants. Un peu adroite depuis qu'elle aimait [1], pour expliquer sa rougeur, elle se plaignit d'un affreux mal de tête.

— Voilà comment sont toutes les femmes, lui répondit M. de Rênal, avec un gros rire. Il y a toujours quelque chose à raccommoder à ces machines-là!

Quoique accoutumée à ce genre d'esprit, ce ton de voix choqua Mme de Rênal. Pour se distraire, elle regarda la physionomie de Julien; il eût été l'homme le plus laid, que dans cet instant il lui eût plu [2].

Attentif à copier les habitudes des gens de cour, dès les premiers beaux jours du printemps, M. de Rênal s'établit à Vergy [...]. A quelques centaines de pas des ruines si pittoresques de l'ancienne église gothique, M. de Rênal possède un vieux château avec ses quatre tours, et un jardin dessiné comme celui des Tuileries, avec force bordures de buis et allées de marronniers taillés deux fois par an. Un champ voisin, planté de pommiers, servait de promenade. Huit ou dix noyers magnifiques étaient au bout du verger; leur feuillage immense s'élevait peut-être à quatre-vingts pieds de hauteur.

Chacun de ces maudits noyers, disait M. de Rênal quand sa femme les admirait, me coûte la récolte d'un demi-arpent, le blé ne peut venir sous leur ombre.

La vue de la campagne sembla nouvelle à Mme de Rênal; son admiration allait jusqu'aux transports. Le sentiment

1. L'amour commence à influer sur le comportement de Mme de Rênal. — 2. Une fois de plus, Stendhal souligne le contraste entre Mme de Rênal et son mari.

dont elle était animée lui donnait de l'esprit et de la résolution. Dès le surlendemain de l'arrivée à Vergy, M. de
Rênal étant retourné à la ville, pour les affaires de la mairie,
Mme de Rênal prit des ouvriers à ses frais. Julien lui avait
donné l'idée d'un petit chemin sablé, qui circulerait dans   5
le verger et sous les grands noyers, et permettrait aux enfants
de se promener dès le matin, sans que leurs souliers fussent
mouillés par la rosée. Cette idée fut mise à exécution moins
de vingt-quatre heures après avoir été conçue. Mme de Rênal
passa toute la journée gaiement avec Julien à diriger les   10
ouvriers.

Lorsque le maire de Verrières revint de la ville, il fut
bien surpris de trouver l'allée faite. Son arrivée surprit
aussi Mme de Rênal; elle avait oublié son existence. Pendant
deux mois, il parla avec humeur de la hardiesse qu'on avait   15
eue de faire, sans le consulter, une *réparation* aussi importante, mais Mme de Rênal l'avait exécutée à ses frais, ce
qui le consolait un peu.

Elle passait ses journées à courir avec ses enfants dans le
verger, et à faire la chasse aux papillons. On avait construit 20
de grands capuchons de gaze claire, avec lesquels on prenait
les pauvres *lépidoptères*. C'est le nom barbare que Julien
apprenait à Mme de Rênal. Car elle avait fait venir de
Besançon le bel ouvrage de M. Godart [1]; et Julien lui
racontait les mœurs singulières de ces pauvres bêtes.   25

On les piquait sans pitié avec des épingles dans un grand
cadre de carton arrangé aussi par Julien.

Il y eut enfin entre Mme de Rênal et Julien un sujet de
conversation, il ne fut plus exposé à l'affreux supplice que
lui donnaient les moments de silence.   30

Ils se parlaient sans cesse, et avec un intérêt extrême,
quoique toujours de choses fort innocentes. Cette vie active,
occupée et gaie, était du goût de tout le monde, excepté
de Mlle Élisa, qui se trouvait excédée de travail. Jamais
dans le carnaval, disait-elle, quand il y a bal à Verrières,   35
Madame ne s'est donné tant de soins pour sa toilette;
elle change de robes deux ou trois fois par jour.

Comme notre intention est de ne flatter personne, nous
ne nierons point que Mme de Rênal, qui avait une peau
superbe, ne se fît arranger des robes qui laissaient les bras 40

---

1. Auteur d'une *Histoire naturelle des lépidoptères de France.*

et la poitrine fort découverts. Elle était très bien faite, et
cette manière de se mettre lui allait à ravir.

— Jamais vous *n'avez été si jeune*, Madame, lui disaient
ses amis de Verrières qui venaient dîner à Vergy. (C'est
une façon de parler du pays.)

Une chose singulière, qui trouvera peu de croyance
parmi nous, c'était sans intention directe que Mme de Rênal
se livrait à tant de soins. Elle y trouvait du plaisir; et, sans
y songer autrement, tout le temps qu'elle ne passait pas à
la chasse aux papillons avec les enfants et Julien, elle travaillait avec Élisa à bâtir des robes. Sa seule course à Verrières fut causée par l'envie d'acheter de nouvelles robes
d'été qu'on venait d'apporter de Mulhouse.

Elle ramena à Vergy une jeune femme de ses parentes.
Depuis son mariage, Mme de Rênal s'était liée insensiblement avec Mme Derville, qui autrefois avait été sa com-
pagne au *Sacré-Cœur*.

Mme Derville riait beaucoup de ce qu'elle appelait les
idées folles de sa cousine : « Seule, jamais je n'y pense-
rais », disait-elle. Ces idées imprévues qu'on eût appelées
saillies à Paris, Mme de Rênal en avait honte comme
d'une sottise, quand elle était avec son mari; mais la présence de Mme Derville lui donnait du courage. Elle lui
disait d'abord ses pensées d'une voix timide; quand ces
dames étaient longtemps seules, l'esprit de Mme de Rênal
s'animait, et une longue matinée solitaire passait comme
un instant et laissait les deux amies fort gaies. A ce voyage
la raisonnable Mme Derville trouva sa cousine beaucoup
moins gaie et beaucoup plus heureuse.

Julien, de son côté, avait vécu en véritable enfant depuis
son séjour à la campagne, aussi heureux de courir à la suite
des papillons que ses élèves. Après tant de contrainte et de
politique habile,. seul, loin des regards des hommes, et,
par instinct, ne craignant point Mme de Rênal, il se livrait
au plaisir d'exister, si vif à cet âge, et au milieu des plus
belles montagnes du monde.

Dès l'arrivée de Mme Derville, il sembla à Julien qu'elle
était son amie; il se hâta de lui montrer le point de vue
que l'on a de l'extrémité de la nouvelle allée sous les grands
noyers; dans le fait, il est égal, si ce n'est supérieur à ce que
la Suisse et les lacs d'Italie peuvent offrir de plus admirable.
Si l'on monte la côte rapide qui commence à quelques pas

de là, on arrive bientôt à de grands précipices bordés par des bois de chênes, qui s'avancent presque jusque sur la rivière [1]. C'est sur les sommets de ces rochers coupés à pic que Julien, heureux, libre, et même quelque chose de plus, roi de la maison, conduisait les deux amies, et jouissait de leur admiration pour ces aspects sublimes.

— C'est pour moi comme de la musique de Mozart, disait Mme Derville.

La jalousie de ses frères, la présence d'un père despote et rempli d'humeur avaient gâté aux yeux de Julien les campagnes des environs de Verrières. A Vergy, il ne trouvait point de ces souvenirs amers; pour la première fois de sa vie, il ne voyait point d'ennemi. Quand M. de Rênal était à la ville, ce qui arrivait souvent, il osait lire; bientôt, au lieu de lire la nuit, et encore en ayant soin de cacher sa lampe au fond d'un vase à fleurs renversé, il put se livrer au sommeil; le jour, dans l'intervalle des leçons des enfants, il venait dans ces rochers avec le livre, unique règle de sa conduite et objet de ses transports. Il y trouvait à la fois bonheur, extase et consolation dans les moments de découragement.

Certaines choses que Napoléon dit des femmes, plusieurs discussions sur le mérite des romans à la mode sous son règne lui donnèrent alors, pour la première fois, quelques idées que tout autre jeune homme de son âge aurait eues depuis longtemps.

Les grandes chaleurs arrivèrent. On prit l'habitude de passer les soirées sous un immense tilleul à quelques pas de la maison. L'obscurité y était profonde. Un soir, Julien parlait avec action, il jouissait avec délices du plaisir de bien parler et à des femmes jeunes; en gesticulant, il toucha la main de Mme de Rênal qui était appuyée sur le dos d'une de ces chaises de bois peint que l'on place dans les jardins.

Cette main se retira bien vite; mais Julien pensa qu'il était de son *devoir* d'obtenir que l'on ne retirât pas cette main quand il la touchait. L'idée d'un devoir à accomplir, et d'un ridicule ou plutôt d'un sentiment d'infériorité à encourir si l'on n'y parvenait pas, éloigna sur-le-champ tout plaisir de son cœur.

---

1. Ces paysages, bien que Verrières soit théoriquement en Franche-Comté, sont en fait typiques du Dauphiné : voir p. 241 « *Le Rouge et le Noir* », *roman autobiographique*.

CHAPITRE 9

UNE SOIRÉE A LA CAMPAGNE

Ses regards le lendemain, quand il revit Mme de Rênal, étaient singuliers; il l'observait comme un ennemi avec lequel il va falloir se battre. Ces regards, si différents de ceux de la veille, firent perdre la tête à Mme de Rênal : elle avait été bonne pour lui, et il paraissait fâché. Elle ne   5
pouvait détacher ses regards des siens.

La présence de Mme Derville permettait à Julien de moins parler et de s'occuper davantage de ce qu'il avait dans la tête. Son unique affaire, toute cette journée, fut de se for-tifier par la lecture du livre inspiré qui retrempait son âme.   10

Il abrégea beaucoup les leçons des enfants, et ensuite, quand la présence de Mme de Rênal vint le rappeler tout à fait aux soins de sa gloire, il décida qu'il fallait absolument qu'elle permît ce soir-là que sa main restât dans la sienne.

Le soleil en baissant, et rapprochant le moment décisif,   15
fit battre le cœur de Julien d'une façon singulière. La nuit vint. Il observa, avec une joie qui lui ôta un poids immense de dessus la poitrine, qu'elle serait fort obscure. Le ciel chargé de gros nuages, promenés par un vent très chaud, semblait annoncer une tempête. Les deux amies se prome-   20
nèrent fort tard. Tout ce qu'elles faisaient ce soir-là sem-blait singulier à Julien. Elles jouissaient de ce temps, qui, pour certaines âmes délicates, semble augmenter le plaisir d'aimer.

On s'assit enfin, Mme de Rênal à côté de Julien, et   25
Mme Derville près de son amie. Préoccupé de ce qu'il allait tenter, Julien ne trouvait rien à dire. La conversation lan-guissait.

Serai-je aussi tremblant, et malheureux au premier duel qui me viendra? se dit Julien, car il avait trop de méfiance   30
et de lui et des autres, pour ne pas voir l'état de son âme.

Dans sa mortelle angoisse, tous les dangers lui eussent semblé préférables. Que de fois ne désira-t-il pas voir sur-venir à Mme de Rênal quelque affaire qui l'obligeât de ren-

trer à la maison et de quitter le jardin! La violence que
Julien était obligé de se faire était trop forte pour que sa voix
ne fût pas profondément altérée; bientôt la voix de Mme de
Rênal devint tremblante aussi, mais Julien ne s'en aperçut
point. L'affreux combat que le devoir livrait à la timidité   5
était trop pénible pour qu'il fût en état de rien observer hors
lui-même. Neuf heures trois quarts venaient de sonner à
l'horloge du château, sans qu'il eût encore rien osé. Julien,
indigné de sa lâcheté, se dit : Au moment précis où dix
heures sonneront, j'exécuterai ce que, pendant toute la   10
journée, je me suis promis de faire ce soir, ou je monterai
chez moi me brûler la cervelle.

Après un dernier moment d'attente et d'anxiété, pendant
lequel l'excès de l'émotion mettait Julien comme hors de
lui, dix heures sonnèrent à l'horloge qui était au-dessus de   15
sa tête. Chaque coup de cette cloche fatale retentissait
dans sa poitrine, et y causait comme un mouvement physique.

Enfin, comme le dernier coup de dix heures retentissait
encore, il étendit la main et prit celle de Mme de Rênal,   20
qui la retira aussitôt. Julien, sans trop savoir ce qu'il faisait,
la saisit de nouveau. Quoique bien ému lui-même, il fut
frappé de la froideur glaciale de la main qu'il prenait; il la
serrait avec une force convulsive; on fit un dernier effort
pour la lui ôter, mais enfin cette main lui resta.   25

Son âme fut inondée de bonheur, non qu'il aimât Mme de
Rênal, mais un affreux supplice venait de cesser. Pour que
Mme Derville ne s'aperçût de rien, il se crut obligé de
parler; sa voix alors était éclatante et forte. Celle de
Mme de Rênal, au contraire, trahissait tant d'émotion, que   30
son amie la crut malade et lui proposa de rentrer. Julien
sentit le danger : Si Mme de Rênal rentre au salon, je vais
retomber dans la position affreuse où j'ai passé la journée.
J'ai tenu cette main trop peu de temps pour que cela
compte comme un avantage qui m'est acquis.   35

Au moment où Mme Derville renouvelait la proposition
de rentrer au salon, Julien serra fortement la main qu'on
lui abandonnait.

Mme de Rênal, qui se levait déjà, se rassit, en disant
d'une voix mourante :   40

— Je me sens, à la vérité, un peu malade, mais le grand
air me fait du bien.

Ces mots confirmèrent le bonheur de Julien, qui, dans ce moment, était extrême : il parla, il oublia de feindre, il parut l'homme le plus aimable aux deux amies qui l'écoutaient. Cependant il y avait encore un peu de manque de courage dans cette éloquence qui lui arrivait tout à coup. Il craignait mortellement que Mme Derville, fatiguée du vent qui commençait à s'élever et qui précédait la tempête, ne voulût rentrer seule au salon. Alors il serait resté en tête à tête avec Mme de Rênal. Il avait eu presque par hasard le courage aveugle qui suffit pour agir; mais il sentait qu'il était hors de sa puissance de dire le mot le plus simple à Mme de Rênal. Quelques légers que fussent ses reproches, il allait être battu, et l'avantage qu'il venait d'obtenir anéanti.

Heureusement pour lui, ce soir-là, ses discours touchants et emphatiques trouvèrent grâce devant Mme Derville, qui très souvent le trouvait gauche comme un enfant, et peu amusant. Pour Mme de Rênal, la main dans celle de Julien, elle ne pensait à rien; elle se laissait vivre. Les heures qu'on passa sous ce grand tilleul, que la tradition du pays dit planté par Charles le Téméraire, furent pour elle une époque de bonheur. Elle écoutait avec délices les gémissements du vent dans l'épais feuillage du tilleul, et le bruit de quelques gouttes rares qui commençaient à tomber sur ses feuilles les plus basses. Julien ne remarqua pas une circonstance qui l'eût bien rassuré; Mme de Rênal, qui avait été obligée de lui ôter sa main, parce qu'elle se leva pour aider sa cousine à relever un vase de fleurs que le vent venait de renverser à leurs pieds, fut à peine assise de nouveau, qu'elle lui rendit sa main presque sans difficulté, et comme si déjà c'eût été entre eux une chose convenue.

Minuit était sonné depuis longtemps; il fallut enfin quitter le jardin : on se sépara. Mme de Rênal, transportée du bonheur d'aimer, était tellement ignorante, qu'elle ne se faisait presque aucun reproche. Le bonheur lui ôtait le sommeil. Un sommeil de plomb s'empara de Julien, mortellement fatigué des combats que toute la journée la timidité et l'orgueil s'étaient livrés dans son cœur.

Le lendemain on le réveilla à cinq heures; et, ce qui eût été cruel pour Mme de Rênal, si elle l'eût su, à peine lui donna-t-il une pensée. Il avait fait *son devoir*, *et un devoir héroïque*. Rempli de bonheur par ce sentiment, il s'enferma

● **Julien saisit la main de Mme de Rênal** — Nous sommes là au nœud de l'action : le geste de Julien ne prête pas à équivoque, et Mme de Rênal va être désormais obligée de regarder la réalité sentimentale en face.

La scène a été préparée par une autre scène, importante pour bien comprendre celle-ci (voir la fin du chapitre 8, p. 77). Comment l'idée de prendre la main de Mme de Rênal est-elle venue à Julien?

Le cadre :

Il y a un épisode célèbre dans le Rouge et le Noir, la scène où Julien, assis un soir à côté de Mme de Rênal, sous les branches noires d'un arbre, se fait un devoir de lui prendre la main, pendant qu'elle cause avec Mme Derville. C'est un petit drame muet d'une grande puissance, et Stendhal y a analysé merveilleusement les états d'âme de ses deux personnages. Or, le milieu n'apparaît pas une seule fois. Nous pourrions être n'importe où et dans n'importe quelles conditions, la scène resterait la même, pourvu qu'il fît noir. Je comprends parfaitement que Julien, dans la tension de volonté où il se trouve, ne soit pas affecté par le milieu. Il ne voit rien, il n'entend rien, il ne sent rien, il veut simplement prendre la main de Mme de Rênal et la garder dans la sienne. Mais Mme de Rênal, au contraire, devrait subir toutes les influences extérieures. Donnez l'épisode à un écrivain pour qui les milieux existent, et dans la défaite de cette femme, il fera entrer la nuit, avec ses odeurs, avec ses voix, avec ses voluptés molles. Et cet écrivain sera dans la vérité, son tableau sera plus complet... (Émile Zola, *Les Romanciers naturalistes.*)

① Partagez-vous l'opinion de Zola? Stendhal n'a-t-il pas donné quelques précisions? Lesquelles?

Les personnages :

② Comment Stendhal a-t-il réussi à créer un climat d'*attente* de plus en plus exaspérée?

③ Quels sentiments se partagent l'âme de Julien? Pourquoi compare-t-il sa situation à celle d'un homme qui va se battre en duel? Pourquoi se condamne-t-il à mort s'il n'exécute pas ce qu'il s'est promis de faire? Julien prend la main de Mme de Rênal *comme le dernier coup de dix heures retentissait* (p. 79, l. 19) : ce détail est-il révélateur? Le geste de Julien est-il une déclaration de guerre ou une déclaration d'amour?

④ Il est peu question « directement » des sentiments de Mme de Rênal; comment, malgré tout, peut-on les deviner? Au combat intérieur qui se livrait dans l'âme de Julien avant son geste ne succède-t-il pas un combat dans l'âme de Mme de Rênal? Quels en sont les éléments? Pourquoi finalement abandonne-t-elle sa main?

Au moment où leur intimité va se doubler désormais d'une complicité, Julien et Mme de Rênal sont-ils sentimentalement près l'un de l'autre?

« On voit une scie
qui monte
et descend... »
(p. 39, l. 16)

à clef dans sa chambre, et se livra avec un plaisir tout nouveau à la lecture des exploits de son héros.

Quand la cloche du déjeuner se fit entendre, il avait oublié, en lisant les bulletins de la grande armée, tous ses avantages de la veille. Il se dit, d'un ton léger, en descendant au salon : Il faut dire à cette femme que je l'aime.

Au lieu de ces regards chargés de volupté, qu'il s'attendait à rencontrer, il trouva la figure sévère de M. de Rênal qui, arrivé depuis deux heures de Verrières, ne cachait point son mécontentement de ce que Julien passait toute la matinée sans s'occuper des enfants. Rien n'était laid comme cet homme important, ayant de l'humeur et croyant pouvoir la montrer.

Chaque mot aigre de son mari perçait le cœur de Mme de Rênal. Quant à Julien, il était tellement plongé dans l'extase, encore si occupé des grandes choses qui, pendant plusieurs heures, venaient de passer devant ses yeux, qu'à peine d'abord put-il rabaisser son attention jusqu'à écouter les propos durs que lui adressait M. de Rênal. Il lui dit enfin, assez brusquement :

— J'étais malade.

Le ton de cette réponse eût piqué un homme beaucoup moins susceptible que le maire de Verrières; il eut quelque idée de répondre à Julien en le chassant à l'instant. Il ne fut retenu que par la maxime qu'il s'était faite de ne jamais trop se hâter en affaires.

Ce jeune sot, se dit-il bientôt, s'est fait une sorte de réputation dans ma maison, le Valenod peut le prendre chez lui, ou bien il épousera Élisa, et dans les deux cas, au fond du cœur, il pourra se moquer de moi.

Malgré la sagesse de ses réflexions, le mécontentement de M. de Rênal n'en éclata pas moins par une suite de mots grossiers qui peu à peu irritèrent Julien. Mme de Rênal était sur le point de fondre en larmes. A peine le déjeuner fut-il fini, qu'elle demanda à Julien de lui donner le bras pour la promenade, elle s'appuyait sur lui avec amitié. A tout ce que Mme de Rênal lui disait, Julien ne pouvait que répondre à demi-voix :

— *Voilà bien les gens riches!*

M. de Rênal marchait tout près d'eux; sa présence augmentait la colère de Julien. Il s'aperçut tout à coup que Mme de Rênal s'appuyait sur son bras d'une façon mar-

quée; ce mouvement lui fit horreur, il la repoussa avec
violence et dégagea son bras.

Le charme est un peu rompu, et l'on parle surtout pour
éviter les silences. M. de Rênal s'éloigne pour chasser à
coups de pierres une petite paysanne qui traversait le verger. ⁵

A force de parler pour parler, et de chercher à maintenir
la conversation vivante, il arriva à Mme de Rênal de dire
que son mari était venu de Verrières parce qu'il avait fait
marché, pour de la paille de maïs, avec un de ses fermiers.
(Dans ce pays, c'est avec de la paille de maïs que l'on rem- ¹⁰
plit les paillasses des lits.)

— Mon mari ne nous rejoindra pas, ajouta Mme de
Rênal; avec le jardinier et son valet de chambre, il va
s'occuper d'achever le renouvellement des paillasses de la
maison. Ce matin il a mis de la paille de maïs dans tous les ¹⁵
lits du premier étage, maintenant il est au second.

Julien changea de couleur; il regarda Mme de Rênal
d'un air singulier, et bientôt la prit à part en quelque sorte
en doublant le pas. Mme Derville les laissa s'éloigner.

— Sauvez-moi la vie, dit Julien à Mme de Rênal, vous ²⁰
seule le pouvez; car vous savez que le valet de chambre
me hait à la mort. Je dois vous avouer, Madame, que j'ai
un portrait; je l'ai caché dans la paillasse de mon lit.

A ce mot, Mme de Rênal devint pâle à son tour.

— Vous seule, Madame, pouvez dans ce moment entrer ²⁵
dans ma chambre; fouillez, sans qu'il y paraisse, dans
l'angle de la paillasse qui est le plus rapproché de la fenêtre,
vous y trouverez une petite boîte de carton noir et lisse.

— Elle renferme un portrait! dit Mme de Rênal pouvant
à peine se tenir debout. ³⁰

Son air de découragement fut aperçu de Julien, qui
aussitôt en profita.

— J'ai une seconde grâce à vous demander, Madame,
je vous supplie de ne pas regarder ce portrait, c'est mon
secret. ³⁵

— C'est un secret, répéta Mme de Rênal d'une voix
éteinte.

Mais, quoique élevée parmi des gens fiers de leur fortune, et sensibles au seul intérêt d'argent, l'amour avait
déjà mis de la générosité dans cette âme. Cruellement ⁴⁰
blessée, ce fut avec l'air du dévouement le plus simple que

Mme de Rênal fit à Julien les questions nécessaires pour pouvoir bien s'acquitter de sa commission.

— Ainsi, lui dit-elle en s'éloignant, une petite boîte ronde, de carton noir, bien lisse.

— Oui, Madame, répondit Julien de cet air dur que le 5 danger donne aux hommes.

Elle monta au second étage du château, pâle comme si elle fût allée à la mort. Pour comble de misère elle sentit qu'elle était sur le point de se trouver mal ; mais la nécessité de rendre service à Julien lui rendit des forces. 10

— Il faut que j'aie cette boîte, se dit-elle en doublant le pas.

Elle entendit son mari parler au valet de chambre, dans la chambre même de Julien. Heureusement, ils passèrent dans celle des enfants. Elle souleva le matelas et plongea 15 la main dans la paillasse avec une telle violence qu'elle s'écorcha les doigts. Mais quoique fort sensible aux petites douleurs de ce genre, elle n'eut pas la conscience de celle-ci, car presque en même temps, elle sentit le poli de la boîte de carton. Elle la saisit et disparut. 20

A peine fut-elle délivrée de la crainte d'être surprise par son mari, que l'horreur que lui causait cette boîte fut sur le point de la faire décidément se trouver mal.

Julien est donc amoureux, et je tiens là le portrait de la femme qu'il aime ! 25

Assise sur une chaise dans l'antichambre de cet appartement, Mme de Rênal était en proie à toutes les horreurs de

---

● **Un portrait compromettant :** *Sauvez-moi la vie...* (p. 84, l. 20). En un sens, après la scène du jardin, cet épisode constitue une détente. Mais il n'est pas pour autant gratuit :

① En quoi la démarche de Julien auprès de Mme de Rênal, trouble-t-elle cette dernière ? Qu'est-ce qui, dans l'attitude de Julien, peut l'alarmer ? Mme de Rênal s'acquitte de sa mission selon les vœux de Julien : pourquoi n'a-t-elle pas regardé le portrait ? Cet épisode est-il de nature à affaiblir ou à accroître l'amour de Mme de Rênal pour Julien ?

② Julien se dépeint lui aussi dans cette page. Indiquer ce qu'il y a, à la fois, de romanesque et de puéril dans le fait d'avoir ainsi caché ce portrait. Julien, en faisant brûler le portrait, se félicite d'avoir sauvé sa réputation auprès de M. de Rênal. L'a-t-il aussi bien sauvée aux yeux du lecteur ?

la jalousie. Son extrême ignorance lui fut encore utile en ce moment, l'étonnement tempérait la douleur. Julien parut, saisit la boîte, sans remercier, sans rien dire, et courut dans sa chambre où il fit du feu, et la brûla à l'instant. Il était pâle, anéanti, il s'exagérait l'étendue du danger qu'il venait de courir.

Le portrait de Napoléon, se disait-il en hochant la tête, trouvé caché chez un homme qui fait profession d'une telle haine pour l'usurpateur! trouvé par M. de Rênal, tellement ultra et tellement irrité! et pour comble d'imprudence, sur le carton blanc derrière le portrait, des lignes écrites de ma main! et qui ne peuvent laisser aucun doute sur l'excès de mon admiration! et chacun de ces transports d'amour est daté! il y en a d'avant-hier.

Toute ma réputation tombée, anéantie en un moment! se disait Julien, en voyant brûler la boîte, et ma réputation est tout mon bien, je ne vis que par elle... et encore, quelle vie, grand Dieu!

Une heure après, la fatigue et la pitié qu'il sentait pour lui-même le disposaient à l'attendrissement. Il rencontra Mᵐᵉ de Rênal et prit sa main qu'il baisa avec plus de sincérité qu'il n'avait jamais fait. Elle rougit de bonheur, et, presque au même instant, repoussa Julien avec la colère de la jalousie. La fierté de Julien, si récemment blessée, en fit un sot dans ce moment. Il ne vit en Mᵐᵉ de Rênal qu'une femme riche, il laissa tomber sa main avec dédain, et s'éloigna. Il alla se promener, pensif, dans le jardin; bientôt un sourire amer parut sur ses lèvres.

— Je me promène là, tranquille comme un homme maître de son temps! Je ne m'occupe pas des enfants! je m'expose aux mots humiliants de M. de Rênal, et il aura raison. Il courut à la chambre des enfants.

Les caresses du plus jeune, qu'il aimait beaucoup, calmèrent un peu sa cuisante douleur.

Celui-là ne me méprise pas encore, pensa Julien. Mais bientôt il se reprocha cette diminution de douleur comme une nouvelle faiblesse. Ces enfants me caressent comme ils caressaient le jeune chien de chasse que l'on a acheté hier.

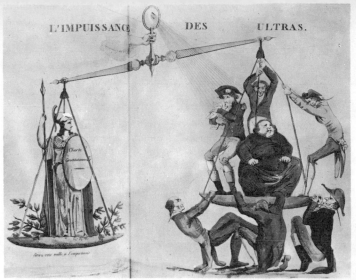

L'IMPUISSANCE DES ULTRAS.

CL. GIRAUDON

« ... plusieurs sentences qui semblèrent injustes; toutes furent portées contre ceux des habitants qui lisaient LE CONSTITUTIONNEL » (p. 47, l. 5 et suiv.)

Costume de maire sous Louis-Philippe

« M. de Rênal, revenant de l'église en costume de maire... » (p. 34, l. 27)

CHAPITRE 10

L'amertume de Julien se change bientôt en colère ; il parle vivement à M. de Rênal qui, toujours par crainte de le voir installé chez M. Valenod, porte ses appointements de trente-six à cinquante francs par mois.

Me voilà avec cinquante francs d'appointements par mois, il faut que M. de Rênal ait eu une belle peur. Mais de quoi ?

Cette méditation sur ce qui avait pu faire peur à l'homme heureux et puissant contre lequel, une heure auparavant, il était bouillant de colère acheva de rasséréner l'âme de Julien. Il fut presque sensible un moment à la beauté ravissante des bois au milieu desquels il marchait. D'énormes quartiers de roches nues étaient tombés jadis au milieu de la forêt du côté de la montagne. De grands hêtres s'élevaient presque aussi haut que ces rochers dont l'ombre donnait une fraîcheur délicieuse à trois pas des endroits où la chaleur des rayons du soleil eût rendu impossible de s'arrêter.

Julien prenait haleine un instant à l'ombre de ces grandes roches, et puis se remettait à monter. Bientôt par un étroit sentier à peine marqué et qui sert seulement aux gardiens des chèvres, il se trouva debout sur un roc immense et bien sûr d'être séparé de tous les hommes. Cette position physique le fit sourire, elle lui peignait la position qu'il brûlait d'atteindre au moral. L'air pur de ces montagnes élevées communiqua la sérénité et même la joie à son âme. Le maire de Verrières était bien toujours, à ses yeux, le représentant de tous les riches et de tous les insolents de la terre ; mais Julien sentait que la haine qui venait de l'agiter, malgré la violence de ses mouvements, n'avait rien de personnel. S'il eût cessé de voir M. de Rênal, en huit jours il l'eût oublié, lui, son château, ses chiens, ses enfants et toute sa famille. Je l'ai forcé, je ne sais comment, à faire le plus grand sacrifice. Quoi ! plus de cinquante écus par an ! Un instant auparavant, je m'étais tiré du plus grand danger. Voilà, deux victoires en un jour ;

la seconde est sans mérite, il faudrait en deviner le comment. Mais à demain les pénibles recherches.

Julien, debout sur son grand rocher, regardait le ciel
embrasé par un soleil d'août. Les cigales chantaient dans
le champ au-dessous du rocher, quand elles se taisaient   5
tout était silence autour de lui. Il voyait à ses pieds vingt
lieues de pays. Quelque épervier parti des grandes roches
au-dessus de sa tête était aperçu par lui, de temps à autre,
décrivant en silence ses cercles immenses. L'œil de Julien
suivait machinalement l'oiseau de proie. Ses mouvements   10
tranquilles et puissants le frappaient, il enviait cet isolement.

C'était la destinée de Napoléon, serait-ce un jour la
sienne?

CHAPITRE 11

UNE SOIRÉE

Il fallut pourtant paraître à Verrières. En sortant du   15
presbytère, un heureux hasard fit que Julien rencontra
M. Valenod, auquel il se hâta de raconter l'augmentation
de ses appointements.

De retour à Vergy, Julien ne descendit au jardin que
lorsqu'il fut nuit close. Son âme était fatiguée de ce grand 20
nombre d'émotions puissantes qui l'avaient agitée dans
cette journée. Que leur dirai-je? pensait-il avec inquiétude,
en songeant aux dames. Il était loin de voir que son âme
était précisément au niveau des petites circonstances qui
occupent ordinairement tout l'intérêt des femmes. Souvent   25
Julien était inintelligible pour Mme Derville et même pour
son amie, et à son tour ne comprenait qu'à demi tout ce
qu'elles lui disaient. Tel était l'effet de la force, et, si j'ose
parler ainsi, de la grandeur des mouvements de passion
qui bouleversaient l'âme de ce jeune ambitieux. Chez cet   30
être singulier, c'était presque tous les jours tempête.

En entrant ce soir-là au jardin, Julien était disposé à
s'occuper des idées des jolies cousines. Elles l'attendaient

avec impatience. Il prit sa place ordinaire, à côté de Mme de Rênal. L'obscurité devint bientôt profonde. Il voulut prendre une main blanche que depuis longtemps il voyait près de lui, appuyée sur le dos d'une chaise. On hésita un peu, mais on finit par la lui retirer d'une façon qui marquait de l'humeur. Julien était disposé à se le tenir pour dit, et à continuer gaiement la conversation, quand il entendit M. de Rênal qui s'approchait.

Julien avait encore dans l'oreille les paroles grossières du matin. Ne serait-ce pas, se dit-il, une façon de se moquer de cet être, si comblé de tous les avantages de la fortune, que de prendre possession de la main de sa femme, précisément en sa présence? Oui, je le ferai, moi, pour qui il a témoigné tant de mépris [1].

De ce moment, la tranquillité, si peu naturelle au caractère de Julien, s'éloigna bien vite; il désira avec anxiété, et sans pouvoir songer à rien autre chose, que Mme de Rênal voulût bien lui laisser sa main.

M. de Rênal parlait politique avec colère : deux ou trois industriels de Verrières devenaient décidément plus riches que lui, et voulaient le contrarier dans les élections. Mme Derville l'écoutait. Julien, irrité de ses discours, approcha sa chaise de celle de Mme de Rênal. L'obscurité cachait tous les mouvements. Il osa placer sa main très près du joli bras que la robe laissait à découvert. Il fut troublé, sa pensée ne fut plus à lui, il approcha sa joue de ce joli bras, il osa y appliquer ses lèvres.

Mme de Rênal frémit. Son mari était à quatre pas, elle se hâta de donner sa main à Julien, et en même temps de le repousser un peu. Comme M. de Rênal continuait ses injures contre les gens de rien et les jacobins qui s'enrichissent, Julien couvrait la main qu'on lui avait laissée de baisers passionnés ou du moins qui semblaient tels à Mme de Rênal. Cependant la pauvre femme avait eu la preuve, dans cette journée fatale, que l'homme qu'elle adorait sans se l'avouer aimait ailleurs [2]! Pendant toute l'absence de Julien, elle avait été en proie à un malheur extrême, qui l'avait fait réfléchir.

---

1. Cette notation est importante pour définir le caractère de Julien : il n'est séducteur que pour se venger de ses humiliations. — 2. Mme de Rênal ignore en effet que le portrait mystérieux, caché par Julien dans son matelas, est celui de Napoléon.

Quoi! j'aimerais, se disait-elle, j'aurais de l'amour! Moi, femme mariée, je serais amoureuse! mais, se disait-elle, je n'ai jamais éprouvé pour mon mari cette sombre folie, qui fait que je ne puis détacher ma pensée de Julien. Au fond ce n'est qu'un enfant plein de respect pour moi! Cette folie sera passagère. Qu'importe à mon mari les sentiments que je puis avoir pour ce jeune homme! M. de Rênal serait ennuyé des conversations que j'ai avec Julien sur des choses d'imagination. Lui, il pense à ses affaires. Je ne lui enlève rien pour le donner à Julien.

Aucune hypocrisie ne venait altérer la pureté de cette âme naïve, égarée par une passion qu'elle n'avait jamais éprouvée. Elle était trompée, mais à son insu, et cependant un instinct de vertu était effrayé. Tels étaient les combats qui l'agitaient quand Julien parut au jardin. Elle l'entendit parler, presque au même instant elle le vit s'asseoir à ses côtés. Son âme fut comme enlevée par ce bonheur charmant qui depuis quinze jours l'étonnait plus encore qu'il ne la séduisait. Tout était imprévu pour elle. Cependant, après quelques instants, il suffit donc, se dit-elle, de la présence de Julien pour effacer tous ses torts? Elle fut effrayée; ce fut alors qu'elle lui ôta sa main.

Les baisers remplis de passion, et tels que jamais elle n'en avait reçu de pareils, lui firent tout à coup oublier que peut-être il aimait une autre femme. Bientôt il ne fut plus coupable à ses yeux. La cessation de la douleur poignante, fille du soupçon, la présence d'un bonheur que jamais elle n'avait même rêvé lui donnèrent des transports d'amour et de folle gaieté. Cette soirée fut charmante pour tout le monde, excepté pour le maire de Verrières qui ne pouvait oublier ses industriels enrichis. Julien ne pensait plus à sa noire ambition, ni à ses projets si difficiles à exécuter. Pour la première fois de sa vie, il était entraîné par le pouvoir de la beauté. Perdu dans une rêverie vague et douce si étrangère à son caractère, pressant doucement cette main qui lui plaisait comme parfaitement jolie, il écoutait à demi le mouvement des feuilles du tilleul agitées par ce léger vent de la nuit, et les chiens du moulin du Doubs qui aboyaient dans le lointain [1].

---

1. Quand il est lui-même, débarrassé de sa hantise du mépris ou du ridicule, Julien se laisse facilement aller à l'*émotion* (p. 92, l. 1).

Mais cette émotion était un plaisir et non une passion.
En rentrant dans sa chambre il ne songea qu'à un bonheur,
celui de reprendre son livre favori; à vingt ans, l'idée du
monde et de l'effet à y produire l'emporte sur tout.

Bientôt cependant il posa le livre. A force de songer   5
aux victoires de Napoléon, il avait vu quelque chose de
nouveau dans la sienne. Oui, j'ai gagné une bataille [1], se
dit-il, mais il faut en profiter, il faut écraser l'orgueil
de ce fier gentilhomme pendant qu'il est en retraite. C'est
là Napoléon tout pur. Il faut que je demande un congé   10
de trois jours pour aller voir mon ami Fouqué [2]. S'il me le
refuse, je lui mets encore le marché à la main, mais il
cédera.

Mme de Rênal ne put fermer l'œil. Il lui semblait n'avoir
pas vécu jusqu'à ce moment. Elle ne pouvait distraire sa   15
pensée du bonheur de sentir Julien couvrir sa main de
baisers enflammés.

Tout à coup l'affreuse parole : adultère, lui apparut.
Tout ce que la plus vile débauche peut imprimer de dégoûtant à l'idée de l'amour des sens se présenta en foule à   20
son imagination. Ces idées voulaient tâcher de ternir
l'image tendre et divine qu'elle se faisait de Julien et du
bonheur de l'aimer. L'avenir se peignait sous des couleurs
terribles. Elle se voyait méprisable.

Ce moment fut affreux; son âme arrivait dans des pays   25
inconnus. La veille elle avait goûté un bonheur inéprouvé;
maintenant elle se trouvait tout à coup plongée dans un
malheur atroce. Elle n'avait aucune idée de telles souffrances, elles troublèrent sa raison. Elle eut un instant la
pensée d'avouer à son mari qu'elle craignait d'aimer Julien.   30
C'eût été parler de lui. Heureusement elle rencontra dans
sa mémoire un précepte donné jadis par sa tante, la veille
de son mariage. Il s'agissait du danger des confidences
faites à un mari, qui après tout est un maître. Dans l'excès
de sa douleur, elle se tordait les mains.   35

Elle était entraînée au hasard par des images contra-
dictoires et douloureuses. Tantôt elle craignait de n'être
pas aimée, tantôt l'affreuse idée du crime la torturait comme

---

1. Ce n'est pas tellement à l'éveil de l'amour chez Mme de Rênal que songe Julien, mais
bien plutôt à sa victoire de plébéien sur un noble. — 2. Dont il a été question à la page 46
(ligne 6).

si le lendemain elle eût dû être exposée au pilori, sur la place publique de Verrières, avec un écriteau expliquant son adultère à la populace.

Mme de Rênal n'avait aucune expérience de la vie; même pleinement éveillée et dans l'exercice de toute sa 5 raison, elle n'eût aperçu aucun intervalle entre être coupable aux yeux de Dieu, et se trouver accablée en public des marques les plus bruyantes du mépris général.

Quand l'affreuse idée d'adultère, et de toute l'ignominie que, dans son opinion, ce crime entraîne à sa suite, lui 10 laissait quelque repos, et qu'elle venait à songer à la douceur de vivre avec Julien innocemment, et comme par le passé, elle se trouvait jetée dans l'idée horrible que Julien aimait une autre femme. Elle voyait encore sa pâleur quand il avait craint de perdre son portrait, ou de la compro- 15 mettre en le laissant voir. Pour la première fois, elle avait surpris la crainte sur cette physionomie si tranquille et si noble. Jamais il ne s'était montré ému ainsi pour elle ou pour ses enfants. Ce surcroît de douleur arriva à toute l'intensité de malheur qu'il est donné à l'âme humaine de 20 pouvoir supporter. Sans s'en douter, Mme de Rênal jeta des cris qui réveillèrent sa femme de chambre. Tout à coup elle vit paraître auprès de son lit la clarté d'une lumière, et reconnut Élisa.

Est-ce vous qu'il aime? s'écria-t-elle dans sa folie. 25

● Chapitre 11 : étude d'ensemble

Peu à peu, l'âme simple de Mme de Rênal sympathise avec l'âme géné- reuse, fière, orgueilleuse de Julien. Elle se plaît à travailler assise à côté de lui. Mme de Rênal croit qu'elle agit ainsi par amour pour ses enfants. Quoiqu'elle ait près de trente ans, elle ne sait pas ce que c'est que l'amour. Elle ne l'a pas éprouvé. Elle lit peu de romans, car les romans modernes sont libéraux et elle est ultra (Stendhal, *Lettre au comte Salvagnoli*).

① Telle était Mme de Rênal, mais n'a-t-elle pas changé? Montrer qu'elle a pris successivement conscience de ses sentiments, de la faute qu'ils constituent, et de sa propre jalousie. Comment cette gradation culmine-t-elle à la fin du chapitre? Qu'y a-t-il de « raci- nien » dans l'attitude de Mme de Rênal devant sa femme de chambre?

② L'analyse psychologique est-elle froide, uniforme? N'y a-t-il pas une sorte de pathétique latent?

La femme de chambre, étonnée du trouble affreux dans laquelle elle surprenait sa maîtresse, ne fit heureusement aucune attention à ce mot singulier. Mme de Rênal sentit son imprudence : « J'ai la fièvre, lui dit-elle, et, je crois, un peu de délire, restez auprès de moi. » Tout à fait réveillée ⁵ par la nécessité de se contraindre, elle se trouva moins malheureuse; la raison reprit l'empire que l'état de demi-sommeil lui avait ôté. Pour se délivrer du regard fixe de sa femme de chambre, elle lui ordonna de lire le journal, et ce fut au bruit monotone de la voix de cette fille, lisant ¹⁰ un long article de *la Quotidienne*, que Mme de Rênal prit la résolution vertueuse de traiter Julien avec une froideur parfaite quand elle le reverrait.

CHAPITRE 12

UN VOYAGE

Mme de Rênal a essayé de respecter sa résolution vertueuse (p. 94, l. 12) et Julien en a été étonné et humilié. ¹⁵ *Mais elle apprend par ses enfants que Julien va s'absenter pour quelques jours, et la voici bouleversée.*

Pendant que Mme de Rênal était en proie à ce qu'a de plus cruel la passion terrible dans laquelle le hasard l'avait engagée, Julien poursuivait son chemin gaiement au milieu ²⁰ des plus beaux aspects que puissent présenter les scènes de montagnes. Il fallait traverser la grande chaîne au nord de Vergy. Le sentier qu'il suivait, s'élevant peu à peu parmi de grands bois de hêtres, forme des zigzags infinis sur la pente de la haute montagne qui dessine au nord la vallée ²⁵ du Doubs. Bientôt les regards du voyageur, passant par-dessus les coteaux moins élevés qui contiennent le cours du Doubs vers le midi, s'étendirent jusqu'aux plaines fertiles de la Bourgogne et du Beaujolais. Quelque insensible que l'âme de ce jeune ambitieux fût à ce genre de beauté, il ³⁰ ne pouvait s'empêcher de s'arrêter de temps à autre pour regarder un spectacle si vaste et si imposant.

Enfin il atteignit le sommet de la grande montagne [1], près duquel il fallait passer pour arriver, par cette route de traverse, à la vallée solitaire qu'habitait Fouqué, le jeune marchand de bois, son ami. Julien n'était point pressé de le voir, lui ni aucun autre être humain. Caché comme un oiseau de proie, au milieu des roches nues qui couronnent la grande montagne, il pouvait apercevoir de bien loin tout homme qui se serait approché de lui. Il découvrit une petite grotte au milieu de la pente presque verticale d'un des rochers. Il prit sa course, et bientôt fut établi dans cette retraite. Ici, dit-il, avec des yeux brillants de joie, les hommes ne sauraient me faire de mal. Il eut l'idée de se livrer au plaisir d'écrire ses pensées, partout ailleurs si dangereux pour lui. Une pierre carrée lui servait de pupitre. Sa plume volait : il ne voyait rien de ce qui l'entourait. Il remarqua enfin que le soleil se couchait derrière les montagnes éloignées du Beaujolais.

Pourquoi ne passerais-je pas la nuit ici? se dit-il, j'ai du pain, et *je suis libre!* Au son de ce grand mot son âme s'exalta, son hypocrisie faisait qu'il n'était pas libre, même chez Fouqué. La tête appuyée sur les deux mains, Julien resta dans cette grotte plus heureux qu'il ne l'avait été de la vie, agité par ses rêveries et par son bonheur de liberté. Sans y songer il vit s'éteindre, l'un après l'autre, tous les rayons du crépuscule. Au milieu de cette obscurité immense, son âme s'égarait dans la contemplation de ce qu'il s'imaginait rencontrer un jour à Paris. C'était d'abord une femme bien plus belle et d'un génie bien plus élevé que tout ce qu'il avait pu voir en province. Il aimait avec passion, il était aimé. S'il se séparait d'elle pour quelques instants, c'était pour aller se couvrir de gloire et mériter d'en être encore plus aimé.

Même en lui supposant l'imagination de Julien, un jeune homme élevé au milieu des tristes vérités de la société de Paris [2] eût été réveillé à ce point de son roman par la froide ironie; les grandes actions auraient disparu avec l'espoir d'y atteindre, pour faire place à la maxime si connue : « Quitte-t-on sa maîtresse, on risque, hélas! d'être

---

1. Noter l'harmonie entre le paysage et les sentiments de Julien. — 2. Stendhal a toujours été plein de sarcasmes contre la petitesse d'esprit de la *société de Paris*, son incapacité à concevoir et à comprendre ce qui est grand.

trompé deux ou trois fois par jour. » Le jeune paysan ne voyait rien entre lui et les actions les plus héroïques, que le manque d'occasion.

Mais une nuit profonde avait remplacé le jour, et il avait encore deux lieues à faire pour descendre au hameau habité par Fouqué. Avant de quitter la petite grotte, Julien alluma du feu et brûla avec soin tout ce qu'il avait écrit.

Il étonna bien son ami en frappant à sa porte à une heure du matin. Il trouva Fouqué occupé à écrire ses comptes. C'était un jeune homme de haute taille, assez mal fait, avec de grands traits durs, un nez infini, et beaucoup de bonhomie cachée sous cet aspect repoussant.

— T'es-tu donc brouillé avec ton M. de Rênal, que tu m'arrives ainsi à l'improviste?

Julien lui raconta, mais comme il le fallait, les événements de la veille.

— Reste avec moi, lui dit Fouqué, je vois que tu connais M. de Rênal, M. Valenod, le sous-préfet Maugiron, le curé Chélan; tu as compris les finesses du caractère de ces gens-là; te voilà en état de paraître aux adjudications. Tu sais l'arithmétique mieux que moi, tu tiendras mes comptes. Je gagne gros dans mon commerce. L'impossibilité de tout faire par moi-même et la crainte de rencontrer un fripon dans l'homme que je prendrais pour associé m'empêchent tous les jours d'entreprendre d'excellentes affaires. Il n'y a pas un mois que j'ai fait gagner six mille francs à Michaud de Saint-Amand, que je n'avais pas revu depuis six ans, et que j'ai trouvé par hasard à la vente de Pontarlier. Pourquoi n'aurais-tu pas gagné, toi, ces six mille francs, ou du moins trois mille? car, si ce jour-là je t'avais eu avec moi, j'aurais mis l'enchère à cette coupe de bois, et tout le monde me l'eût bientôt laissée. Sois mon associé.

Cette offre donna de l'humeur à Julien, elle dérangeait sa folie. Pendant tout le souper, que les deux amis préparèrent eux-mêmes comme des héros d'Homère, car Fouqué vivait seul, il montra ses comptes à Julien, et lui prouva combien son commerce de bois présentait d'avantages. Fouqué avait la plus haute idée des lumières et du caractère de Julien.

Quand enfin celui-ci fut seul dans sa petite chambre de bois de sapin : Il est vrai, se dit-il, je puis gagner ici quelques

mille francs, puis reprendre avec avantage le métier de
soldat ou celui de prêtre, suivant la mode qui alors régnera
en France. Le petit pécule que j'aurai amassé lèvera toutes
les difficultés de détail. Solitaire dans cette montagne,
j'aurai dissipé un peu l'affreuse ignorance où je suis de tant   5
de choses qui occupent tous ces hommes de salon. Mais
Fouqué renonce à se marier, il me répète que la solitude le
rend malheureux. Il est évident que s'il prend un associé
qui n'a pas de fonds à verser dans son commerce, c'est
dans l'espoir de se faire un compagnon qui ne le quitte   10
jamais.

Tromperai-je mon ami? s'écria Julien avec humeur. Cet
être, dont l'hypocrisie et l'absence de toute sympathie
étaient les moyens ordinaires de salut, ne put cette fois
supporter l'idée du plus petit manque de délicatesse envers   15
un homme qui l'aimait.

Mais tout à coup Julien fut heureux, il avait une raison
pour refuser. Quoi! je perdrais lâchement sept ou huit
années! j'arriverais ainsi à vingt-huit ans; mais, à cet âge,
Bonaparte avait fait ses plus grandes choses! Quand j'aurai   20
gagné obscurément quelque argent en courant ces ventes
de bois et méritant la faveur de quelques fripons subalternes, qui me dit que j'aurai encore le feu sacré avec lequel
on se fait un nom?

Le lendemain matin, Julien répondit d'un grand sang-   25
froid au bon Fouqué, qui regardait l'affaire de l'association
comme terminée, que sa vocation pour le saint ministère
des autels ne lui permettait pas d'accepter. Fouqué n'en
revenait pas.

● **Fouqué, le tentateur**

① Préciser le genre de vie et le genre de réussite que Fouqué
propose à Julien (p. 96, l. 17 et suiv.).

② Pour quelles raisons Julien refuse-t-il la proposition? Apprécier le rôle joué par :
— son exaltation dans la montagne;
— ses souvenirs de Mme de Rênal;
— sa propre conception du « succès ».

③ Sommes-nous étonnés par le refus de Julien?
Préciser ses sentiments envers Fouqué. Distinguer l'hypocrisie de
Julien devant Fouqué de celle qu'il manifeste chez M. de Rênal.

CHAPITRES 13 ET 14

*Julien, avec son orgueil de plébéien toujours très sensible
à ce qu'il croit être du mépris de la part de Mme de Rênal,
décide de devenir son amant, pour humilier en sa personne
la classe sociale qu'elle représente. Quant à Mme de Rênal,
dont Mme Derville a deviné les sentiments, elle craint* 5
continuellement le départ de Julien.

*En marge de ce drame, nous apprenons que l'abbé Chélan,
curé de Verrières, a été destitué et remplacé par l'abbé Maslon, l'homme de la congrégation.*

CHAPITRE 15

LE CHANT DU COQ

Si Julien avait eu un peu de l'adresse qu'il se supposait 10
si gratuitement, il eût pu s'applaudir le lendemain de
l'effet produit par son voyage à Verrières. Son absence
avait fait oublier ses gaucheries. Ce jour-là encore, il fut
assez maussade; sur le soir, une idée ridicule lui vint, et
il la communiqua à Mme de Rênal avec une rare intré- 15
pidité.

A peine fut-on assis au jardin que, sans attendre une
obscurité suffisante, Julien approcha sa bouche de l'oreille
de Mme de Rênal, et, au risque de la compromettre horriblement, il lui dit : 20

— Madame, cette nuit, à deux heures, j'irai dans votre
chambre, je dois vous dire quelque chose.

Julien tremblait que sa demande ne fût accordée; son
rôle de séducteur lui pesait si horriblement que, s'il eût pu
suivre son penchant, il se fût retiré dans sa chambre pour 25
plusieurs jours, et n'eût plus vu ces dames. Il comprenait
que, par sa conduite savante de la veille, il avait gâté toutes
les belles apparences du jour précédent, et ne savait réellement à quel saint se vouer.

Mᵐᵉ de Rênal répondit avec une indignation réelle, et nullement exagérée, à l'annonce impertinente que Julien osait lui faire. Il crut voir du mépris [1] dans sa courte réponse. Il est sûr que dans cette réponse, prononcée fort bas, le mot *fi donc* avait paru. Sous prétexte de quelque chose à dire aux enfants, Julien alla dans leur chambre, et à son retour il se plaça à côté de Mᵐᵉ Derville et fort loin de Mᵐᵉ de Rênal. Il s'ôta ainsi toute possibilité de lui prendre la main. La conversation fut sérieuse, et Julien s'en tira fort bien, à quelques moments de silence près, pendant lesquels il se creusait la cervelle. Que ne puis-je inventer quelque belle manœuvre, se disait-il, pour forcer Mᵐᵉ de Rênal à me rendre ces marques de tendresse non équivoques qui me faisaient croire, il y a trois jours, qu'elle était à moi!

Julien était extrêmement déconcerté de l'état presque désespéré où il avait mis ses affaires. Rien cependant ne l'eût plus embarrassé que le succès.

Lorsqu'on se sépara à minuit, son pessimisme lui fit croire qu'il jouissait du mépris de Mᵐᵉ Derville, et que probablement il n'était guère mieux avec Mᵐᵉ de Rênal.

De fort mauvaise humeur et très humilié, Julien ne dormit point. Il était à mille lieues de l'idée de renoncer à toute feinte, à tout projet, et de vivre au jour le jour avec Mᵐᵉ de Rênal, en se contentant comme un enfant du bonheur qu'apporterait chaque journée.

Il se fatigua le cerveau à inventer des manœuvres savantes, un instant après, il les trouvait absurdes; il était en un mot fort malheureux, quand deux heures sonnèrent à l'horloge du château.

Ce bruit le réveilla comme le chant du coq réveilla saint Pierre. Il se vit au moment de l'événement le plus pénible. Il n'avait plus songé à sa proposition impertinente depuis le moment où il l'avait faite; elle avait été si mal reçue!

Je lui ai dit que j'irais chez elle à deux heures, se dit-il en se levant, je puis être inexpérimenté et grossier comme il appartient au fils d'un paysan. Mᵐᵉ Derville me l'a fait assez entendre, mais du moins je ne serai pas faible.

Julien avait raison de s'applaudir de son courage, jamais il ne s'était imposé une contrainte plus pénible. En

---

1. Et c'est à quoi il est le plus sensible.

ouvrant sa porte, il était tellement tremblant que ses genoux se dérobaient sous lui, et il fut forcé de s'appuyer contre le mur.

Il était sans souliers. Il alla écouter à la porte de M. de Rênal, dont il put distinguer le ronflement. Il en fut désolé. Il n'y avait donc plus de prétexte pour ne pas aller chez elle. Mais, grand Dieu! qu'y ferait-il? Il n'avait aucun projet, et quand il en aurait eu, il se sentait tellement troublé qu'il eût été hors d'état de les suivre.

Enfin, souffrant plus mille fois que s'il eût marché à la mort, il entra dans le petit corridor qui menait à la chambre de Mᵐᵉ de Rênal. Il ouvrit la porte d'une main tremblante et en faisant un bruit effroyable.

Il y avait de la lumière, une veilleuse brûlait sous la cheminée; il ne s'attendait pas à ce nouveau malheur. En le voyant entrer, Mᵐᵉ de Rênal se jeta vivement hors de son lit. Malheureux! s'écria-t-elle. Il y eut un peu de désordre. Julien oublia ses vains projets et revint à son rôle naturel; ne pas plaire à une femme si charmante lui parut le plus grand des malheurs. Il ne répondit à ses reproches qu'en se jetant à ses pieds, en embrassant ses genoux. Comme elle lui parlait avec une extrême dureté, il fondit en larmes.

Quelques heures après, quand Julien sortit de la chambre de Mᵐᵉ de Rênal, on eût pu dire, en style de roman, qu'il n'avait plus rien à désirer. En effet, il devait à l'amour qu'il avait inspiré et à l'impression imprévue qu'avaient produite sur lui des charmes séduisants, une victoire à laquelle ne l'eût pas conduit toute son adresse si maladroite.

Mais, dans les moments les plus doux, victime d'un orgueil bizarre, il prétendit encore jouer le rôle d'un homme accoutumé à subjuguer des femmes: il fit des efforts d'attention incroyables pour gâter ce qu'il avait d'aimable. Au lieu d'être attentif aux transports qu'il faisait naître, et aux remords qui en relevaient la vivacité, l'idée du *devoir* ne cessa jamais d'être présente à ses yeux. Il craignait un remords affreux et un ridicule éternel, s'il s'écartait du modèle idéal qu'il se proposait de suivre. En un mot, ce qui faisait de Julien un être supérieur fut précisément ce qui l'empêcha de goûter le bonheur qui se plaçait sous ces pas. C'est une jeune fille de seize ans, qui a des couleurs charmantes, et qui, pour aller au bal, a la folie de mettre du rouge.

Mortellement effrayée de l'apparition de Julien, Mme de
Rênal fut bientôt en proie aux plus cruelles alarmes. Les
pleurs et le désespoir de Julien la troublaient vivement.

Même, quand elle n'eut plus rien à lui refuser, elle repoussait Julien loin d'elle, avec une indignation réelle, et ensuite   5
se jetait dans ses bras. Aucun projet ne paraissait dans toute
cette conduite. Elle se croyait damnée sans rémission, et
cherchait à se cacher la vue de l'enfer en accablant Julien
des plus vives caresses. En un mot, rien n'eût manqué au
bonheur de notre héros, pas même une sensibilité brûlante   10
dans la femme qu'il venait d'enlever, s'il eût su en jouir.
Le départ de Julien ne fit point cesser les transports qui
l'agitaient malgré elle, et ses combats avec les remords
qui la déchiraient.

Mon Dieu! être heureux, être aimé, n'est-ce que ça?   15
Telle fut la première pensée de Julien, en rentrant dans sa
chambre. Il était dans cet état d'étonnement et de trouble
inquiet où tombe l'âme qui vient d'obtenir ce qu'elle a
longtemps désiré. Elle est habituée à désirer, ne trouve
plus quoi désirer, et cependant n'a pas encore de souvenirs.   20
Comme le soldat qui revient de la parade, Julien fut attentivement occupé à repasser tous les détails de sa conduite.
— N'ai-je manqué à rien de que je me dois à moi-même?
Ai-je bien joué mon rôle?

Et quel rôle? celui d'un homme accoutumé à être brillant   25
avec les femmes.

CHAPITRE 16

LE LENDEMAIN

Heureusement, pour la gloire de Julien, Mme de Rênal
avait été trop agitée, trop étonnée, pour apercevoir la sottise
de l'homme qui en un moment était devenu tout au monde
pour elle.   30

Comme elle l'engageait à se retirer, voyant poindre le
jour :

— Oh! mon Dieu, disait-elle, si mon mari a entendu du
bruit, je suis perdue.

Julien, qui avait le temps de faire des phrases, se souvint de celle-ci :

— Regretteriez-vous la vie?

— Ah! beaucoup dans ce moment! mais je ne regretterais pas de vous avoir connu.

Julien trouva de sa dignité de rentrer exprès au grand jour et avec imprudence.

L'attention continue avec laquelle il étudiait ses moindres actions, dans la folle idée de paraître un homme d'expérience, n'eut qu'un avantage; lorsqu'il revit Mme de Rênal à déjeuner, sa conduite fut un chef-d'œuvre de prudence.

Pour elle, elle ne pouvait le regarder sans rougir jusqu'aux yeux, et ne pouvait vivre un instant sans le regarder; elle s'apercevait de son trouble, et ses efforts pour le cacher redoublaient. Julien ne leva qu'une seule fois les yeux sur elle. D'abord, Mme de Rênal admira sa prudence. Bientôt, voyant que cet unique regard ne se répétait pas, elle fut alarmée : « Est-ce qu'il ne m'aimerait plus, se dit-elle; hélas! je suis bien vieille pour lui; j'ai dix ans de plus que lui. »

En passant de la salle à manger au jardin, elle serra la main de Julien. Dans la surprise que lui causa une marque d'amour si extraordinaire, il la regarda avec passion, car elle lui avait semblé bien jolie au déjeuner, et, tout en baissant les yeux, il avait passé son temps à se détailler ses charmes. Ce regard consola Mme de Rênal; il ne lui ôta pas toutes ses inquiétudes; mais ses inquiétudes lui ôtaient presque tout à fait ses remords envers son mari.

Au déjeuner, ce mari ne s'était aperçu de rien; il n'en était pas de même de Mme Derville : elle crut Mme de Rênal sur le point de succomber. Pendant toute la journée, son amitié hardie et incisive ne lui épargna pas les demi-mots destinés à lui peindre, sous de hideuses couleurs, le danger qu'elle courait.

Mme de Rênal brûlait de se trouver seule avec Julien; elle voulait lui demander s'il l'aimait encore. Malgré la douceur inaltérable de son caractère, elle fut plusieurs fois sur le point de faire entendre à son amie combien elle était importune.

Le soir, au jardin, Mme Derville arrangea si bien les choses qu'elle se trouva placée entre Mme de Rênal et Julien. Mme de Rênal, qui s'était fait une image délicieuse du plaisir de serrer la main de Julien et de la porter à ses lèvres, ne put pas même lui adresser un mot.

Ce contretemps augmenta son agitation. Elle était dévorée d'un remords. Elle avait tant grondé Julien de l'imprudence qu'il avait faite en venant chez elle la nuit précédente, qu'elle tremblait qu'il ne vînt pas celle-ci. Elle quitta le jardin de bonne heure, et alla s'établir dans sa chambre. Mais, ne tenant pas à son impatience, elle vint coller son oreille contre la porte de Julien. Malgré l'incertitude et la passion qui la dévoraient, elle n'osa point entrer. Cette action lui semblait la dernière des bassesses, car elle sert de texte à un dicton de province.

Les domestiques n'étaient pas tous couchés. La prudence l'obligea enfin à revenir chez elle. Deux heures d'attente furent deux siècles de tourments.

Mais Julien était trop fidèle à ce qu'il appelait le devoir, pour manquer à exécuter de point en point ce qu'il s'était prescrit.

Comme une heure sonnait, il s'échappa doucement de sa chambre, s'assura que le maître de la maison était profondément endormi, et parut chez Mme de Rênal. Ce jour-là, il trouva plus de bonheur auprès de son amie, car il songea moins constamment au rôle à jouer. Il eut des yeux pour voir et des oreilles pour entendre. Ce que Mme de Rênal lui dit de son âge contribua à lui donner quelque assurance.

— Hélas! j'ai dix ans de plus que vous! Comment pouvez-vous m'aimer! lui répétait-elle sans projet, et parce que cette idée l'opprimait.

Julien ne concevait pas ce malheur, mais il vit qu'il était réel, et il oublia presque toute sa peur d'être ridicule.

La sotte idée d'être regardé comme un amant subalterne, à cause de sa naissance obscure, disparut aussi. A mesure que les transports de Julien rassuraient sa timide maîtresse, elle reprenait un peu de bonheur et la faculté de juger son amant. Heureusement, il n'eut presque pas, ce jour-là, cet air emprunté qui avait fait du rendez-vous de la veille une victoire, mais non pas un plaisir. Si elle se fût aperçue de son attention à jouer un rôle, cette triste découverte lui eût à jamais enlevé tout bonheur. Elle n'y eût pu voir autre chose qu'un triste effet de la disproportion des âges.

Quoique Mme de Rênal n'eût jamais pensé aux théories de l'amour, la différence d'âge est, après celle de fortune,

un des grands lieux communs de la plaisanterie de province, toutes les fois qu'il est question d'amour.

En peu de jours, Julien, rendu à toute l'ardeur de son
âge, fut éperdument amoureux.

Il faut convenir, se disait-il, qu'elle a une bonté d'âme   5
angélique, et l'on n'est pas plus jolie.

Il avait perdu presque tout à fait l'idée du rôle à jouer.
Dans un moment d'abandon, il lui avoua même toutes ses
inquiétudes. Cette confidence porta à son comble la passion
qu'il inspirait. Je n'ai donc point eu de rivale heureuse, se   10
disait Mme de Rênal avec délices! Elle osa l'interroger sur
le portrait auquel il mettait tant d'intérêt; Julien lui jura
que c'était celui d'un homme.

Quand il restait à Mme de Rênal assez de sang-froid
pour réfléchir, elle ne revenait pas de son étonnement   15
qu'un tel bonheur existât, et que jamais elle ne s'en fût
doutée.

Ah! se disait-elle, si j'avais connu Julien il y a dix ans,
quand je pouvais encore passer pour jolie!

Julien était fort éloigné de ces pensées. Son amour était   20
encore de l'ambition; c'était de la joie de posséder, lui
pauvre être malheureux et si méprisé, une femme aussi
noble et aussi belle. Ses actes d'adoration, ses transports
à la vue des charmes de son amie finirent par la rassurer
un peu sur la différence d'âge. Si elle eût possédé un peu   25
de ce savoir-vivre dont une femme de trente ans jouit
depuis longtemps dans les pays plus civilisés, elle eût
frémi pour la durée d'un amour qui ne semblait vivre que
de surprise et de ravissement d'amour-propre.

Dans ses moments d'oubli d'ambition, Julien admirait   30
avec transport jusqu'aux chapeaux, jusqu'aux robes de
Mme de Rênal. Il ne pouvait se rassasier du plaisir de sentir
leur parfum. Il ouvrait son armoire de glace et restait
des heures entières admirant la beauté et l'arrangement
de tout ce qu'il y trouvait. Son amie, appuyée sur lui, le   35
regardait; lui, regardait ces bijoux, ces chiffons qui, la
veille d'un mariage, emplissent une corbeille de
noce.

J'aurais pu épouser un tel homme! pensait quelquefois
Mme de Rênal; quelle âme de feu! quelle vie ravissante avec   40
lui!

Pour Julien, jamais il ne s'était trouvé aussi près de ces

terribles instruments de l'artillerie féminine. Il est impossible, se disait-il, qu'à Paris on ait quelque chose de plus beau! Alors il ne trouvait point d'objection à son bonheur. Souvent la sincère admiration et les transports de sa maîtresse lui faisaient oublier la vaine théorie qui l'avait rendu si compassé et presque si ridicule dans les premiers moments de cette liaison. Il y eut des moments où, malgré ses habitudes d'hypocrisie, il trouvait une douceur extrême à avouer à cette grande dame qui l'admirait son ignorance d'une foule de petits usages. Le rang de sa maîtresse semblait l'élever au-dessus de lui-même. Mme de Rênal, de son côté, trouvait la plus douce des voluptés morales à instruire ainsi, dans une foule de petites choses, ce jeune homme rempli de génie, et qui était regardé par tout le monde comme devant un jour aller si loin. Même le sous-préfet et M. Valenod ne pouvaient s'empêcher de l'admirer; ils lui en semblaient moins sots. Quant à Mme Derville, elle était bien loin d'avoir à exprimer les mêmes sentiments. Désespérée de ce qu'elle croyait deviner, et voyant que les sages avis devenaient odieux à une femme qui, à la lettre, avait perdu la tête, elle quitta Vergy sans donner une explication qu'on se garda de lui demander. Mme de Rênal en versa quelques larmes, et bientôt il lui sembla que sa félicité redoublait. Par ce départ elle se trouvait presque toute la journée tête à tête avec son amant.

Julien se livrait d'autant plus à la douce société de son amie, que, toutes les fois qu'il était trop longtemps seul avec lui-même, la fatale proposition de Fouqué venait encore l'agiter. Dans les premiers jours de cette vie nouvelle, il y eut des moments où lui, qui n'avait jamais aimé, qui n'avait jamais été aimé de personne, trouvait un si délicieux plaisir à être sincère, qu'il était sur le point d'avouer à Mme de Rênal l'ambition qui jusqu'alors avait été l'essence même de son existence. Il eût voulu pouvoir la consulter sur l'étrange tentation que lui donnait la proposition de Fouqué, mais un petit événement [1] empêcha toute franchise.

---

1. Un soir où *il rêvait profondément*, Julien a exprimé sa nostalgie du régime napoléonien. Mme de Rênal, surprise, a froncé le sourcil, rappelant ainsi à Julien qu'*elle a été élevée dans le camp ennemi* et que, pour sa sécurité, il ne doit pas cesser un instant de feindre. Telle est la substance du chapitre 17.

CHAPITRE 18

UN ROI A VERRIÈRES

*Une grande agitation règne à Verrières à l'annonce de
la visite d'un roi, dont l'identité n'est pas autrement précisée.
Mme de Rênal, à force d'intrigues, obtient que Julien fasse
partie de la garde d'honneur à cheval, faveur qui a le don
de scandaliser l'opinion. Le roi doit assister à une cérémonie* ⁵
religieuse à Bray-le-Haut, « à une petite lieue de la ville ».

Le clergé s'impatientait. Il attendait son chef dans le
cloître sombre et gothique de l'ancienne abbaye. On avait
réuni vingt-quatre curés pour figurer l'ancien chapitre de
Bray-le-Haut, composé avant 1789 de vingt-quatre cha- ¹⁰
noines. Après avoir déploré pendant trois quarts d'heure
la jeunesse de l'évêque, les curés pensèrent qu'il était convenable que M. le Doyen se retirât vers Monseigneur pour
l'avertir que le roi allait arriver, et qu'il était instant de se
rendre au chœur. Le grand âge de M. Chélan l'avait fait ¹⁵
doyen; malgré l'humeur qu'il témoignait à Julien, il lui fit
signe de le suivre. Julien portait fort bien son surplis. Au
moyen de je ne sais quel procédé de toilette ecclésiastique,
il avait rendu ses beaux cheveux bouclés très plats; mais,
par un oubli qui redoubla la colère de M. Chélan, sous les ²⁰
longs plis de sa soutane on pouvait apercevoir les éperons
du garde d'honneur.

Arrivés à l'appartement de l'évêque, de grands laquais
bien chamarrés daignèrent à peine répondre au vieux curé
que Monseigneur n'était pas visible. On se moqua de lui ²⁵
quand il voulut expliquer qu'en sa qualité de doyen du
chapitre noble de Bray-le-Haut, il avait le privilège d'être
admis en tout temps auprès de l'évêque officiant.

L'humeur hautaine de Julien fut choquée de l'insolence
des laquais. Il se mit à parcourir les dortoirs de l'antique ³⁰
abbaye, secouant toutes les portes qu'il rencontrait. Une
fort petite céda à ses efforts, et il se trouva dans une cellule
au milieu des valets de chambre de Monseigneur, en habits
noirs et la chaîne au cou. A son air pressé ces messieurs le
crurent mandé par l'évêque et le laissèrent passer. Il fit ³⁵
quelques pas et se trouva dans une immense salle gothique

extrêmement sombre, et toute lambrissée de chêne noir;
à l'exception d'une seule, les fenêtres en ogive avaient été
murées avec des briques. La grossièreté de cette maçonnerie
n'était déguisée par rien et faisait un triste contraste avec
l'antique magnificence de la boiserie. Les deux grands 5
côtés de cette salle célèbre parmi les antiquaires bour-
guignons, et que le duc Charles le Téméraire avait fait
bâtir vers 1470 en expiation de quelque péché, étaient
garnis de stalles de bois richement sculptées. On y voyait,
figurés en bois de différentes couleurs, tous les mystères de 10
l'Apocalypse.

Cette magnificence mélancolique, dégradée par la vue des
briques nues et du plâtre encore tout blanc, toucha Julien.
Il s'arrêta en silence. A l'autre extrémité de la salle, près de
l'unique fenêtre par laquelle le jour pénétrait, il vit un 15
miroir mobile en acajou. Un jeune homme, en robe violette
et en surplis de dentelle, mais la tête nue, était arrêté à
trois pas de la glace. Ce meuble semblait étrange en un tel
lieu, et, sans doute, y avait été apporté de la ville. Julien
trouva que le jeune homme avait l'air irrité; de la main 20
droite il donnait gravement des bénédictions du côté du
miroir.

Que peut signifier ceci? pensa-t-il. Est-ce une cérémonie
préparatoire qu'accomplit ce jeune prêtre? C'est peut-être
le secrétaire de l'évêque... il sera insolent comme les 25
laquais... ma foi, n'importe, essayons.

Il avança et parcourut assez lentement la longueur de la
salle, toujours la vue fixée vers l'unique fenêtre et regar-

● **La répétition générale de l'évêque** (p. 107, l. 14 et suiv.).

① Composition du passage : marquer la gradation et ses paliers.
Sur quel effet repose-t-elle?

② Le personnage de Julien : montrer qu'il est à la fois impres-
sionné, excité et fasciné par la pompe ecclésiastique. Quel rôle
joue le décor dans cette scène? Quels sentiments Julien éprouve-
t-il à la fin lorsqu'il « ose comprendre » (voir p. 109, l. 25)?

③ L'évêque est un personnage secondaire du roman. On n'avait
jamais entendu parler de lui. A quoi doit-il sa « consistance » dans
ce passage?

④ Pourquoi Stendhal a-t-il imaginé cette scène? Que révèle-t-elle
de ses propres sentiments? N'est-elle pas de nature à encourager
Julien dans une certaine voie, et à le justifier par avance?

dant ce jeune homme qui continuait à donner des bénédictions exécutées lentement mais en nombre infini, et sans se reposer un instant.

A mesure qu'il approchait, il distinguait mieux son air fâché. La richesse du surplis garni de dentelle arrêta involontairement Julien à quelques pas du magnifique miroir. 5

Il est de mon devoir de parler, se dit-il enfin; mais la beauté de la salle l'avait ému, et il était froissé d'avance des mots durs qu'on allait lui adresser.

Le jeune homme le vit dans la psyché, se retourna, et quittant subitement l'air fâché, lui dit du ton le plus doux : 10
— Eh bien! Monsieur, est-elle enfin arrangée?

Julien resta stupéfait. Comme ce jeune homme se tournait vers lui, Julien vit la croix pectorale sur sa poitrine : c'était l'évêque d'Agde. Si jeune, pensa Julien; tout au plus six ou huit ans de plus que moi!... 15

Et il eut honte de ses éperons.
— Monseigneur, répondit-il timidement, je suis envoyé par le doyen du chapitre, M. Chélan.
— Ah! il m'est fort recommandé, dit l'évêque d'un ton 20 poli qui redoubla l'enchantement de Julien. Mais je vous demande pardon, Monsieur, je vous prenais pour la personne qui doit me rapporter ma mitre. On l'a mal emballée à Paris; la toile d'argent est horriblement gâtée vers le haut. Cela fera le plus vilain effet, ajouta le jeune évêque 25 d'un air triste, et encore on me fait attendre!
— Monseigneur, je vais chercher la mitre, si Votre Grandeur le permet.

Les beaux yeux de Julien firent leur effet.
— Allez, Monsieur, répondit l'évêque avec une politesse 30 charmante; il me la faut sur-le-champ. Je suis désolé de faire attendre Messieurs du chapitre.

Quand Julien fut arrivé au milieu de la salle, il se retourna vers l'évêque et le vit qui s'était remis à donner des bénédictions. Qu'est-ce que cela peut être? se demanda Julien, 35 sans doute c'est une préparation ecclésiastique nécessaire à la cérémonie qui va avoir lieu. Comme il arrivait dans la cellule où se tenaient les valets de chambre, il vit la mitre entre leurs mains. Ces messieurs, cédant malgré eux au regard impérieux de Julien, lui remirent la mitre de Mon- 40 seigneur.

Il se sentit fier de la porter : en traversant la salle, il

marchait lentement; il la tenait avec respect. Il trouva
l'évêque assis devant la glace; mais, de temps à autre, sa
main droite, quoique fatiguée, donnait encore la bénédiction. Julien l'aida à placer sa mitre. L'évêque secoua la tête.

— Ah! elle tiendra, dit-il à Julien d'un air content. 5
Voulez-vous vous éloigner un peu?

Alors l'évêque alla fort vite au milieu de la pièce, puis
se rapprochant du miroir à pas lents, il reprit l'air fâché, et
donnait gravement des bénédictions.

Julien était immobile d'étonnement; il était tenté de 10
comprendre, mais n'osait pas. L'évêque s'arrêta, et le
regardant avec un air qui perdait rapidement de sa
gravité :

— Que dites-vous de ma mitre, Monsieur, va-t-elle bien?
— Fort bien, Monseigneur. 15
— Elle n'est pas trop en arrière? cela aurait l'air un peu
niais; mais il ne faut pas non plus la porter baissée sur les
yeux comme un shako d'officier.
— Elle me semble aller fort bien.
— Le roi de*** est accoutumé à un clergé vénérable et 20
sans doute fort grave. Je ne voudrais pas, à cause de mon
âge surtout, avoir l'air trop léger.

Et l'évêque se mit de nouveau à marcher en donnant des
bénédictions.

C'est clair, dit Julien, osant enfin comprendre, il s'exerce 25
à donner la bénédiction.

Au cours de la cérémonie qui suit, Julien aperçoit pour
la première fois « un petit homme au regard spirituel et
qui portait un habit presque sans broderies », — qui n'est
autre que le marquis de La Mole. 30

CHAPITRE 19

PENSER FAIT SOUFFRIR

Peu après le retour à Vergy,[1] Stanislas-Xavier, le plus
jeune des enfants, prit la fièvre; tout à coup Mme de Rênal
tomba dans des remords affreux. Pour la première fois
elle se reprocha son amour d'une façon suivie; elle sembla

---

1. Après la visite du roi, racontée au chapitre précédent, la famille de M. de Rênal a
regagné Vergy, où est située sa maison de campagne.

comprendre, comme par miracle, dans quelle faute énorme elle s'était laissée entraîner. Quoique d'un caractère profondément religieux, jusqu'à ce moment elle n'avait pas songé à la grandeur de son crime aux yeux de Dieu.

Jadis, au couvent du Sacré-Cœur, elle avait aimé Dieu avec passion; elle le craignit de même en cette circonstance. Les combats qui déchiraient son âme étaient d'autant plus affreux qu'il n'y avait rien de raisonnable dans sa peur. Julien éprouva que le moindre raisonnement l'irritait, loin de la calmer; elle y voyait le langage de l'enfer. Cependant, comme Julien aimait beaucoup lui-même le petit Stanislas, il était mieux venu à lui parler de sa maladie : elle prit bientôt un caractère grave. Alors le remords continu ôta à Mme de Rênal jusqu'à la faculté de dormir; elle ne sortait point d'un silence farouche : si elle eût ouvert la bouche, c'eût été pour avouer son crime à Dieu et aux hommes.

— Je vous en conjure, lui disait Julien, dès qu'ils se trouvaient seuls, ne parlez à personne; que je sois le seul confident de vos peines. Si vous m'aimez encore, ne parlez pas : vos paroles ne peuvent ôter la fièvre à notre Stanislas.

Mais ses consolations ne produisaient aucun effet; il ne savait pas que Mme de Rênal s'était mis dans la tête que, pour apaiser la colère du Dieu jaloux, il fallait haïr Julien ou voir mourir son fils. C'était parce qu'elle sentait qu'elle ne pouvait haïr son amant qu'elle était si malheureuse.

— Fuyez-moi, dit-elle un jour à Julien; au nom de Dieu, quittez cette maison : c'est votre présence ici qui tue mon fils.

Dieu me punit, ajouta-t-elle à voix basse, il est juste; j'adore son équité; mon crime est affreux, et je vivais sans remords! C'était le premier signe de l'abandon de Dieu : je dois être punie doublement.

Julien fut profondément touché. Il ne pouvait voir là ni hypocrisie, ni exagération. Elle croit tuer son fils en m'aimant, et cependant la malheureuse m'aime plus que son fils. Voilà, je n'en puis douter, le remords qui la tue; voilà de la grandeur dans les sentiments. Mais comment ai-je pu inspirer un tel amour, moi, si pauvre, si mal élevé, si ignorant, quelquefois si grossier dans mes façons?

Une nuit, l'enfant fut au plus mal. Vers les deux heures du matin, M. de Rênal vint le voir. L'enfant, dévoré par la

fièvre, était fort rouge et ne put reconnaître son père. Tout
à coup Mme de Rênal se jeta aux pieds de son mari : Julien
vit qu'elle allait tout dire et se perdre à jamais.

Par bonheur, ce mouvement singulier importuna M. de
Rênal.

— Adieu! adieu! dit-il en s'en allant.

— Non, écoute-moi, s'écria sa femme à genoux devant
lui, et cherchant à le retenir. Apprends toute la vérité.
C'est moi qui tue mon fils. Je lui ai donné la vie et je la
lui reprends. Le ciel me punit, aux yeux de Dieu, je suis
coupable de meurtre. Il faut que je me perde et m'humilie
moi-même; peut-être ce sacrifice apaisera le Seigneur.

Si M. de Rênal eût été un homme d'imagination, il savait
tout.

— Idées romanesques, s'écria-t-il, en éloignant sa femme
qui cherchait à embrasser ses genoux. Idées romanesques
que tout cela! Julien, faites appeler le médecin à la pointe
du jour.

Et il retourna se coucher. Mme de Rênal tomba à genoux,
à demi évanouie, en repoussant avec un mouvement
convulsif Julien qui voulait la secourir.

Julien resta étonné.

Voilà donc l'adultère! se dit-il... Serait-il possible que ces
prêtres si fourbes... eussent raison? Eux qui commettent
tant de péchés auraient le privilège de connaître la vraie
théorie du péché? Quelle bizarrerie!...

Depuis vingt minutes que M. de Rênal s'était retiré,
Julien voyait la femme qu'il aimait, la tête appuyée sur le
petit lit de l'enfant, immobile et presque sans connaissance.
Voilà une femme d'un génie supérieur réduite au comble
du malheur, parce qu'elle m'a connu, se dit-il.

. . . .

— Va-t'en, lui dit tout à coup Mme de Rênal en ouvrant
les yeux.

— Je donnerais mille fois ma vie pour savoir ce qui peut
t'être le plus utile, répondit Julien : jamais je ne t'ai tant
aimée, mon cher ange, ou plutôt, de cet instant seulement,
je commence à t'adorer comme tu mérites de l'être. Que
deviendrai-je loin de toi, et avec la conscience que tu es
malheureuse par moi! Mais qu'il ne soit pas question de
mes souffrances. Je partirai, oui, mon amour. Mais, si je
te quitte, si je cesse de veiller sur toi, de me trouver sans

cesse entre toi et ton mari, tu lui dis tout, tu te perds.
Songe que c'est avec ignominie qu'il te chassera de sa
maison; tout Verrières, tout Besançon parleront de ce
scandale. On te donnera tous les torts; jamais tu ne te
relèveras de cette honte...   5

— C'est ce que je demande, s'écria-t-elle, en se levant
debout. Je souffrirai, tant mieux.

— Mais, par ce scandale abominable, tu feras aussi son
malheur à lui!

— Mais je m'humilie moi-même, je me jette dans la   10
fange; et, par là peut-être, je sauve mon fils. Cette humiliation, aux yeux de tous, c'est peut-être une pénitence
publique? Autant que ma faiblesse peut en juger, n'est-ce
pas le plus grand sacrifice que je puisse faire à Dieu?...
Peut-être daignera-t-il prendre mon humiliation et me laisser   15
mon fils! Indique-moi un autre sacrifice plus pénible, et
j'y cours.

— Laisse-moi me punir. Moi aussi, je suis coupable.
Veux-tu que je me retire à la Trappe? L'austérité de cette
vie peut apaiser ton Dieu... Ah! ciel! que ne puis-je prendre   20
pour moi la maladie de Stanislas...

— Ah! tu l'aimes, toi, dit Mme de Rênal, en se relevant
et se jetant dans ses bras.

Au même instant, elle le repoussa avec horreur.

— Je te crois! je te crois! continua-t-elle, après s'être   25
remise à genoux; ô mon unique ami! ô pourquoi n'es-tu
pas le père de Stanislas! Alors ce ne serait pas un horrible
péché de t'aimer mieux que ton fils.

— Veux-tu me permettre de rester, et que désormais
je ne t'aime que comme un frère? C'est la seule expiation   30
raisonnable, elle peut apaiser la colère du Très-Haut.

— Et, moi, s'écria-t-elle en se levant et prenant la tête
de Julien entre ses deux mains, et la tenant devant ses yeux
à distance, et moi, t'aimerai-je comme un frère? Est-il
en mon pouvoir de t'aimer comme un frère?   35

Julien fondait en larmes.

— Je t'obéirai, dit-il en tombant à ses pieds, je t'obéirai,
quoi que tu m'ordonnes; c'est tout ce qui me reste à faire.
Mon esprit est frappé d'aveuglement; je ne vois aucun
parti à prendre. Si je te quitte, tu dis tout à ton mari, tu   40
te perds et lui avec. Jamais, après ce ridicule, il ne sera
nommé député. Si je reste, tu me crois la cause de la mort

de ton fils, et tu meurs de douleur. Veux-tu essayer de
l'effet de mon départ? Si tu veux, je vais me punir de
notre faute en te quittant pour huit jours. J'irai les passer
dans la retraite où tu voudras. A l'abbaye de Bray-le-Haut,
par exemple : mais jure-moi pendant mon absence de ne   5
rien avouer à ton mari. Songe que je ne pourrai plus
revenir si tu parles.

Elle promit, il partit, mais fut rappelé au bout de deux
jours.

— Il m'est impossible sans toi de tenir mon serment.   10
Je parlerai à mon mari, si tu n'es pas là constamment
pour m'ordonner par tes regards de me taire. Chaque
heure de cette vie abominable me semble durer une
journée.

Enfin le ciel eut pitié de cette mère malheureuse. Peu à   15
peu Stanislas ne fut plus en danger. Mais la glace était
brisée, sa raison avait connu l'étendue de son péché;
elle ne put plus reprendre l'équilibre. Les remords restèrent,
et ils furent ce qu'ils devaient être dans un cœur si sincère.
Sa vie fut le ciel et l'enfer : l'enfer quand elle ne voyait pas   20
Julien, le ciel quand elle était à ses pieds. Je ne me fais plus
aucune illusion, lui disait-elle, même dans les moments
où elle osait se livrer à tout son amour : je suis damnée,
irrémissiblement damnée. Tu es jeune, tu as cédé à mes
séductions, le ciel peut te pardonner; mais moi je suis   25
damnée. Je le connais à un signe certain. J'ai peur : qui
n'aurait pas peur devant la vue de l'enfer? Mais au fond, je
ne me repens point. Je commettrais de nouveau ma faute
si elle était à commettre. Que le ciel seulement ne me punisse
pas dès ce monde et dans mes enfants, et j'aurai plus que   30
je ne mérite. Mais toi, du moins, mon Julien, s'écriait-elle
dans d'autres moments, es-tu heureux? Trouves-tu que
je t'aime assez?

La méfiance et l'orgueil souffrant de Julien, qui avait
surtout besoin d'un amour à sacrifices, ne tinrent pas devant   35
la vue d'un sacrifice si grand, si indubitable et fait à chaque
instant. Il adorait Mme de Rênal. Elle a beau être noble,
et moi le fils d'un ouvrier, elle m'aime... Je ne suis pas
auprès d'elle un valet de chambre chargé des fonctions
d'amant. Cette crainte éloignée, Julien tomba dans toutes   40
les folies de l'amour, dans ses incertitudes mortelles.

— Au moins, s'écriait-elle en voyant ses doutes sur son

amour, que je te rende bien heureux pendant le peu de jours
que nous avons à passer ensemble! Hâtons-nous; demain
peut-être je ne serai plus à toi. Si le ciel me frappe dans
mes enfants, c'est en vain que je chercherai à ne vivre que
pour t'aimer, à ne pas voir que c'est mon crime qui les tue.   5
Je ne pourrai survivre à ce coup. Quand je le voudrais,
je ne pourrais; je deviendrais folle.

— Ah! si je pouvais prendre sur moi ton péché, comme
tu m'offrais si généreusement de prendre la fièvre ardente
de Stanislas!   10

Cette grande crise morale changea la nature du sentiment
qui unissait Julien à sa maîtresse. Son amour ne fut plus
seulement de l'admiration pour la beauté, l'orgueil de la
posséder.

Leur bonheur était désormais d'une nature bien supé-   15
rieure, la flamme qui les dévorait fut plus intense. Ils avaient
des transports pleins de folie. Leur bonheur eût paru plus
grand aux yeux du monde. Mais ils ne retrouvèrent plus
la sérénité délicieuse, la félicité sans nuages, le bonheur
facile des premières époques de leurs amours, quand la   20
seule crainte de Mme de Rênal était de n'être pas assez aimée
de Julien. Leur bonheur avait quelquefois la physionomie
du crime.

Dans les moments les plus heureux et en apparence les
plus tranquilles : — Ah! grand Dieu! je vois l'enfer,   25
s'écriait tout à coup Mme de Rênal, en serrant la main de
Julien d'un mouvement convulsif. Quels supplices horribles! je les ai bien mérités. Elle le serrait, s'attachant à lui
comme le lierre à la muraille.

Julien essayait en vain de calmer cette âme agitée. Elle   30
lui prenait la main, qu'elle couvrait de baisers. Puis, retom-
bée dans une rêverie sombre : L'enfer, disait-elle, l'enfer
serait une grâce pour moi; j'aurais encore sur la terre
quelques jours à passer avec lui, mais l'enfer dès ce monde,
la mort de mes enfants... Cependant, à ce prix peut-être   35
mon crime me serait pardonné... Ah! grand Dieu! ne m'ac-
cordez point ma grâce à ce prix. Ces pauvres enfants ne
vous ont point offensé; moi, moi, je suis la seule coupable :
j'aime un homme qui n'est point mon mari.

Julien voyait ensuite Mme de Rênal arriver à des moments   40
tranquilles en apparence. Elle cherchait à prendre sur elle,
elle voulait ne pas empoisonner la vie de ce qu'elle aimait.

Au milieu de ces alternatives d'amour, de remords et de plaisir, les journées passaient pour eux avec la rapidité de l'éclair. Julien perdit l'habitude de réfléchir.

Élisa, la femme de chambre dont Julien avait naguère dédaigné l'amour (voir p. 70, l. 24), *se hâte d'avertir M. Valenod de l'intrigue qui s'est nouée entre sa maîtresse et le jeune précepteur. M. Valenod, qui avait en vain courtisé Mme de Rênal, envoie au mari de celle-ci une lettre anonyme, où il lui apprend son infortune.*

CHAPITRES 20 ET 21

Dans cette situation dangereuse, Mme de Rênal fait preuve d'un grand sang-froid et manœuvre si bien qu'elle réussit à faire perdre toute méfiance à son mari. Tout au plus Julien sera éloigné une quinzaine de jours, qu'il passera à Verrières dans la maison de M. de Rênal.

CHAPITRE 22

FAÇONS D'AGIR EN 1830

Un émissaire est venu, avec force circonlocutions, proposer à Julien d'entrer chez M. Valenod en qualité de précepteur. Julien a répondu évasivement, mais M. Valenod ne s'avoue pas vaincu pour autant.

En rentrant [*Julien*] trouva un valet de M. Valenod, en grande livrée, qui le cherchait dans toute la ville, avec un billet d'invitation à dîner pour le même jour.

Jamais Julien n'était allé chez cet homme; quelques jours seulement auparavant, il ne songeait qu'aux moyens de lui donner une volée de coups de bâton sans se faire une affaire en police correctionnelle. Quoique le dîner ne fût indiqué que pour une heure, Julien trouva plus respectueux de se présenter dès midi et demi dans le cabinet de travail de M. le directeur du dépôt.[1] Il le trouva étalant son impor-

---

1. Le *dépôt* de mendicité dont il a été question au chapitre 3 : voir p. 36, note 2.

tance au milieu d'une foule de cartons. Ses gros favoris
noirs, son énorme quantité de cheveux, son bonnet grec
placé de travers sur le haut de la tête, sa pipe immense,
ses pantoufles brodées, les grosses chaînes d'or croisées
en tous sens sur sa poitrine, et tout cet appareil d'un finan-   5
cier de province, qui se croit homme à bonnes fortunes,
n'imposaient point à Julien; il n'en pensait que plus aux
coups de bâton qu'il lui devait.

Il demanda l'honneur d'être présenté à Mme Valenod;
elle était à sa toilette et ne pouvait le recevoir. Par compen-   10
sation, il eut l'avantage d'assister à celle de M. le directeur
du dépôt. On passa ensuite chez Mme Valenod, qui lui
présenta ses enfants les larmes aux yeux. Cette dame, l'une
des plus considérables de Verrières, avait une grosse figure
d'homme, à laquelle elle avait mis du rouge pour cette   15
grande cérémonie. Elle y déploya tout le pathos maternel.

Julien pensait à Mme de Rênal. Sa méfiance ne le laissait
guère susceptible que de ce genre de souvenirs qui sont
appelés par les contrastes, mais alors il en était saisi jusqu'à
l'attendrissement. Cette disposition fut augmentée par   20
l'aspect de la maison du directeur du dépôt. On la lui fit
visiter. Tout y était magnifique et neuf, et on lui disait le
prix de chaque meuble. Mais Julien y trouvait quelque
chose d'ignoble et qui sentait l'argent volé. Jusqu'aux
domestiques, tout le monde y avait l'air d'assurer sa conte-   25
nance contre le mépris.

Le percepteur des contributions, l'homme des imposi-
tions indirectes, l'officier de gendarmerie et deux ou trois
autres fonctionnaires publics arrivèrent avec leurs femmes.
Ils furent suivis de quelques libéraux riches. On annonça le   30
dîner. Julien, déjà fort mal disposé, vint à penser que, de
l'autre côté du mur de la salle à manger, se trouvaient de
pauvres détenus, sur la portion de viande desquels on avait
peut-être *grivelé* [1] pour acheter tout ce luxe de mauvais goût
dont on voulait l'étourdir.   35

Ils ont faim peut-être en ce moment, se dit-il à lui-
même; sa gorge se serra, il lui fut impossible de manger et
presque de parler. Ce fut bien pis un quart d'heure après;
on entendait de loin en loin quelques accents d'une chanson
populaire, et, il faut l'avouer, un peu ignoble, que chantait   40

---

1. Volé. Le terme désigne d'ordinaire un vol vulgaire : c'est pourquoi il est utilisé ici.

l'un des reclus. M. Valenod regarda un de ses gens en grande livrée, qui disparut, et bientôt on n'entendit plus chanter. Dans ce moment, un valet offrait à Julien du vin du Rhin, dans un verre vert, et Mme Valenod avait soin de lui faire observer que ce vin coûtait neuf francs la bouteille pris 5 sur place. Julien, tenant son verre vert, dit à M. Valenod :

— On ne chante plus cette vilaine chanson.

— Parbleu! je le crois bien, répondit le directeur triomphant, j'ai fait imposer silence aux gueux.

Ce mot fut trop fort pour Julien; il avait les manières, 10 mais non pas encore le cœur de son état. Malgré toute son hypocrisie si souvent exercée, il sentit une grosse larme couler le long de sa joue.

Il essaya de la cacher avec le verre vert, mais il lui fut absolument impossible de faire honneur au vin du Rhin. 15 *L'empêcher de chanter!* se disait-il à lui-même, ô mon Dieu! et tu le souffres!

Par bonheur, personne ne remarqua son attendrissement de mauvais ton. Le percepteur des contributions avait entonné une chanson royaliste. Pendant le tapage 20 du refrain, chanté en chœur : Voilà donc, se disait la conscience de Julien, la sale fortune à laquelle tu parviendras, et tu n'en jouiras qu'à cette condition et en pareille compagnie! Tu auras peut-être une place de vingt mille francs, mais il faudra que, pendant que tu te gorges de viandes, 25 tu empêches de chanter le pauvre prisonnier; tu donneras à dîner avec l'argent que tu auras volé sur sa misérable pitance, et pendant ton dîner il sera encore plus malheureux!

— O Napoléon! qu'il était doux de ton temps de monter à la fortune par les dangers d'une bataille; mais augmenter 30 lâchement la douleur du misérable!

● **Soirée chez M. Valenod**

M. Valenod est le jésuite de robe courte, tel qu'il était en province, hardi, remuant, fourbe, ne se trouvant humilié de rien, se prêtant à tous les rôles (Stendhal, *Lettre au comte Salvagnoli*).

① Comment apparaît ici la satire sociale? Quels traits du caractère de M. Valenod sont plus particulièrement mis en lumière?

② Quel est l'intérêt d'avoir présenté la scène du point de vue de Julien?

③ Quand il était encore chez son père, Julien aurait-il si bien distingué (p. 118, l. 25 et suiv.) M. Valenod de M. de Rênal?

J'avoue que la faiblesse dont Julien fait preuve dans ce monologue me donne une pauvre opinion de lui. Il serait digne d'être le collègue de ces conspirateurs en gants jaunes, qui prétendent changer toute la manière d'être d'un grand pays, et ne veulent pas avoir à se reprocher la plus petite égratignure.

Comme lors de son arrivée chez M. de Rênal, Julien se livre à une exhibition de sa mémoire en récitant par cœur des passages entiers du Nouveau Testament.

Julien reçut avant de sortir quatre ou cinq invitations à dîner. Ce jeune homme fait honneur au département, s'écriaient tous à la fois les convives fort égayés. Ils allèrent jusqu'à parler d'une pension votée sur les fonds communaux, pour le mettre à même de continuer ses études à Paris.

Pendant que cette idée imprudente faisait retentir la salle à manger, Julien avait gagné lestement la porte cochère. Ah ! canaille ! canaille ! s'écria-t-il à voix basse trois ou quatre fois de suite, en se donnant le plaisir de respirer l'air frais.

Il se trouvait tout aristocrate en ce moment, lui qui pendant longtemps avait été tellement choqué du sourire dédaigneux et de la supériorité hautaine qu'il découvrait au fond de toutes les politesses qu'on lui adressait chez M. de Rênal. Il ne put s'empêcher de sentir l'extrême différence. Oublions même, se disait-il en s'en allant, qu'il s'agit d'argent volé aux pauvres détenus, et encore qu'on empêche de chanter ! Jamais M. de Rênal s'avisa-t-il de dire à ses hôtes le prix de chaque bouteille de vin qu'il leur présente ? Et ce M. Valenod, dans l'énumération de ses propriétés, qui revient sans cesse, il ne peut parler de sa maison, de son domaine, etc., si sa femme est présente, sans dite *ta* maison, *ton* domaine.

Cette dame, apparemment si sensible au plaisir de la propriété, venait de faire une scène abominable, pendant le dîner, à un domestique qui avait cassé un verre à pied et *dépareillé une de ses douzaines ;* et ce domestique avait répondu avec la dernière insolence.

Quel ensemble ! se disait Julien ; ils me donneraient la moitié de tout ce qu'ils volent, que je ne voudrais pas vivre avec eux. Un beau jour, je me trahirais ; je ne pourrais retenir l'expression du dédain qu'ils m'inspirent. [...]

CHAPITRES 23 ET 24

La famille de Rênal revient à Verrières, et tout allait reprendre comme par le passé, mais les relations entre Julien et Mme de Rênal constituent un scandale dans la petite ville. Appuyé par l'abbé Chélan, et plus par politique que par conviction, M. de Rênal décide d'éloigner Julien en l'envoyant au séminaire de Besançon. Julien regrette la chaude tendresse de Mme de Rênal. A peine arrivé à Besançon, il n'est pas loin de séduire, à son corps défendant, la caissière d'un café, Mlle Amanda, et, après quelques menus incidents, il arrive enfin en vue du séminaire.

CHAPITRE 25

LE SÉMINAIRE

Il vit de loin la croix de fer doré sur la porte; il approcha lentement; ses jambes semblaient se dérober sous lui. Voilà donc cet enfer sur la terre, dont je ne pourrai sortir! Enfin il se décida à sonner. Le bruit de la cloche retentit comme dans un lieu solitaire. Au bout de dix minutes, un homme pâle, vêtu de noir, vint lui ouvrir. Julien le regarda et aussitôt baissa les yeux. Ce portier avait une physionomie singulière. La pupille saillante et verte de ses yeux s'arrondissait comme celle d'un chat; les contours immobiles de ses paupières annonçaient l'impossibilité de toute sympathie; ses lèvres minces se développaient en demi-cercle sur des dents qui avançaient. Cependant cette physionomie ne montrait pas le crime, mais plutôt cette insensibilité parfaite qui inspire bien plus de terreur à la jeunesse. Le seul sentiment que le regard rapide de Julien put deviner sur cette longue figure dévote fut un mépris profond pour tout ce dont on voudrait lui parler, et qui ne serait pas l'intérêt du ciel.

Julien releva les yeux avec effort, et d'une voix que le battement de cœur rendait tremblante, il expliqua qu'il désirait parler à M. Pirard, le directeur du séminaire. Sans

dire une parole, l'homme noir lui fit signe de le suivre.
Ils montèrent deux étages par un large escalier à rampe de
bois, dont les marches déjetées penchaient tout à fait du
côté opposé au mur, et semblaient prêtes à tomber. Une
petite porte, surmontée d'une grande croix de cimetière   5
en bois blanc peint en noir, fut ouverte avec difficulté, et
le portier le fit entrer dans une chambre sombre et basse,
dont les murs blanchis à la chaux étaient garnis de deux
grands tableaux noircis par le temps. Là, Julien fut laissé
seul; il était atterré, son cœur battait violemment; il eût   10
été heureux d'oser pleurer. Un silence de mort régnait
dans toute la maison.

Au bout d'un quart d'heure, qui lui parut une journée,
le portier à figure sinistre reparut sur le pas d'une porte à
l'autre extrémité de la chambre, et, sans daigner parler,   15
lui fit signe d'avancer. Il entra dans une pièce encore plus
grande que la première et fort mal éclairée. Les murs aussi
étaient blanchis; mais il n'y avait pas de meubles. Seulement dans un coin près de la porte, Julien vit en passant
un lit de bois blanc, deux chaises de paille, et un petit   20
fauteuil en planches de sapin sans coussin. A l'autre extrémité de la chambre, près d'une petite fenêtre, à vitres
jaunies, garnie de vases de fleurs tenus salement, il aperçut
un homme assis devant une table, et couvert d'une soutane
délabrée; il avait l'air en colère, et prenait l'un après l'autre 25
une foule de petits carrés de papier qu'il rangeait sur sa
table, après y avoir écrit quelques mots. Il ne s'apercevait
pas de la présence de Julien. Celui-ci était immobile, debout
vers le milieu de la chambre, là où l'avait laissé le portier,
qui était ressorti en fermant la porte.   30

Dix minutes se passèrent ainsi; l'homme mal vêtu écrivait toujours. L'émotion et la terreur de Julien étaient
telles, qu'il lui semblait être sur le point de tomber. Un
philosophe eût dit, peut-être en se trompant : c'est la violente impression du laid sur une âme faite pour aimer ce   35
qui est beau.

L'homme qui écrivait leva la tête; Julien ne s'en aperçut
qu'au bout d'un moment, et même, après l'avoir vu, il
restait encore immobile comme frappé à mort par le regard
terrible dont il était l'objet. Les yeux troublés de Julien   40
distinguaient à peine une figure longue et toute couverte
de taches rouges, excepté sur le front, qui laissait voir une

pâleur mortelle. Entre ces joues rouges et ce front blanc, brillaient deux petits yeux noirs faits pour effrayer le plus brave. Les vastes contours de ce front étaient marqués par des cheveux épais, plats et d'un noir de jais.

— Voulez-vous approcher, oui ou non? dit enfin cet homme avec impatience.

Julien s'avança d'un pas mal assuré, et enfin, prêt à tomber et pâle, comme de sa vie il ne l'avait été, il s'arrêta à trois pas de la petite table de bois blanc couverte de carrés de papier.

— Plus près, dit l'homme.

Julien s'avança encore en étendant la main, comme cherchant à s'appuyer sur quelque chose.

— Votre nom?

— Julien Sorel.

— Vous avez bien tardé, lui dit-on, en attachant de nouveau sur lui un œil terrible.

Julien ne put supporter ce regard; étendant la main comme pour se soutenir, il tomba tout de son long sur le plancher.

L'homme sonna. Julien n'avait perdu que l'usage des yeux et la force de se mouvoir; il entendit des pas qui s'approchaient.

On le releva, on le plaça sur le petit fauteuil de bois blanc. Il entendit l'homme terrible qui disait au portier :

— Il tombe du haut mal [1] apparemment, il ne manquait plus que ça.

Quand Julien put ouvrir les yeux, l'homme à la figure rouge continuait à écrire; le portier avait disparu. Il faut avoir du courage, se dit notre héros, et surtout cacher ce que je sens : il éprouvait un violent mal de cœur; s'il m'arrive un accident, Dieu sait ce qu'on pensera de moi. Enfin l'homme cessa d'écrire, et regardant Julien de côté :

— Êtes-vous en état de me répondre?

— Oui, Monsieur, dit Julien, d'une voix affaiblie.

— Ah! c'est heureux.

L'homme noir s'était levé à demi et cherchait avec impatience une lettre dans le tiroir de sa table de sapin qui s'ou-

---

1. Périphrase traditionnelle pour désigner l'épilepsie.

vrit en criant. Il la trouva, s'assit lentement, et regardant
de nouveau Julien, d'un air à lui arracher le peu de vie qui
lui restait :

— Vous m'êtes recommandé par M. Chélan, c'était le
meilleur curé du diocèse, homme vertueux s'il en fut, et   5
mon ami depuis trente ans.

— Ah! c'est à M. Pirard que j'ai l'honneur de parler,
dit Julien d'une voix mourante.

— Apparemment, répliqua le directeur du séminaire
en le regardant avec humeur.   10

Il y eut un redoublement d'éclat dans ses petits yeux, suivi
d'un mouvement involontaire des muscles des coins de la
bouche. C'était la physionomie du tigre goûtant par avance
le plaisir de dévorer sa proie.

— Le lettre de Chélan est courte, dit-il, comme se par-   15
lant à lui-même. *Intelligenti pauca* [1] : par le temps qui court,
on ne saurait écrire trop peu. Il lut haut :

« Je vous adresse Julien Sorel, de cette paroisse, que
» j'ai baptisé il y aura vingt ans; fils d'un charpentier
» riche, mais qui ne lui donne rien. Julien sera un ouvrier   20
» remarquable dans la vigne du Seigneur. La mémoire,
» l'intelligence ne manquent point, il y a de la réflexion.
» Sa vocation sera-t-elle durable? est-elle sincère? »

— *Sincère!* répéta l'abbé Pirard d'un air étonné, et en
regardant Julien; mais déjà le regard de l'abbé était moins   25
dénué de toute humanité; *sincère!* répéta-t-il en baissant la
voix et reprenant sa lecture :

« Je vous demande pour Julien Sorel une bourse; il la
» méritera en subissant les examens nécessaires. Je lui ai
» montré un peu de théologie, de cette ancienne et bonne   30
» théologie des Bossuet, des Arnauld, des Fleury. [2] Si ce
» sujet ne vous convient pas, renvoyez-le-moi; le directeur
» du dépôt de mendicité, que vous connaissez bien, lui
» offre huit cents francs pour être précepteur de ses enfants.
» — Mon intérieur est tranquille, grâce à Dieu. Je m'accou-   35
» tume au coup terrible. [3] *Vale et me ama.* [4] »

---

1. Formule latine chère à Stendhal, et qui signifie : pour qui sait comprendre, peu de mots suffisent. — 2. *Bossuet, Arnauld*, le célèbre janséniste, et le cardinal *Fleury*, confesseur de Louis XV, ont ce trait commun d'avoir été gallicans. A ce titre, ils sont mal vus de la congrégation. — 3. Allusion à sa disgrâce : l'abbé Maslon l'a remplacé dans la cure de Verrières. — 4. Formule employée en latin, à la fin d'une lettre. Littéralement : porte-toi bien et aime-moi.

L'abbé Pirard, ralentissant la voix comme il lisait la signature, prononça avec un soupir le mot *Chélan*.

— Il est tranquille, dit-il; en effet, sa vertu méritait cette récompense; Dieu puisse-t-il me l'accorder le cas échéant!

Il regarda le ciel et fit un signe de croix. A la vue de ce signe sacré, Julien sentit diminuer l'horreur profonde qui, depuis son entrée dans cette maison, l'avait glacé.

— J'ai ici trois cent vingt et un aspirants à l'état le plus saint, dit enfin l'abbé Pirard, d'un ton de voix sévère, mais non méchant; sept ou huit seulement me sont recommandés par des hommes tels que l'abbé Chélan; ainsi parmi les trois cent vingt et un, vous allez être le neuvième. Mais ma protection n'est ni faveur, ni faiblesse, elle est redoublement de soins et de sévérité contre les vices. Allez fermer cette porte à clef.

Julien fit un effort pour marcher et réussit à ne pas tomber. Il remarqua qu'une petite fenêtre, voisine de la porte d'entrée, donnait sur la campagne. Il regarda les arbres; cette vue lui fit du bien, comme s'il eût aperçu d'anciens amis.

— *Loquerisne linguam latinam?* (Parlez-vous latin), lui dit l'abbé Pirard, comme il revenait.

— *Ita, pater optime* (oui, mon excellent père), répondit Julien, revenant un peu à lui. Certainement, jamais homme au monde ne lui avait paru moins excellent que M. Pirard, depuis une demi-heure.

L'entretien continua en latin. L'expression des yeux de l'abbé s'adoucissait; Julien reprenait quelque sang-froid. Que je suis faible, pensa-t-il, de m'en laisser imposer par ces apparences de vertu! cet homme sera tout simplement un fripon comme M. Maslon; et Julien s'applaudit d'avoir caché presque tout son argent dans ses bottes.

L'abbé Pirard examina Julien sur la théologie, il fut surpris de l'étendue de son savoir. Son étonnement augmenta quand il l'interrogea en particulier sur les saintes Écritures. Mais quand il arriva aux questions sur la doctrine des Pères, il s'aperçut que Julien ignorait presque jusqu'aux noms de saint Jérôme, de saint Augustin, de saint Bonaventure, de saint Basile, etc., etc.

Au fait, pensa l'abbé Pirard, voilà bien cette tendance

fatale au protestantisme [1] que j'ai toujours reprochée à
Chélan. Une connaissance approfondie et trop approfondie
des saintes Écritures.

(Julien venait de lui parler, sans être interrogé à ce sujet,
du temps *véritable* où avaient été écrits la Genèse, le Penta-   5
teuque, etc.)

A quoi mène ce raisonnement infini sur les saintes
Écritures, pensa l'abbé Pirard, si ce n'est à *l'examen personnel*, c'est-à-dire au plus affreux protestantisme? Et à
côté de cette science imprudente, rien sur les Pères qui puisse   10
compenser cette tendance.

Mais l'étonnement du directeur du séminaire n'eut plus
de bornes, lorsque interrogeant Julien sur l'autorité du
Pape, et s'attendant aux maximes de l'ancienne Église
gallicane, le jeune homme lui récita tout le livre [2] de M. de   15
Maistre.

Singulier homme que ce Chélan, pensa l'abbé Pirard;
lui a-t-il montré ce livre pour lui apprendre à s'en moquer?

Ce fut en vain qu'il interrogea Julien pour tâcher de
deviner s'il croyait sérieusement à la doctrine de M. de   20
Maistre. Le jeune homme ne répondait qu'avec sa
mémoire. De ce moment, Julien fut réellement très bien,
il sentait qu'il était maître de soi. Après un examen fort
long, il lui sembla que la sévérité de M. Pirard envers lui
n'était plus qu'affectée. En effet, sans les principes de gra-   25
vité austère que, depuis quinze ans, il s'était imposés
envers ses élèves en théologie, le directeur du séminaire
eût embrassé Julien au nom de la logique, tant il trouvait
de clarté, de précision et de netteté dans ses réponses.

Voilà un esprit hardi et sain, se disait-il, mais *corpus*   30
debile (le corps est faible).

— Tombez-vous souvent ainsi? dit-il à Julien en français
en lui montrant du doigt le plancher.

— C'est la première fois de ma vie, la figure du portier
m'avait glacé, ajouta Julien en rougissant comme un   35
enfant.

L'abbé Pirard sourit presque.

— Voilà l'effet des vaines pompes du monde; vous êtes
accoutumé apparemment à des visages riants, véritables

---

1. On sait que les protestants récusent l'autorité de la Tradition (les Pères de l'Église)
et n'admettent que celle des Écritures. — 2. *Du Pape* (1819) : voir chapitre 5, p. 43, note 2.

théâtres de mensonge. La vérité est austère, Monsieur. Mais notre tâche ici-bas n'est-elle pas austère aussi? Il faudra veiller à ce que votre conscience se tienne en garde contre cette faiblesse : *Trop de sensibilité aux vaines grâces de l'extérieur.*   5

Si vous ne m'étiez pas recommandé, dit l'abbé Pirard en reprenant la langue latine avec un plaisir marqué, si vous ne m'étiez pas recommandé par un homme tel que l'abbé Chélan, je vous parlerais le vain langage de ce monde auquel il paraît que vous êtes trop accoutumé. La bourse   10 entière que vous sollicitez, vous dirais-je, est la chose du monde la plus difficile à obtenir. Mais l'abbé Chélan a mérité bien peu, par cinquante-six ans de travaux apostoliques, s'il ne peut disposer d'une bourse au séminaire.

Après ces mots, l'abbé Pirard recommanda à Julien de   15 n'entrer dans aucune société ou congrégation secrète sans son consentement.

— Je vous en donne ma parole d'honneur, dit Julien avec l'épanouissement de cœur d'un honnête homme.

Le directeur du séminaire sourit pour la première fois.   20

— Ce mot n'est point de mise ici, lui dit-il, il rappelle trop le vain honneur des gens du monde qui les conduit à tant de fautes, et souvent à des crimes. Vous me devez la sainte obéissance en vertu du paragraphe dix-sept de la bulle *Unam Ecclesiam* [1] de saint Pie V. Je suis votre supé-   25

● Premier contact avec le séminaire

① La composition du chapitre est assez originale. Montrer qu'elle consiste en restrictions successives du champ visuel, depuis le « panoramique » du début jusqu'au « gros plan » de l'abbé Pirard. Préciser les différents paliers. A quel effet vise cette présentation?

② L'abbé Pirard apparaît-il exactement tel que le cadre où il vit pouvait le faire imaginer? Quelles réflexions lui assurent la sympathie du lecteur?

③ Préciser les sentiments de Julien. Pourquoi se sent-il écrasé? Stendhal n'a-t-il pas voulu souligner le contraste entre le séminaire et la maison de M. de Rênal? Dans quelle intention?

④ Stendhal n'a jamais caché son anticléricalisme. En quoi ce passage illustre-t-il cette tendance? Ce chapitre peut-il cependant être qualifié de polémique?

---

1. Pure invention de Stendhal.

rieur ecclésiastique. Dans cette maison, entendre, mon très cher fils, c'est obéir. Combien avez-vous d'argent?

Nous y voici, se dit Julien, c'était pour cela qu'était le très cher fils.

— Trente-cinq francs, mon père.

— Écrivez soigneusement l'emploi de cet argent; vous aurez à m'en rendre compte.

Cette pénible séance avait duré trois heures; Julien appela le portier.

— Allez installer Julien Sorel dans la cellule n° 103, dit l'abbé Pirard à cet homme.

Par une grande distinction, il accordait à Julien un logement séparé.

— Portez-y sa malle, ajouta-t-il.

Julien baissa les yeux et reconnut sa malle précisément en face de lui; il la regardait depuis trois heures, et ne l'avait pas reconnue.

En arrivant au n° 103, c'était une petite chambrette de huit pieds en carré, au dernier étage de la maison, Julien remarqua qu'elle donnait sur les remparts, et par delà on apercevait la jolie plaine que le Doubs sépare de la ville.

Quelle vue charmante! s'écria Julien; en se parlant ainsi il ne sentait pas ce qu'exprimaient ces mots. Les sensations si violentes qu'il avait éprouvées depuis le peu de temps qu'il était à Besançon avaient entièrement épuisé ses forces. Il s'assit près de la fenêtre sur l'unique chaise de bois qui fût dans sa cellule, et tomba aussitôt dans un profond sommeil. Il n'entendit point la cloche du souper, ni celle du salut; on l'avait oublié.

Quand les premiers rayons du soleil le réveillèrent le lendemain matin, il se trouva couché sur le plancher.

CHAPITRES 26-29

A peine installé au séminaire, Julien se heurte à l'hostilité sourde ou déclarée de la plupart de ses condisciples,[1] ainsi que du Grand Vicaire de Frilair, qui déteste en lui le protégé de l'abbé Pirard. Mais la congrégation l'emporte, et ce

---

1. Comme Henri Beyle à l'École centrale de Grenoble : voir p. 7.

dernier va perdre son poste. Cependant, grâce à la protec-
tion du marquis de la Mole, l'abbé Pirard obtient une cure
près de Paris, tandis que Julien entrera comme secrétaire
à l'Hôtel de la Mole. Avant de prendre ses nouvelles fonc-
tions, Julien, qui n'a pas oublié Mme de Rênal, revient la 5
voir furtivement à Verrières.

CHAPITRE 30

UN AMBITIEUX

Voici de nouveau Julien dans le jardin de la maison de
M. de Rênal. A l'aide d'une échelle, il s'introduit chez Mme
de Rênal. Après quelques réticences, Mme de Rênal l'accueille
tendrement et lui accorde une hospitalité à vrai dire dange- 10
reuse, dans sa propre chambre, à l'insu de toute la maison.

Mais huit heures avaient sonné, on faisait beaucoup de
bruit dans la maison. Si l'on n'eût pas vu Mme de Rênal,
on l'eût cherchée partout; elle fut obligée de le quitter.
Bientôt elle revint, contre toute prudence, lui apportant 15
une tasse de café; elle tremblait qu'il ne mourût de faim.
Après le déjeuner, elle réussit à amener les enfants sous la
fenêtre de la chambre de Mme Derville. Il les trouva fort
grandis, mais ils avaient pris l'air commun, ou bien ses
idées avaient changé. 20
Mme de Rênal leur parla de Julien. L'aîné répondit avec
amitié et regrets pour l'ancien précepteur; mais il se trouva
que les cadets l'avaient presque oublié.
M. de Rênal ne sortit pas ce matin-là; il montait et descendait sans cesse dans la maison, occupé à faire des 25
marchés avec des paysans, auxquels il vendait sa récolte de
pommes de terre. Jusqu'au dîner, Mme de Rênal n'eut pas
un instant à donner à son prisonnier. Le dîner sonné et
servi, elle eut l'idée de voler pour lui une assiette de soupe
chaude. Comme elle approchait sans bruit de la porte de la 30
chambre qu'il occupait, portant cette assiette avec précaution, elle se trouva face à face avec le domestique qui

avait caché l'échelle [1] le matin. Dans ce moment, il s'avan-
çait aussi sans bruit dans le corridor et comme écoutant.
Probablement Julien avait marché avec imprudence.
Le domestique s'éloigna un peu confus. Mme de Rênal entra
hardiment chez Julien; cette rencontre le fit frémir.   5

— Tu as peur, lui dit-elle; moi, je braverais tous les
dangers du monde et sans sourciller. Je ne crains qu'une
chose, c'est le moment où je serai seule après ton départ;
et elle le quitta en courant.

— Ah! se dit Julien exalté, le remords est le seul danger   10
que redoute cette âme sublime!

Enfin le soir vint. M. de Rênal alla au Casino.

Sa femme avait annoncé une migraine affreuse, elle se
retira chez elle, se hâta de renvoyer Élisa, et se releva bien
vite pour aller ouvrir à Julien.   15

Il se trouva que réellement il mourait de faim. Mme de
Rênal alla à l'office chercher du pain. Julien entendit un
grand cri. Mme de Rênal revint, et lui raconta qu'entrant
dans l'office sans lumière, s'approchant d'un buffet où l'on
serrait le pain, et étendant la main, elle avait touché un   20
bras de femme. C'était Élisa qui avait jeté le cri entendu
par Julien.

— Que faisait-elle là?

— Elle volait quelques sucreries, ou bien elle nous
épiait, dit Mme de Rênal avec une indifférence complète.   25
Mais heureusement j'ai trouvé un pâté et un gros pain.

— Qu'y a-t-il donc là? dit Julien, en lui montrant les
poches de son tablier.

Mme de Rênal avait oublié que, depuis le dîner, elles
étaient remplies de pain.   30

Julien la serra dans ses bras avec la plus vive passion;
jamais elle ne lui avait semblé si belle. Même à Paris, se
disait-il confusément, je ne pourrai rencontrer un plus
grand caractère. Elle avait toute la gaucherie d'une femme
peu accoutumée à ces sortes de soins, et en même temps le   35
vrai courage d'un être qui ne craint que des dangers d'un
autre ordre et bien autrement terribles.

Pendant que Julien soupait de grand appétit, et que
son amie le plaisantait sur la simplicité de ce repas, car elle

---

1. Celle que Julien avait utilisée pour pénétrer chez Mme de Rênal.

avait horreur de parler sérieusement, la porte de la chambre
fut tout à coup secouée avec force. C'était M. de Rênal.

— Pourquoi t'es-tu enfermée? lui criait-il.

Julien n'eut que le temps de se glisser sous le canapé.

— Quoi! vous êtes tout habillée, dit M. de Rênal en 5
entrant; vous soupez, et vous avez fermé votre porte à
clef.

Les jours ordinaires, cette question, faite avec toute la
sécheresse conjugale, eût troublé Mme de Rênal, mais elle
sentait que son mari n'avait qu'à se baisser un peu pour 10
apercevoir Julien, car M. de Rênal s'était jeté sur la chaise
que Julien occupait un moment auparavant vis-à-vis le
canapé.

La migraine servit d'excuse à tout. Pendant qu'à son
tour son mari lui contait longuement les incidents de la 15
poule qu'il avait gagnée au billard du Casino, une poule
de dix-neuf francs ma foi! ajoutait-il, elle aperçut sur une
chaise, à trois pas devant eux, le chapeau de Julien. Son
sang-froid redoubla, elle se mit à se déshabiller, et, dans
un certain moment, passant rapidement derrière son mari, 20
jeta une robe sur la chaise au chapeau.

M. de Rênal partit enfin. Elle pria Julien de recommencer
le récit de sa vie au séminaire; hier je ne t'écoutais pas, je
ne songeais, pendant que tu parlais, qu'à obtenir de moi
de te renvoyer. 25

Elle était l'imprudence même. Ils parlaient très haut;
et il pouvait être deux heures du matin, quand ils furent

● **Le livre I : thème de réflexion**

*Le caractère du jeune Julien qui, obscurément, au fond de son cœur
si jeune encore, sent profondément toute la laideur du luxe de
M. le Maire, est peint avec une vérité naïve et pleine de grâce. L'auteur
ne traite nullement Julien comme un héros de roman de femmes
de chambre, il montre tous ses défauts, tous les mauvais mouvements de son âme, d'abord bien égoïste, parce qu'il y est bien faible
et que la première loi de tous les êtres, depuis l'insecte jusqu'au
héros, est de se conserver. Julien est bien le petit paysan humilié,
isolé, ignorant, curieux, plein de fierté, car son âme est généreuse
et il s'étonne de mépriser les bassesses du riche M. de Rênal qui
ferait tout pour de l'argent* (Stendhal, *Lettre au comte Salvagnoli*).

① Stendhal s'est-il montré bon critique de son propre héros?

interrompus par un coup violent à la porte. C'était encore
M. de Rênal.

— Ouvrez-moi bien vite, il y a des voleurs dans la
maison! disait-il, Saint-Jean a trouvé leur échelle ce matin.

— Voici la fin de tout, s'écria Mme de Rênal, en se ⁵
jetant dans les bras de Julien. Il va nous tuer tous les deux,
il ne croit pas aux voleurs; je vais mourir dans tes bras,
plus heureuse à ma mort que je ne le fus de la vie. Elle
ne répondait nullement à son mari qui se fâchait, elle
embrassait Julien avec passion. ¹⁰

— Sauve la mère de Stanislas, lui dit-il avec le regard
du commandement. Je vais sauter dans la cour par la fenêtre
du cabinet, et me sauver dans le jardin, les chiens m'ont
reconnu. Fais un paquet de mes habits, et jette-le dans le
jardin aussitôt que tu le pourras. En attendant, laisse ¹⁵
enfoncer la porte. Surtout, point d'aveux, je le défends,
il vaut mieux qu'il ait des soupçons que des certitudes.

— Tu vas te tuer en sautant! fut sa seule réponse et sa
seule inquiétude.

Elle alla avec lui à la fenêtre du cabinet; elle prit ensuite ²⁰
le temps de cacher ses habits. Elle ouvrit enfin à son mari
bouillant de colère. Il regarda dans la chambre, dans le
cabinet, sans mot dire, et disparut. Les habits de Julien
lui furent jetés, il les saisit, et courut rapidement vers le
bas du jardin du côté du Doubs. ²⁵

Comme il courait, il entendit siffler une balle, et aussitôt
le bruit d'un coup de fusil.

Ce n'est pas M. de Rênal, pensa-t-il, il tire trop mal
pour cela. Les chiens couraient en silence à ses côtés, un
second coup cassa apparemment la patte à un chien, ³⁰
car il se mit à pousser des cris lamentables. Julien sauta
le mur d'une terrasse, fit à couvert une cinquantaine de pas,
et se remit à fuir dans une autre direction. Il entendit des
voix qui s'appelaient, et vit dictinctement le domestique,
son ennemi, tirer un coup de fusil; un fermier vint aussi ³⁵
tirailler de l'autre côté du jardin, mais déjà Julien avait
gagné la rive du Doubs où il s'habillait.

Une heure après, il était à une lieue de Verrières, sur
la route de Genève; si l'on a des soupçons, pensa Julien,
c'est sur la route de Paris qu'on me cherchera. ⁴⁰

ntrons, Monsieur,
dit-elle d'un air
sez embarrassé »
(p. 52, l. 19)

Illustration
Dubouchet pour
ROUGE ET LE NOIR

CL. BULLOZ

Gérard Philippe (Julien Sorel) dans le film d'Autant-Lara (1954)

« L'homme qui écrivait leva la tête... » (p. 120, l. 37)

CL. LONDON-FILM

LIVRE SECOND

CHAPITRE PREMIER

LES PLAISIRS DE LA CAMPAGNE

Avant d'aller prendre ses fonctions de secrétaire chez le marquis de La Mole à Paris, Julien a envie de visiter la capitale. Finalement, il se bornera à un pèlerinage napo-léonien à la Malmaison, puis ira demander à l'abbé Pirard, qui doit l'y introduire, quelques détails sur la famille de La Mole. 5

Le soir du troisième jour, la curiosité l'emporta sur le projet de tout voir avant de se présenter à l'abbé Pirard. Cet abbé lui expliqua, d'un ton froid, le genre de vie qui l'attendait chez M. de La Mole.

Si au bout de quelques mois vous n'êtes pas utile, vous 10 rentrerez au séminaire, mais par la bonne porte. Vous allez loger chez le marquis, l'un des plus grands seigneurs de France. Vous porterez l'habit noir, mais comme un homme qui est en deuil, et non pas comme un ecclésiastique. J'exige que, trois fois la semaine, vous suiviez vos études 15 en théologie dans un séminaire, où je vous ferai pré-senter. Chaque jour, à midi, vous vous établirez dans la bibliothèque du marquis, qui compte vous employer à faire des lettres pour des procès et d'autres affaires. Le marquis écrit, en deux mots, en marge de chaque lettre 20 qu'il reçoit, le genre de réponse qu'il faut y faire. J'ai prétendu qu'au bout de trois mois, vous seriez en état de faire ces réponses, de façon que, sur douze que vous pré-senterez à la signature du marquis, il puisse en signer huit ou neuf. Le soir, à huit heures, vous mettrez son bureau 25 en ordre, et à dix vous serez libre.

Il se peut, continua l'abbé Pirard, que quelque vieille dame ou quelque homme au ton doux vous fasse entrevoir des avantages immenses, ou tout grossièrement vous offre de l'or pour lui montrer les lettres reçues par le marquis... 30

— Ah! Monsieur! s'écria Julien rougissant.

— Il est singulier, dit l'abbé avec un sourire amer, que, pauvre comme vous l'êtes, et après une année de séminaire, il vous reste encore de ces indignations vertueuses. Il faut que vous ayez été bien aveugle!

Serait-ce la force du sang [1]? se dit l'abbé à demi-voix et comme se parlant à soi-même. Ce qu'il y a de singulier, ajouta-t-il en regardant Julien, c'est que le marquis vous connaît... Je ne sais comment. Il vous donne, pour commencer, cent louis d'appointements. C'est un homme qui n'agit que par caprice, c'est là son défaut; il luttera d'enfantillages avec vous. S'il est content, vos appointements pourront s'élever par la suite jusqu'à huit mille francs.

Mais vous sentez bien, reprit l'abbé d'un ton aigre, qu'il ne vous donne pas tout cet argent pour vos beaux yeux. Il s'agit d'être utile. A votre place, moi, je parlerais très peu, et surtout je ne parlerais jamais de ce que j'ignore.

Ah! dit l'abbé, j'ai pris des informations pour vous; j'oubliais la famille de M. de La Mole. Il a deux enfants, une fille et un fils de dix-neuf ans, élégant par excellence, espèce de fou, qui ne sait jamais à midi ce qu'il fera à deux heures. Il a de l'esprit, de la bravoure; il a fait la guerre d'Espagne [2]. Le marquis espère, je ne sais pourquoi, que vous deviendrez l'ami du jeune comte Norbert. J'ai dit que vous étiez un grand latiniste, peut-être compte-t-il que vous apprendrez à son fils quelques phrases toutes faites sur Cicéron et Virgile.

A votre place, je ne me laisserais jamais plaisanter par ce beau jeune homme; et, avant de céder à ses avances parfaitement polies, mais un peu gâtées par l'ironie, je me les ferais répéter plus d'une fois.

Je ne vous cacherai pas que le jeune comte de La Mole doit vous mépriser d'abord, parce que vous n'êtes qu'un petit bourgeois. Son aïeul [3] à lui était de la cour, et eut l'honneur d'avoir la tête tranchée en place de Grève, le 26 avril 1574, pour une intrigue politique. Vous, vous êtes le fils d'un charpentier de Verrières, et de plus, aux gages de son père. Pesez bien ces différences, et étudiez

---

1. Le marquis de la Mole, par reconnaissance envers l'abbé Pirard, qui le soutient dans un procès difficile, avait envoyé anonymement cinq cents francs à Julien, élève préféré de l'abbé Pirard au séminaire. Mais l'abbé s'était mépris sur le sens de ce geste, et, depuis lors, il croit que Julien est le fils naturel d'un noble. Antoine Berthet (voir p. 25) gagnait alors deux cents francs par an comme précepteur. — 2. En 1823, la France, à l'instigation de Chateaubriand, alors ministre des Affaires étrangères, était intervenue en Espagne pour rétablir sur le trône le roi Ferdinand VII. — 3. C'est de cet *aïeul* que Mathilde porte le deuil, le jour anniversaire de son exécution : Voir *le Deuil de Mathilde*, p. 153.

l'histoire de cette famille dans Moreri [1], tous les flatteurs qui
dînent chez eux y font de temps en temps ce qu'ils appellent
des allusions délicates.

Prenez garde à la façon dont vous répondrez aux plaisanteries de M. le comte Norbert de La Mole, chef d'escadron de hussards et futur pair de France, et ne venez pas
me faire des doléances par la suite.

— Il me semble, dit Julien en rougissant beaucoup,
que je ne devrais pas même répondre à un homme qui
me méprise.

— Vous n'avez pas d'idée de ce mépris-là; il ne se
montrera que par des compliments exagérés. Si vous étiez
un sot, vous pourriez vous y laisser prendre; si vous
vouliez faire fortune, vous devriez vous y laisser prendre.

— Le jour où tout cela ne me conviendra plus, dit
Julien, passerai-je pour un ingrat si je retourne à ma
petite cellule n° 103 [2]?

— Sans doute, répondit l'abbé, tous les complaisants de
la maison vous calomnieront, mais je paraîtrai moi. *Adsum
qui feci* [3]. Je dirai que c'est de moi que vient cette résolution.

Julien était navré du ton amer et presque méchant qu'il
remarquait chez M. Pirard; ce ton gâtait tout à fait sa
dernière réponse.

Le fait est que l'abbé se faisait un scrupule de conscience
d'aimer Julien [4], et c'est avec une sorte de terreur religieuse
qu'il se mêlait aussi directement du sort d'un autre.

— Vous verrez encore, ajouta-t-il avec la même mauvaise grâce, et comme accomplissant un devoir pénible,
vous verrez Mme la marquise de La Mole. C'est une grande
femme blonde, dévote, hautaine, parfaitement polie, et
encore plus insignifiante. Elle est fille du vieux duc de
Chaulnes, si connu par ses préjugés nobiliaires. Cette
grande dame est une sorte d'abrégé, en haut relief, de
ce qui fait au fond le caractère des femmes de son rang. Elle
ne cache pas, elle, qu'avoir eu des ancêtres qui soient allés
aux croisades est le seul avantage qu'elle estime. L'argent
ne vient que longtemps après : cela vous étonne? Nous
ne sommes plus en province, mon ami.

---

1. Historien du XVIIe siècle, auteur d'un grand *Dictionnaire historique* auquel les Romantiques, à commencer par Hugo, ont eu souvent recours. — 2. C'était le numéro de la
chambre de Julien au séminaire : voir p. 126, l. 10. — 3. C'est moi le responsable. —
4. Cette rigueur est un trait janséniste.

Vous verrez dans son salon plusieurs grands seigneurs parler de nos princes avec un ton de légèreté singulier. Pour Mme de La Mole, elle baisse la voix par respect toutes les fois qu'elle nomme un prince et surtout une princesse. Je ne vous conseillerais pas de dire devant elle ⁵ que Philippe II ou Henri VIII furent des monstres. Ils ont été ROIS, ce qui leur donne des droits imprescriptibles aux respects de tous et surtout aux respects d'êtres sans naissance, tels que vous et moi. Cependant, ajouta M. Pirard, nous sommes prêtres, car elle vous prendra ¹⁰ pour tel ; à ce titre, elle nous considère comme des valets de chambre nécessaires à son salut.

— Monsieur, dit Julien, il me semble que je ne serai pas longtemps à Paris.

— A la bonne heure ; mais remarquez qu'il n'y a de ¹⁵ fortune, pour un homme de notre robe, que par les grands seigneurs. Avec ce je ne sais quoi d'indéfinissable, du moins pour moi, qu'il y a dans votre caractère, si vous ne faites pas fortune vous serez persécuté ; il n'y a pas de moyen terme pour vous. Ne vous abusez pas. Les hommes ²⁰ voient qu'ils ne vous font pas plaisir en vous adressant la parole ; dans un pays social comme celui-ci, vous êtes voué au malheur si vous n'arrivez pas aux respects.

Que seriez-vous devenu à Besançon, sans ce caprice du marquis de La Mole ? Un jour, vous comprendrez toute la ²⁵

• **Une direction de conscience mondaine** — Il est assez piquant que le rôle d'introduire Julien dans le « monde » et de lui en dévoiler les secrets élémentaires soit dévolu au sévère janséniste qu'est l'abbé Pirard.

① Préciser les sentiments particuliers de l'abbé Pirard envers ce « monde ». Montrer ce qu'il entre de lucidité, d'amertume, de résignation, de courtisanerie dans son attitude. Relever les formules les plus brillantes de l'abbé Pirard pour expliquer à Julien ce que sont les aristocrates parisiens.

② L'abbé Pirard et Julien : comprend-on, d'après ce qu'on sait des deux caractères, que l'abbé ait adopté Julien comme protégé ? A quelles qualités est-il le plus sensible chez le jeune homme ? Montrer que l'attitude de l'abbé Pirard envers Julien n'est pas simple : qu'il est à la fois attiré par Julien et retenu par ses scrupules jansénistes. Par delà la froideur apparente, ne perçoit-on pas des signes d'authentique chaleur humaine ? Par quelle attitude Julien y répond-il ? Est-il le même avec l'abbé qu'avec les autres personnages du roman ?

singularité de ce qu'il fait pour vous, et, si vous n'êtes
pas un monstre, vous aurez pour lui et sa famille une
éternelle reconnaissance. Que de pauvres abbés, plus
savants que vous, ont vécu des années à Paris, avec les
quinze sous de leur messe et les dix sous de leurs arguments   5
en Sorbonne!... Rappelez-vous ce que je vous contais,
l'hiver dernier, des premières années de ce mauvais sujet
de cardinal Dubois. Votre orgueil se croirait-il, par hasard,
plus de talent que lui?

Moi, par exemple, homme tranquille et médiocre, je   10
comptais mourir dans mon séminaire; j'ai eu l'enfantillage
de m'y attacher. Eh bien! j'allais être destitué quand j'ai
donné ma démission. Savez-vous quelle était ma fortune?
J'avais cinq cent vingts francs de capital, ni plus ni moins;
pas un ami, à peine deux ou trois connaissances. M. de La   15
Mole, que je n'avais jamais vu, m'a tiré de ce mauvais pas;
il n'a eu qu'un mot à dire, et l'on m'a donné une cure dont
tous les paroissiens sont des gens aisés, au-dessus des
vices grossiers, et le revenu me fait honte, tant il est peu
proportionné à mon travail. Je ne vous ai parlé aussi   20
longtemps que pour mettre un peu de plomb dans cette tête.

Encore un mot : j'ai le malheur d'être irascible; il est
possible que vous et moi nous cessions de nous parler.

Si les hauteurs de la marquise, ou les mauvaises plaisanteries de son fils, vous rendent cette maison décidément insup-   25
portable, je vous conseille de finir vos études dans quelque
séminaire à trente lieues de Paris, et plutôt au nord qu'au
midi. Il y a au nord plus de civilisation et moins d'injus-
tices ; et, ajouta-t-il en baissant la voix, il faut que je l'avoue,
le voisinage des journaux de Paris fait peur aux petits tyrans.   30

Si nous continuons à trouver du plaisir à nous voir, et
que la maison du marquis ne vous convienne pas, je vous
offre la place de mon vicaire, et je partagerai par moitié
avec vous ce que rend cette cure. Je vous dois cela et plus
encore, ajouta-t-il en interrompant les remerciements de   35
Julien, pour l'offre singulière [1] que vous m'avez faite à
Besançon. Si au lieu de cinq cent vingt francs, je n'avais
rien eu, vous m'eussiez sauvé.

L'abbé avait perdu son ton de voix cruel. A sa grande

---

1. Apprenant que l'abbé Pirard allait être destitué, Julien lui avait offert six cents
francs, toutes ses économies. Sur la valeur de cette somme, voir p. 133, note 1.

honte, Julien se sentit les larmes aux yeux; il mourait
d'envie de se jeter dans les bras de son ami : il ne put
s'empêcher de lui dire, de l'air le plus mâle qu'il put affecter :

— J'ai été haï de mon père depuis le berceau; c'était
un de mes grands malheurs; mais je ne me plaindrai plus   5
du hasard, j'ai retrouvé un père en vous, Monsieur.

— C'est bon, c'est bon, dit l'abbé embarrassé; puis
rencontrant fort à propos [1] un mot de directeur de séminaire : Il ne faut jamais dire le hasard, mon enfant, dites
toujours la Providence.   10

Le fiacre s'arrêta; le cocher souleva le marteau de bronze
d'une porte immense : c'était l'HOTEL DE LA MOLE; et,
pour que les passants ne pussent en douter, ces mots se
lisaient sur un marbre noir au-dessus de la porte.

Cette affectation déplut à Julien. Ils ont tant de peur   15
des jacobins! Ils voient un Robespierre et sa charrette
derrière chaque haie; ils en sont souvent à mourir de rire,
et ils affichent ainsi leur maison pour que la canaille la
reconnaisse en cas d'émeute, et la pille. Il communiqua sa
pensée à l'abbé Pirard.   20

— Ah! pauvre enfant, vous serez bientôt mon vicaire.
Quelle épouvantable idée vous est venue là!

— Je ne trouve rien de si simple, dit Julien.

La gravité du portier et surtout la propreté de la cour
l'avaient frappé d'admiration. Il faisait un beau soleil.   25

— Quelle architecture magnifique [2]! dit-il à son ami.

Il s'agissait d'un de ces hôtels à façade si plate du
faubourg Saint-Germain, bâtis vers le temps de la mort
de Voltaire. Jamais la mode et le beau n'ont été si loin
l'un de l'autre.   30

CHAPITRE 2

ENTRÉE DANS LE MONDE

Julien s'arrêtait, ébahi, au milieu de la cour.

— Ayez donc l'air raisonnable, dit l'abbé Pirard;
il vous vient des idées horribles, et puis vous n'êtes qu'un
enfant! Où est le *nil mirari* d'Horace? (Jamais d'enthou-

---

1. Le janséniste rigoureux qu'est l'abbé Pirard répugne à se laisser gagner par l'émotion. — 2. Julien, encore provincial, se laisse éblouir par un art que les contemporains
de Stendhal jugeaient démodé : voir p. 138, l. 10 et suiv.

siasme [1]). Songez que ce peuple de laquais, vous voyant
établi ici, va chercher à se moquer de vous; ils verront en
vous un égal, mis injustement au-dessus d'eux. Sous les
dehors de la bonhomie, des bons conseils, du désir de
vous guider, ils vont essayer de vous faire tomber dans   5
quelque grosse balourdise.

— Je les en défie, dit Julien en se mordant la lèvre, et
il reprit toute sa méfiance.

Les salons que ces messieurs traversèrent au premier
étage, avant d'arriver au cabinet du marquis, vous eussent   10
semblé, ô mon lecteur, aussi tristes que magnifiques. On
vous les donnerait tels qu'ils sont, que vous refuseriez de
de les habiter; c'est la patrie du bâillement et du raisonnement triste. Ils redoublèrent l'enchantement de Julien.
Comment peut-on être malheureux, pensait-il, quand on   15
habite un séjour aussi splendide!

Enfin, ces messieurs arrivèrent à la plus laide des pièces
de ce superbe appartement : à peine s'il y faisait jour; là,
se trouva un petit homme maigre, à l'œil vif et en perruque
blonde. L'abbé se retourna vers Julien et le présenta.   20
C'était le marquis. Julien eut beaucoup de peine à le
reconnaître, tant il lui trouva l'air poli. Ce n'était plus le
grand seigneur, à mine si altière, de l'abbaye de Bray-le-
Haut [2]. Il sembla à Julien que sa perruque avait beaucoup
trop de cheveux. A l'aide de cette sensation, il ne fut point   25
du tout intimidé. Le descendant de l'ami de Henri III [3]
lui parut d'abord avoir une tournure assez mesquine. Il
était fort maigre et s'agitait beaucoup. Mais il remarqua
bientôt que le marquis avait une politesse encore plus
agréable à l'interlocuteur que celle de l'évêque de Besançon   30
lui-même. L'audience ne dura pas trois minutes. En sortant, l'abbé dit à Julien :

— Vous avez regardé le marquis, comme vous eussiez
fait un tableau. Je ne suis pas un grand grec dans ce que
ces gens-ci appellent la politesse, bientôt vous en saurez   35
plus que moi; mais enfin la hardiesse de votre regard m'a
semblé peu polie.

---

1. Traduction de la formule latine qui vient d'être citée. — 2. Voir Livre I, chapitre 18,
p. 109, l. 28-30. — 3. Nouvelle allusion à Boniface de la Mole, un des plus glorieux
ancêtres de la famille : voir p. 133, note 3.

On était remonté en fiacre; le cocher arrêta près du boulevard; l'abbé introduisit Julien dans une suite de grands salons. Julien remarqua qu'il n'y avait pas de meubles. Il regardait une magnifique pendule dorée, représentant un sujet très indécent selon lui, lorsqu'un monsieur fort élégant s'approcha d'un air riant. Julien fit un demi-salut. 5

Le monsieur sourit et lui mit la main sur l'épaule. Julien tressaillit et fit un saut en arrière. Il rougit de colère. L'abbé Pirard, malgré sa gravité, rit aux larmes. Le monsieur était un tailleur. 10

Je vous rends votre liberté pour deux jours, lui dit l'abbé en sortant; c'est alors seulement que vous pourrez être présenté à Mme de La Mole. Un autre vous garderait comme une jeune fille, en ces premiers moments de votre séjour dans cette nouvelle Babylone. Perdez-vous tout de 15 suite, si vous avez à vous perdre, et je serai délivré de la faiblesse que j'ai de penser à vous. Après-demain matin, ce tailleur vous portera deux habits; vous donnerez cinq francs au garçon qui vous les essaiera. Du reste, ne faites 20 pas connaître le son de votre voix à ces Parisiens-là. Si vous dites un mot, ils trouveront le secret de se moquer de vous. C'est leur talent. Après-demain soyez chez moi à midi... Allez, perdez-vous... J'oubliais : allez commander des bottes, des chemises, un chapeau aux adresses que 25 voici.

Julien regardait l'écriture de ces adresses.

— C'est la main du marquis, dit l'abbé; c'est un homme actif qui prévoit tout, et qui aime mieux faire que commander. Il vous prend auprès de lui pour que vous lui 30 épargniez ce genre de peines. Aurez-vous assez d'esprit pour bien exécuter toutes les choses que cet homme vif vous indiquera à demi-mot? C'est ce que montrera l'avenir : gare à vous!

Julien entra sans dire un seul mot chez les ouvriers 35 indiqués par les adresses; il remarqua qu'il en était reçu avec respect, et le bottier, en écrivant son nom sur son registre, mit M. Julien de Sorel.

Au cimetière du Père-Lachaise, un monsieur fort obligeant, et encore plus libéral dans ses propos, s'offrit pour 40 indiquer à Julien le tombeau du maréchal Ney, qu'une

politique savante prive de l'honneur d'une épitaphe [1]. Mais
en se séparant de ce libéral, qui, les larmes aux yeux, le
serrait presque dans ses bras, Julien n'avait plus de montre.
Ce fut riche de cette expérience que le surlendemain, à
midi, il se présenta à l'abbé Pirard, qui le regarda beaucoup.   5

— Vous allez peut-être devenir un fat, lui dit l'abbé
d'un air sévère. Julien avait l'air d'un fort jeune homme,
en grand deuil; il était à la vérité très bien, mais le bon
abbé était trop provincial lui-même pour voir que Julien
avait encore cette démarche des épaules qui en province   10
est à la fois élégance et importance. En voyant Julien, le
marquis jugea ses grâces d'une manière si différente de
celle du bon abbé, qu'il lui dit :

— Auriez-vous quelque objection à ce que M. Sorel
prît des leçons de danse?   15

L'abbé resta pétrifié.

— Non, répondit-il enfin, Julien n'est pas prêtre.

Le marquis, montant deux à deux les marches d'un petit
escalier dérobé, alla lui-même installer notre héros dans
une jolie mansarde qui donnait sur l'immense jardin de   20
l'hôtel. Il lui demanda combien il avait pris de chemises
chez la lingère.

— Deux, répondit Julien, intimidé de voir un si grand
seigneur descendre à ces détails.

— Fort bien, reprit le marquis d'un air sérieux et avec   25
un certain ton impératif et bref, qui donna à penser à
Julien, fort bien! Prenez encore vingt-deux chemises.
Voici le premier quartier de vos appointements [2].

En descendant de la mansarde, le marquis appela un
homme âgé : « Arsène, lui dit-il, vous servirez M. Sorel. »   30
Peu de minutes après, Julien se trouva seul dans une
bibliothèque magnifique; ce moment fut délicieux. Pour
n'être pas surpris dans son émotion, il alla se cacher dans
un petit coin sombre; de là il contemplait avec ravissement
le dos brillant des livres : Je pourrai lire tout cela, se disait-   35
il. Et comment me déplairais-je ici? M. de Rênal se serait
cru déshonoré à jamais de la centième partie de ce que
le marquis de La Mole vient de faire pour moi.

---

1. Le maréchal Ney, rallié à Louis XVIII en 1814, avait promis à celui-ci de capturer
Napoléon, au début des Cent Jours. En fait, il embrassa le parti de l'Empereur et fut
fusillé pour cela en 1815. Les libéraux faisaient de lui un symbole de leur opposition au
régime. — 2. Ce qui est dû pour un trimestre.

Mais voyons les copies à faire. Cet ouvrage terminé, Julien osa s'approcher des livres; il faillit devenir fou de joie en trouvant une édition de Voltaire. Il courut ouvrir la porte de la bibliothèque pour n'être pas surpris. Il se donna ensuite le plaisir d'ouvrir chacun des quatre-vingts volumes. Ils étaient reliés magnifiquement, c'était le chef-d'œuvre du meilleur ouvrier de Londres. Il n'en fallait pas tant pour porter au comble l'admiration de Julien.

Une heure après le marquis entra, regarda les copies, et remarqua avec étonnement que Julien écrivait *cela* avec deux ll, *cella* [1]. Tout ce que l'abbé m'a dit de sa science serait-il tout simplement un conte! Le marquis, fort découragé, lui dit avec douceur :

— Vous n'êtes pas sûr de votre orthographe?

— Il est vrai, dit Julien, sans songer le moins du monde au tort qu'il se faisait; il était attendri des bontés du marquis, qui lui rappelait le ton rogue de M. de Rênal.

C'est du temps perdu que toute cette expérience de petit abbé franc-comtois, pensa le marquis; mais j'avais un si grand besoin d'un homme sûr!

— *Cela* ne s'écrit qu'avec une *l*, lui dit le marquis; quand vos copies seront terminées, cherchez dans le dictionnaire les mots de l'orthographe desquels vous ne serez pas sûr.

● **Un apprentissage difficile** — Après les considérations fort vivantes, mais théoriques, de l'abbé Pirard sur la vie qui attend Julien et sur son futur maître, Stendhal nous montre Julien en action, tandis qu'il prend contact avec le marquis.

① Distinguer une suite de petites péripéties qui dépeignent à la fois Julien et M. de la Mole. En quoi Julien est-il encore provincial? Par quels détails pittoresques Stendhal l'a-t-il souligné? Qu'y a-t-il de puéril dans son attitude devant les livres de la bibliothèque (p. 140, l. 31 et suiv.)?

② Comment nous apparaît M. de la Mole? Que doit-il penser de Julien à l'issue de ce premier contact? Chez M. de Rênal, Julien avait conquis d'emblée le maître de maison : en est-il de même ici? Quel est l'intérêt d'avoir mis en relief cette différence? Le marquis de la Mole est-il sympathique au lecteur?

---

1. La même mésaventure était arrivée à Henri Beyle chez son cousin Daru, dans les bureaux du ministère de la Guerre.

A six heures, le marquis le fit demander, il regarda avec une peine évidente les bottes de Julien : J'ai un tort à me reprocher, je ne vous ai pas dit que tous les jours, à cinq heures et demie, il faut vous habiller.

Julien le regardait sans comprendre.

— Je veux dire mettre des bas. Arsène vous en fera souvenir; aujourd'hui je ferai vos excuses.

En achevant ces mots, M. de La Mole faisait passer Julien dans un salon resplendissant de dorures. Dans les occasions semblables, M. de Rênal ne manquait jamais de doubler le pas pour avoir l'avantage de passer le premier à la porte. La petite vanité de son ancien patron fit que Julien marcha sur les pieds du marquis, et lui fit beaucoup de mal à cause de sa goutte. — Ah! il est balourd par-dessus le marché, se dit celui-ci. Il le présenta à une femme de haute taille et d'un aspect imposant. C'était la marquise. Julien lui trouva l'air impertinent, un peu comme Mme de Maugiron, la sous-préfète de l'arrondissement de Verrières, quand elle assistait au dîner de la Saint-Charles. Un peu troublé de l'extrême magnificence du salon, Julien n'entendit pas ce que disait M. de La Mole. La marquise daigna à peine le regarder. Il y avait quelques hommes, parmi lesquels Julien reconnut avec un plaisir indicible le jeune évêque d'Agde, qui avait daigné lui parler quelques mois auparavant à la cérémonie de Bray-le-Haut. Ce jeune prélat fut effrayé sans doute des yeux tendres que fixait sur lui la timidité de Julien, et ne se soucia point de reconnaître ce provincial.

Les hommes réunis dans ce salon semblèrent à Julien avoir quelque chose de triste et de contraint; on parle bas à Paris, et l'on n'exagère pas les petites choses.

Un joli jeune homme, avec des moustaches, très pâle et très élancé, entra vers les six heures et demie; il avait une tête fort petite.

— Vous vous ferez toujours attendre, dit la marquise, à laquelle il baisait la main.

Julien comprit que c'était le comte de La Mole. Il le trouva charmant dès le premier abord.

Est-il possible, se dit-il, que ce soit là l'homme dont les plaisanteries offensantes doivent me chasser de cette maison!

A force d'examiner le comte Norbert, Julien remarqua

qu'il était en bottes et en éperons; et moi je dois être en souliers, apparemment comme inférieur. On se mit à table. Julien entendit la marquise qui disait un mot sévère, en élevant un peu la voix. Presque en même temps il aperçut une jeune personne, extrêmement blonde et fort bien faite, qui vint s'asseoir vis-à-vis de lui. Elle ne lui plut point; cependant, en la regardant attentivement, il pensa qu'il n'avait jamais vu des yeux aussi beaux; mais ils annonçaient une grande froideur d'âme. Par la suite, Julien trouva qu'ils avaient l'expression de l'ennui qui examine, mais qui se souvient de l'obligation d'être imposant. Mme de Rênal avait cependant de bien beaux yeux, se disait-il, le monde lui en faisait compliment; mais ils n'avaient rien de commun avec ceux-ci. Julien n'avait pas assez d'usage pour distinguer que c'était du feu de la saillie que brillaient de temps en temps les yeux de Mlle Mathilde, c'est ainsi qu'il l'entendit nommer. Quand les yeux de Mme de Rênal s'animaient, c'était du feu des passions, ou par l'effet d'une indignation généreuse au récit de quelque action méchante. Vers la fin du repas, Julien trouva un mot pour exprimer le genre de beauté des yeux de Mlle de La Mole : Ils sont scintillants, se dit-il. Du reste, elle ressemblait cruellement à sa mère, qui lui déplaisait de plus en plus, et il cessa de la regarder. En revanche, le comte Norbert lui semblait admirable de tous points. Julien était tellement séduit, qu'il n'eut pas l'idée d'en être jaloux et de le haïr parce qu'il était plus riche et plus noble que lui.

● **Première rencontre de Julien et de Mlle de la Mole** — Julien aperçoit d'abord Norbert, personnage aimable mais assez falot, qui se réduit en somme à ses moustaches, ses éperons et son art du baise-main. Il sert, en un sens, de décor, de second plan à sa sœur.

Au milieu de ce salon si étrangement composé, brille Mlle de La Mole, jeune parisienne de dix-neuf ans, fille du marquis (Stendhal).

① Mathilde est-elle nettement dessinée par Stendhal? Montrer le caractère vague des notations d'ordre physique. En est-il de même au point de vue moral? Relever les termes importants qui la définissent. Préciser les sentiments qu'elle inspire à Julien.

Comparer cette page avec la première rencontre de Julien et de Mme de Rênal (I, 6, p. 51 et suiv.).

Julien trouva que le marquis avait l'air de s'ennuyer.
Vers le second service, il dit à son fils :

— Norbert, je te demande tes bontés pour M. Julien
Sorel que je viens de prendre à mon état-major, et dont
je prétends faire un homme, si *cella* se peut.

— C'est mon secrétaire, dit le marquis à son voisin, et
il écrit *cela* avec deux *ll*.

Tout le monde regarda Julien, qui fit une inclination
de tête un peu trop marquée à Norbert; mais en général
on fut content de son regard.

Il fallait que le marquis eût parlé du genre d'éducation
que Julien avait reçue, car un des convives l'attaqua sur
Horace : C'est précisément en parlant d'Horace que j'ai
réussi auprès de l'évêque de Besançon[1], se dit Julien,
apparemment qu'ils ne connaissent que cet auteur. A
partir de cet instant, il fut maître de lui. Ce mouvement
fut rendu facile, parce qu'il venait de décider que Mlle de
La Mole ne serait jamais une femme à ses yeux. Depuis
le séminaire, il mettait les hommes au pis, et se laissait
difficilement intimider par eux. Il eût joui de tout son
sang-froid, si la salle à manger eût été meublée avec moins
de magnificence. C'était, dans le fait, deux glaces de huit
pieds de haut chacune, et dans lesquelles il regardait quelquefois son interlocuteur en parlant d'Horace, qui lui
imposaient encore. Ses phrases n'étaient pas trop longues
pour un provincial. Il avait de beaux yeux, dont la timidité
tremblante ou heureuse, quand il avait bien répondu,
redoublait l'éclat. Il fut trouvé agréable. Cette sorte
d'examen jetait un peu d'intérêt dans un dîner grave. Le
marquis engagea par un signe l'interlocuteur de Julien à
le pousser vivement. Serait-il possible qu'il sût quelque
chose, pensait-il!

Julien répondit en inventant ses idées, et perdit assez
de sa timidité pour montrer, non pas de l'esprit, chose
impossible à qui ne sait pas la langue dont on se sert à
Paris, mais il eut des idées nouvelles quoique présentées
sans grâce ni à propos, et l'on vit qu'il savait parfaitement
le latin.

---

1. L'abbé Pirard avait un jour chargé Julien de porter sa lettre de démission à l'évêque
de Besançon, et cet aimable vieillard avait beaucoup apprécié la culture latine de Julien.

L'adversaire de Julien était un académicien des Inscriptions, qui, par hasard, savait le latin; il trouva en Julien un très bon humaniste, n'eut plus la crainte de le faire rougir. et chercha réellement à l'embarrasser. Dans la chaleur du combat, Julien oublia enfin l'ameublement magnifique de la salle à manger, il en vint à exposer sur les poètes latins des idées que l'interlocuteur n'avait lues nulle part. En honnête homme il en fit honneur au jeune secrétaire. Par bonheur, on entama une discussion sur la question de savoir si Horace a été pauvre ou riche : un homme aimable, voluptueux et insouciant, faisant des vers pour s'amuser, comme Chapelle, l'ami de Molière et de La Fontaine; ou un pauvre diable de poète lauréat suivant la cour et faisant des odes pour le jour de naissance du roi, comme Southey [1], l'accusateur de lord Byron. On parla de l'état de la société sous Auguste et sous George IV; aux deux époques l'aristocratie était toute-puissante; mais à Rome, elle se voyait arracher le pouvoir par Mécène, qui n'était que simple chevalier; et en Angleterre elle avait réduit George IV à peu près à l'état d'un doge de Venise. Cette discussion sembla tirer le marquis de l'état de torpeur où l'ennui le plongeait au commencement du dîner.

Julien ne comprenait rien à tous les noms modernes, comme Southey, lord Byron, George IV, qu'il entendait prononcer pour la première fois. Mais il n'échappa à personne que toutes les fois qu'il était question de faits passés à Rome, et dont la connaissance pouvait se déduire des œuvres d'Horace, de Martial, de Tacite, etc., il avait une incontestable supériorité. Julien s'empara sans façon de plusieurs idées qu'il avait apprises de l'évêque de Besançon, dans la fameuse discussion qu'il avait eue avec ce prélat; ce ne furent pas les moins goûtées.

Lorsqu'on fut las de parler de poètes, la marquise, qui se faisait une loi d'admirer tout ce qui amusait son mari, daigna regarder Julien. Les manières gauches de ce jeune abbé cachent peut-être un homme instruit, dit à la marquise l'académicien qui se trouvait près d'elle; et Julien en entendit quelque chose. Les phrases toutes faites

---

1. Robert Southey (1774-1843), poète officiel de la cour de George IV, roi d'Angleterre, qui reprochait à Byron son « satanisme ».

convenaient assez à l'esprit de la maîtresse de la maison ; elle adopta celle-ci sur Julien, et se sut bon gré d'avoir engagé l'académicien à dîner. Il amuse M. de La Mole, pensait-elle.

CHAPITRES 3-8

Sous l'œil indulgent du marquis de La Mole, Julien s'initie au « monde » et perd peu à peu ce qui lui restait encore de sa gaucherie de provincial. L'hôtel de La Mole est un échantillon parfait de la société aristocratique de l'époque : « Pourvu qu'on ne plaisantât ni de Dieu, ni des prêtres, ni du roi, ni des gens en place, ni des artistes protégés par la cour, ni de tout ce qui est établi ; pourvu qu'on ne dît du bien ni de Béranger, ni des journaux de l'opposition, ni de Voltaire, ni de Rousseau, ni de tout ce qui se permet un peu de franc-parler ; pourvu surtout qu'on ne parlât jamais politique, on pouvait librement raisonner de tout. »

A la ressemblance de Mme de La Mole, dont la personnalité se réduit à une insignifiance distinguée, les hôtes habituels de la maison sont ternes et plats, quand ils ne sont pas hypocrites et flagorneurs. Julien observe « que le mot croisade *était le seul qui donnât à leur figure l'expression du sérieux profond mêlé de respect. » En tout cas, il ne fait pas mauvaise figure dans ce salon, et il n'aura manqué à son initiation mondaine ni une chute de cheval, ni un duel mi-comique, mi-sérieux, avec un certain chevalier de Beauvoisis. Il ne tarde pas à conquérir l'estime un peu condescendante et amusée, mais réelle, du marquis de La Mole, surpris de trouver tant de caractère et une originalité de bon aloi chez ce petit provincial déraciné. M. de La Mole lui permet même d'entrer dans son intimité : Julien porte d'habitude un habit noir ; un jour, le marquis de La Mole lui déclare : « Permettez mon cher Sorel, que je vous fasse cadeau d'un habit bleu : quand il vous conviendra de le prendre et de venir chez moi, vous serez, à mes yeux, le frère cadet du comte de Chaulnes, c'est-à-dire le fils de mon ami le vieux duc.*

» *Julien ne comprenait pas trop de quoi il s'agissait ; le soir même il essaya une visite en habit bleu. Le marquis le traita comme un égal.* »

Quant à Mathilde, fille du marquis de La Mole, elle a vite fait de remarquer Julien. Une phrase impertinente de Julien à propos de la marquise arrache à Mathilde cette exclamation admirative : « Celui-là n'est pas né à genoux. » Elle distingue Julien d'autant plus aisément que sont profondément médiocres les jeunes nobles, amis de son frère Norbert, qui la courtisent et qui l'ennuient. Cet ennui apparaît singulièrement au cours d'un bal donné par le duc de Retz, bal où Mathilde n'a d'yeux que pour le comte Altamira (un Espagnol à la fois libéral et dévôt, condamné à mort dans son pays) et pour Julien lui-même.

CHAPITRE 9

LE BAL

[...] Mais M. Sorel ne vient point, se dit-elle encore après qu'elle eut dansé. Elle le cherchait presque des yeux, lorsqu'elle l'aperçut dans un autre salon. Chose étonnante, il semblait avoir perdu ce ton de froideur impassible qui lui était si naturel ; il n'avait plus l'air anglais.

Il cause avec le comte Altamira, mon [1] condamné à mort ! se dit Mathilde. Son œil est plein d'un feu sombre ; il a l'air d'un prince déguisé ; son regard a redoublé d'orgueil.

Julien se rapprochait de la place où elle était, toujours causant avec Altamira ; elle le regardait fixement, étudiant ses traits pour y chercher ces hautes qualités qui peuvent valoir à un homme l'honneur d'être condamné à mort.

Comme il passait près d'elle :

— Oui, disait-il au comte Altamira, Danton était un homme !

---

1. Noter la valeur affective du possessif.

O ciel! serait-il un Danton, se dit Mathilde; mais il a une figure si noble, et ce Danton était si horriblement laid, un boucher, je crois. Julien était encore assez près d'elle, elle n'hésita pas à l'appeler; elle avait la conscience et l'orgueil de faire une question extraordinaire pour une jeune fille. 5

— Danton n'était-il pas un boucher? lui dit-elle.

— Oui, aux yeux de certaines personnes, lui répondit Julien avec l'expression du mépris le plus mal déguisé et l'œil encore enflammé de sa conversation avec Altamira, mais malheureusement pour les gens bien nés, il était 10 avocat à Méry-sur-Seine; c'est-à-dire, Mademoiselle, ajouta-t-il d'un air méchant, qu'il a commencé comme plusieurs pairs que je vois ici. Il est vrai que Danton avait un désavantage énorme aux yeux de la beauté, il était fort laid. 15

Ces derniers mots furent dits rapidement, d'un air extraordinaire et assurément fort peu poli.

Julien attendit un instant, le haut du corps légèrement penché et avec un air orgueilleusement humble. Il semblait dire : Je suis payé pour vous répondre, et je vis de ma 20 paye. Il ne daignait pas lever l'œil sur Mathilde. Elle, avec ses beaux yeux ouverts extraordinairement et fixés sur lui, avait l'air de son esclave. Enfin, comme le silence continuait, il la regarda ainsi qu'un valet regarde son maître, afin de prendre des ordres. Quoique ses yeux rencon- 25 trassent en plein ceux de Mathilde, toujours fixés sur lui avec un regard étrange, il s'éloigna avec un empressement marqué.

Lui, qui est réellement si beau, se dit enfin Mathilde sortant de sa rêverie, faire un tel éloge de la laideur! Jamais 30 de retour sur lui-même! Il n'est pas comme Caylus ou Croisenois[1]. Ce Sorel a quelque chose de l'air que mon père prend quand il fait si bien Napoléon au bal. Elle avait tout à fait oublié Danton. Décidément, ce soir, je m'ennuie. Elle saisit le bras de son frère, et, à son grand chagrin, le 35 força de faire un tour dans le bal. L'idée lui vint de suivre la conversation du condamné à mort avec Julien.

La foule était énorme. Elle parvint cependant à les rejoindre au moment où, à deux pas devant elle, Altamira

---

1. Jeunes nobles, familiers du salon de La Mole et prétendants de Mathilde.

s'approchait d'un plateau pour prendre une glace. Il parlait
à Julien, le corps à demi tourné. Il vit un bras d'habit brodé
qui prenait une glace à côté de la sienne. La broderie sembla
exciter son attention; il se retourna tout à fait pour voir le
personnage à qui appartenait ce bras. A l'instant, ces yeux   5
si nobles et si naïfs prirent une légère expression de dédain.

— Vous voyez cet homme, dit-il assez bas à Julien;
c'est le prince d'Araceli, ambassadeur de ***. Ce matin
il a demandé mon extradition à votre ministre des affaires
étrangères de France, M. de Nerval. Tenez, le voilà là-bas,   10
qui joue au wisth [1]. M. de Nerval est assez disposé à me
livrer, car nous vous avons donné deux ou trois conspirateurs en 1816. Si l'on me rend à mon roi, je suis pendu
dans les vingt-quatre heures. Et ce sera quelqu'un de ces
jolis messieurs à moustaches qui *m'empoignera*.   15

— Les infâmes! s'écria Julien à demi-haut.

Mathilde ne perdait pas une syllabe de leur conversation. L'ennui avait disparu.

— Pas si infâmes, reprit le comte Altamira. Je vous ai
parlé de moi pour vous frapper d'une image vive. Regardez   20
le prince d'Araceli; toutes les cinq minutes, il jette les yeux
sur sa Toison d'or; il ne revient pas du plaisir de voir ce
colifichet sur sa poitrine [2]. Ce pauvre homme n'est au fond

---

● **Un conspirateur et un secrétaire**

① Julien ne connaissait pas auparavant le comte Altamira : pourquoi lie-t-il si rapidement et si facilement connaissance avec lui?
Quels sentiments éprouve-t-il à son égard? Pourquoi Altamira
fait-il des confidences à Julien?

② Quels sentiments éprouve Mathilde à voir Julien causer avec
Altamira? *Mlle de La Mole est séduite parce qu'elle se figure
que Julien est un homme de génie, un nouveau Danton* (Stendhal).
Pourquoi objecte-t-elle alors (p. 148, l. 6) que Danton était un
boucher?

③ Préciser ce qu'il entre de froideur et d'insolence dans l'attitude
de Julien envers Mathilde et comment l'une et l'autre sont tra-
duites. Ne pourrait-on pas dire que Julien a une façon impertinente
d'être respectueux?

---

1. Plus communément, *whist :* jeu de cartes alors à la mode. — 2. Aux yeux de Mathilde,
au contraire, une condamnation à mort pour conspiration, comme c'est le cas d'Altamira,
est, selon sa propre boutade, la seule chose « qui distingue un homme, la seule chose qui
ne s'achète pas ».

qu'un anachronisme. Il y a cent ans la Toison était un honneur insigne, mais alors elle eût passé bien au-dessus de sa tête. Aujourd'hui, parmi les gens bien nés, il faut être un Araceli pour en être enchanté. Il eût fait pendre toute une ville pour l'obtenir.

— Est-ce à ce prix qu'il l'a eue? dit Julien avec anxiété.

— Non pas précisément, répondit Altamira froidement; il a peut-être fait jeter à la rivière une trentaine de riches propriétaires de son pays, qui passaient pour libéraux.

— Quel monstre! dit encore Julien.

M\ⁱˡᵉ de La Mole, penchant la tête avec le plus vif intérêt, était si près de lui, que ses beaux cheveux touchaient presque son épaule.

— Vous êtes bien jeune! répondait Altamira. Je vous disais que j'ai une sœur mariée en Provence; elle est encore jolie, bonne, douce; c'est une excellente mère de famille, fidèle à tous ses devoirs, pieuse et non dévote.

Où veut-il en venir? pensait M\ⁱˡᵉ de La Mole.

— Elle est heureuse, continua le comte Altamira; elle l'était en 1815. Alors j'étais caché chez elle, dans sa terre près d'Antibes; eh bien, au moment où elle apprit l'exécution du maréchal Ney, elle se mit à danser!

— Est-il possible? dit Julien atterré.

— C'est l'esprit de parti, reprit Altamira. Il n'y a plus de passions véritables au xixᵉ siècle : c'est pour cela que l'on s'ennuie tant en France. On fait les plus grandes cruautés, mais sans cruauté.

— Tant pis! dit Julien; du moins, quand on fait des crimes, faut-il les faire avec plaisir : ils n'ont que cela de bon, et l'on ne peut même les justifier un peu que par cette raison.

M\ⁱˡᵉ de La Mole, oubliant tout à fait ce qu'elle se devait à elle-même, s'était placée presque entièrement entre Altamira et Julien. Son frère, qui lui donnait le bras, accoutumé à lui obéir, regardait ailleurs dans la salle, et, pour se donner une contenance, avait l'air d'être arrêté par la foule.

— Vous avez raison, disait Altamira; on fait tout sans plaisir et sans s'en souvenir, même les crimes. Je puis vous montrer dans ce bal dix hommes peut-être qui seront damnés comme assassins. Ils l'ont oublié, et le monde aussi.

Plusieurs sont émus jusqu'aux larmes si leur chien se casse la patte. Au Père-Lachaise, quand on jette des fleurs sur leur tombe, comme vous dites si plaisamment à Paris, on nous apprend qu'ils réunissaient toutes les vertus des preux chevaliers, et l'on parle des grandes actions de leur bisaïeul qui vivait sous Henri IV. Si, malgré les bons offices du prince d'Araceli, je ne suis pas pendu, et que je jouisse jamais de ma fortune à Paris, je veux vous faire dîner avec huit ou dix assassins honorés et sans remords.

Vous et moi, à ce dîner, nous serons les seuls purs de sang, mais je serai méprisé et presque haï, comme un monstre sanguinaire et jacobin, et vous méprisé simplement comme homme du peuple intrus dans la bonne compagnie.

— Rien de plus vrai, dit Mlle de La Mole.

Altamira la regarda, étonné; Julien ne daigna pas la regarder.

Le bal continue sans que Mathilde puisse éveiller l'intérêt de Julien, fasciné par la figure d'Altamira. Elle en conçoit un vif dépit que Stendhal exprime de façon frappante : « Elle avait été méprisée par Julien et ne pouvait le mépriser. »

● **Chapitre 9 : étude d'ensemble** — Il s'agit en somme de la première véritable confrontation entre Julien et Mathilde.

L'orgueil de Julien se conduit si bien que Mlle de La Mole se pique tout de bon et ici il faut lire les détails dans le livre même, il faut y chercher des nuances imperceptibles en apparence, mais décisives pour la vanité d'une jeune fille de Paris (Stendhal). N'avons-nous pas là une page pleine de détails révélateurs et n'assistons-nous pas à la genèse de ce mécanisme psychologique?

① Alors qu'un drame se noue, Stendhal a voulu lui donner le décor d'un bal. Préciser le contraste entre ce décor et la conversation entre Altamira et Julien. Quel est l'intérêt de cette présentation?

② Les deux hommes ont une auditrice : Mathilde. Pour quelles raisons suit-elle avidement cette conversation? Ne pourrait-on pas dire qu'elle est comme fascinée et aimantée? Pourquoi?

③ L'art de Stendhal. Relever les détails qui peignent la médiocrité, l'hypocrisie, voire le crime des milieux aristocratiques. Comment les silhouettes d'Altamira et de Julien se détachent-elles de ce décor? Altamira est naturel. Julien, de son côté, n'a-t-il pas ici un mouvement d'abandon? A quoi le remarque-t-on?

CHAPITRE 10

LA REINE MARGUERITE [1]

[...] En arrivant dans la salle à manger, Julien fut distrait de son humeur par le grand deuil de Mlle de La Mole, qui le frappa d'autant plus qu'aucune autre personne de la famille n'était en noir.

Après dîner, il se trouva tout à fait débarrassé de l'accès   5 d'enthousiasme qui l'avait obsédé toute la journée. Par bonheur, l'académicien qui savait le latin était de ce dîner. Voilà l'homme qui se moquera le moins de moi, se dit Julien, si, comme je le présume, ma question sur le deuil de Mlle de La Mole est une gaucherie.   10

Mathilde le regardait avec une expression singulière. Voilà bien la coquetterie des femmes de ce pays telle que Mme de Rênal me l'avait peinte, se dit Julien. Je n'ai pas été aimable pour elle ce matin, je n'ai pas cédé à la fantaisie qu'elle avait de causer. J'en augmente de prix à ses yeux.   15 Sans doute le diable n'y perd rien. Plus tard, sa hauteur dédaigneuse saura bien se venger. Je la mets à pis faire. Quelle différence avec ce que j'ai perdu! quel naturel charmant! quelle naïveté! Je savais ses pensées avant elle; je les voyais naître; je n'avais pour antagoniste, dans son   20 cœur, que la peur de la mort de ses enfants; c'était une affection raisonnable et naturelle, aimable même pour moi qui en souffrais. J'ai été un sot. Les idées que je me faisais de Paris m'ont empêché d'apprécier cette femme sublime.

Quelle différence, grand Dieu! Et qu'est-ce que je trouve   25 ici? de la vanité sèche et hautaine, toutes les nuances de l'amour-propre et rien de plus.

On se levait de table. Ne laissons pas engager mon académicien, se dit Julien. Il s'approcha de lui comme on passait au jardin, prit un air doux et soumis, et partagea   30 sa fureur contre le succès d'*Hernani*.

---

1. La reine Marguerite de Navarre, épouse du futur Henri IV, avait été la maîtresse de Boniface de La Mole.

— Si nous étions encore au temps des lettres de cachet!... dit-il.

— Alors, il n'eût pas osé, s'écria l'académicien avec un geste à la Talma [1].

A propos d'une fleur, Julien cita quelques mots des *Géorgiques* de Virgile, et trouva que rien n'était égal aux vers de l'abbé Delille [2]. En un mot, il flatta l'académicien de toutes les façons. Après quoi, de l'air le plus indifférent :

— Je suppose, lui dit-il, que Mlle de La Mole a hérité de quelque oncle dont elle porte le deuil.

— Quoi! vous êtes de la maison, dit l'académicien en s'arrêtant tout court, et vous ne savez pas sa folie? Au fait, il est étrange que sa mère lui permette de telles choses; mais, entre nous, ce n'est pas précisément par la force du caractère qu'on brille dans cette maison. Mlle Mathilde en a pour eux tous, et les mène. C'est aujourd'hui le 30 avril! et l'académicien s'arrêta en regardant Julien d'un air fin. Julien sourit de l'air le plus spirituel qu'il put.

Quel rapport peut-il y avoir entre mener toute une maison, porter une robe noire et le 30 avril? se disait-il. Il faut que je sois encore plus gauche que je ne le pensais.

— Je vous avouerai..., dit-il à l'académicien, et son œil continuait à interroger.

● **Le deuil de Mathilde :** *Je suppose, lui dit-il...* (p. 153, l. 9).

① Ce détail est révélateur d'un aspect important du caractère de Mathilde. Montrer que Stendhal le présente de façon particulièrement vivante. En quoi cette « folie » de Mathilde, qui a pour but d'honorer un de ses ancêtres, la distingue-t-elle pourtant du reste de sa famille? Préciser les raisons pour lesquelles la Renaissance est l'époque de prédilection de Mathilde.

② Qu'y a-t-il d'un peu comique chez l'académicien? En quoi ce vieillard se montre-t-il puéril? Que pense-t-il, au fond, de Mathilde?

③ Préciser l'évolution des sentiments de Julien, *étonné* au début (p. 154, l. 5), et *touché* à la fin de l'entretien (p. 154, l. 38). Julien était encore tout à fait indifférent à Mathilde : ce que lui dit l'académicien ne pourra-t-il pas contribuer à l'intéresser à Mathilde?

---

1. Célèbre tragédien du Premier Empire. — 2. Poète au style assez fade, de la fin du XVIIIe siècle, bien fait pour plaire à un académicien anti-romantique.

— Faisons un tour de jardin, dit l'académicien, entre-voyant avec ravissement l'occasion de faire une longue narration élégante. Quoi! est-il possible que vous ne sachiez pas ce qui s'est passé le 30 avril 1574?

— Et où? dit Julien étonné.   5

— En place de Grève.

Julien était si étonné, que ce mot ne le mit pas au fait. La curiosité, l'attente d'un intérêt tragique, si en rapport avec son caractère, lui donnaient ces yeux brillants qu'un narrateur aime tant à voir chez la personne qui l'écoute.   10 L'académicien, ravi de trouver une oreille vierge, raconta longuement à Julien comme quoi, le 30 avril 1574, le plus joli garçon de son siècle, Boniface de La Mole, et Annibal de Coconasso, gentilhomme piémontais, son ami, avaient eu la tête tranchée en place de Grève. La Mole était l'amant 15 adoré de la reine Marguerite de Navarre; et remarquez, ajouta l'académicien, que Mlle de La Mole s'appelle *Mathilde-Marguerite*. La Mole était en même temps le favori du duc d'Alençon et l'intime ami du roi de Navarre, depuis Henri IV, mari de sa maîtresse. Le jour du mardi gras de   20 cette année 1574, la cour se trouvait à Saint-Germain avec le pauvre roi Charles IX, qui s'en allait mourant. La Mole voulut enlever les princes ses amis, que la reine Catherine de Médicis retenait comme prisonniers à la cour. Il fit avancer deux cents chevaux sous les murs de Saint-Germain, 25 le duc d'Alençon eut peur, et La Mole fut jeté au bourreau.

Mais ce qui touche Mlle Mathilde, ce qu'elle m'a avoué elle-même, il y a sept ou huit ans, quand elle en avait douze, car c'est une tête, une tête!... Et l'académicien leva les   30 yeux au ciel. Ce qui l'a frappée dans cette catastrophe politique, c'est que la reine Marguerite de Navarre, cachée dans une maison de la place de Grève, osa faire demander au bourreau la tête de son amant. Et la nuit suivante, à minuit, elle prit cette tête dans sa voiture, et alla l'enterrer 35 elle-même dans une chapelle située au pied de la colline de Montmartre [1].

— Est-il possible? s'écria Julien touché [2].

_____

1. Voir la dernière page du roman (p. 236, l. 1-35). — 2. Cette notation est importante. Alors que l'académicien trouve toute cette histoire ridicule, son extravagance même donne du relief à Mathilde aux yeux de Julien.

— Mlle Mathilde méprise son frère, parce que, comme vous le voyez, il ne songe nullement à toute cette histoire ancienne, et ne prend point le deuil le 30 avril. C'est depuis ce fameux supplice, et pour rappeler l'amitié intime de La Mole pour Coconasso, lequel Coconasso, comme un Italien qu'il était, s'appelait Annibal, que tous les hommes de cette famille portent ce nom. Et, ajouta l'académicien en baissant la voix, ce Coconasso fut, au dire de Charles IX lui-même, l'un des plus cruels assassins du 24 août 1572 [1]... Mais comment est-il possible, mon cher Sorel, que vous ignoriez ces choses, vous, commensal de cette maison?

— Voilà donc pourquoi, deux fois à dîner, Mlle de La Mole a appelé son frère Annibal. Je croyais avoir mal entendu.

— C'était un reproche. Il est étrange que la marquise souffre de telles folies... Le mari de cette grande fille en verra de belles!

Ce mot fut suivi de cinq ou six phrases satiriques. La joie et l'intimité qui brillaient dans les yeux de l'académicien choquèrent Julien. Nous voici deux domestiques occupés à médire de leurs maîtres, pensa-t-il. Mais rien ne doit m'étonner de la part de cet homme d'académie.

Un jour, Julien l'avait surpris aux genoux de la marquise de La Mole; il lui demandait une recette de tabac pour un neveu de province. Le soir, une petite femme de chambre de Mlle de La Mole, qui faisait la cour à Julien, comme jadis Élisa, lui donna cette idée que le deuil de sa maîtresse n'était point pris pour attirer les regards. Cette bizarrerie tenait au fond de son caractère. Elle aimait réellement ce La Mole, amant aimé de la reine la plus spirituelle de son siècle, et qui mourut pour avoir voulu rendre la liberté à ses amis. Et quels amis! le premier prince du sang et Henri IV.

Accoutumé au naturel parfait qui brillait dans toute la conduite de Mme de Rênal, Julien ne voyait qu'affectation dans toutes les femmes de Paris; et pour peu qu'il fût disposé à la tristesse, ne trouvait rien à leur dire. Mlle de La Mole fit exception.

Il commençait à ne plus prendre pour de la sécheresse de cœur le genre de beauté qui tient à la noblesse du main-

---

1. Date de la Saint-Barthélemy.

tien. Il eut de longues conversations avec Mlle de La Mole,
qui, quelquefois après dîner, se promenait avec lui dans
le jardin, le long des fenêtres ouvertes du salon. Elle lui dit
un jour qu'elle lisait l'histoire de d'Aubigné, et Brantôme.
Singulière lecture, pensa Julien ; et la marquise ne lui permet   5
pas de lire les romans de Walter Scott !

Un jour elle lui raconta, avec ces yeux brillants de plaisir,
qui prouvent la sincérité de l'admiration, ce trait d'une
jeune femme du règne de Henri III, qu'elle venait de lire
dans les *Mémoires* de l'Étoile [1] : trouvant son mari infidèle,   10
elle le poignarda.

L'amour-propre de Julien était flatté. Une personne
environnée de tant de respects, et qui, au dire de l'académicien, menait toute la maison, daignait lui parler d'un air
qui pouvait presque ressembler à de l'amitié.   15

Je m'étais trompé, pensa bientôt Julien ; ce n'est pas de
la familiarité, je ne suis qu'un confident de tragédie, c'est
le besoin de parler. Je passe pour savant dans cette famille.
Je m'en vais lire Brantôme, d'Aubigné, l'Étoile. Je pourrai
contester quelques-unes des anecdotes dont me parle   20
Mlle de La Mole. Je veux sortir de ce rôle de confident
passif.

Peu à peu ses conversations avec cette jeune fille, d'un
maintien si imposant et en même temps si aisé, devinrent
plus intéressantes. Il oubliait son triste rôle de plébéien   25
révolté. Il la trouvait savante, et même raisonnable. Ses
opinions dans le jardin étaient bien différentes de celles
qu'elle avouait au salon. Quelquefois elle avait avec lui un
enthousiasme et une franchise qui formaient un contraste
parfait avec sa manière d'être ordinaire, si altière et si   30
froide.

Les guerres de la Ligue sont les temps héroïques de la
France, lui disait-elle un jour, avec des yeux étincelants
de génie et d'enthousiasme. Alors chacun se battait pour
obtenir une certaine chose qu'il désirait, pour faire triom-   35
pher son parti, et non pas pour gagner platement une croix
comme du temps de votre empereur. Convenez qu'il y
avait moins d'égoïsme et de petitesse. J'aime ce siècle.

— Et Boniface de La Mole en fut le héros, lui dit-il.

_____

1. Mémorialiste de la fin du XVIe siècle ; cette époque, qui est aussi celle de d'Aubigné et
de Brantôme, doit à son individualisme et à la violence de ses passions politiques et religieuses d'être l'époque favorite de Mathilde.

— Du moins, il fut aimé comme peut-être il est doux de l'être. Quelle femme actuellement vivante n'aurait horreur de toucher à la tête de son amant décapité?

Mme de La Mole appela sa fille. L'hypocrisie, pour être utile, doit se cacher; et Julien, comme on voit, avait fait à Mlle de La Mole une demi-confidence sur son admiration pour Napoléon.

Voilà l'immense avantage qu'ils ont sur nous, se dit Julien, resté seul au jardin. L'histoire de leurs aïeux les élève au-dessus des sentiments vulgaires, et ils n'ont pas toujours à songer à leur subsistance! Quelle misère! ajoutait-il avec amertume, je suis indigne de raisonner sur ces grands intérêts. Ma vie n'est qu'une suite d'hypocrisies, parce que je n'ai pas mille francs de rente pour acheter du pain.

— A quoi rêvez-vous là, Monsieur? lui dit Mathilde, qui revenait en courant.

Julien était las de se mépriser. Par orgueil, il dit franchement sa pensée. Il rougit beaucoup en parlant de sa pauvreté à une personne aussi riche. Il chercha à bien exprimer par son ton fier qu'il ne demandait rien. Jamais il n'avait semblé aussi joli à Mathilde; elle lui trouva une expression de sensibilité et de franchise qui souvent lui manquait.

A moins d'un mois de là, Julien se promenait pensif dans le jardin de l'hôtel de La Mole; mais sa figure n'avait plus la dureté et la roguerie philosophique qu'y imprimait le sentiment continu de son infériorité. Il venait de reconduire jusqu'à la porte du salon Mlle de La Mole, qui prétendait s'être fait mal au pied en courant avec son frère.

Elle s'est appuyée sur mon bras d'une façon bien singulière! se disait Julien. Suis-je un fat, ou serait-il vrai qu'elle a du goût pour moi? Elle m'écoute d'un air si doux, même quand je lui avoue toutes les souffrances de mon orgueil! Elle qui a tant de fierté avec tout le monde! On serait bien étonné au salon si on lui voyait cette physionomie. Très certainement cet air doux et bon, elle ne l'a avec personne.

Julien cherchait à ne pas s'exagérer cette singulière amitié. Il la comparait lui-même à un commerce armé. Chaque jour en se retrouvant, avant de reprendre le ton

presque intime de la veille, on se demandait presque :
Serons-nous aujourd'hui amis ou ennemis? Julien avait
compris que se laisser offenser impunément une seule fois
par cette fille si hautaine, c'était tout perdre. Si je dois me
brouiller, ne vaut-il pas mieux que ce soit de prime abord,   5
en défendant les justes droits de mon orgueil, qu'en repoussant les marques de mépris dont serait bientôt suivi le
moindre abandon de ce que je dois à ma dignité person-
nelle?

Plusieurs fois, en des jours de mauvaise humeur, Mathilde   10
essaya de prendre avec lui le ton d'une grande dame; elle
mettait une rare finesse à ces tentatives, mais Julien les
repoussait rudement.

Un jour il l'interrompit brusquement : Mademoiselle de
La Mole a-t-elle quelque ordre à donner au secrétaire de   15
son père? lui dit-il; il doit écouter ses ordres, et les exécuter avec respect; mais du reste, il n'a pas un mot à
lui adresser. Il n'est point payé pour lui communiquer ses
pensées.

Cette manière d'être et les singuliers doutes qu'avait   20
Julien, firent disparaître l'ennui qu'il trouvait réguliè-
rement dans ce salon si magnifique, mais où l'on avait
peur de tout, et où il n'était convenable de plaisanter de
rien.

Il serait plaisant qu'elle m'aimât. Qu'elle m'aime ou non,   25
continuait Julien, j'ai pour confidente intime une fille
d'esprit, devant laquelle je vois trembler toute la maison,
et, plus que tous les autres, le marquis de Croisenois. Ce
jeune homme si poli, si doux, si brave, et qui réunit tous les
avantages de naissance et de fortune dont un seul me   30
mettrait le cœur si à l'aise! Il en est amoureux fou, il
doit l'épouser. Que de lettres M. de La Mole m'a fait écrire
aux deux notaires pour arranger le contrat! Et moi qui me
vois si subalterne la plume à la main, deux heures après,
ici dans le jardin, je triomphe de ce jeune homme si aimable :   35
car enfin, les préférences sont frappantes, directes. Peut-être
aussi elle hait en lui un mari futur. Elle a assez de hauteur
pour cela. Et les bontés qu'elle a pour moi, je les obtiens
à titre de confident subalterne.

Mais non, ou je suis fou, ou elle me fait la cour; plus je   40
me montre froid et respectueux avec elle, plus elle me
recherche. Ceci pourrait être un parti pris, une affectation;

mais je vois ses yeux s'animer quand je parais à l'improviste.
Les femmes de Paris savent-elles feindre à ce point? Que
m'importe! j'ai l'apparence pour moi, jouissons des apparences. Mon Dieu, qu'elle est belle! Que ses grands yeux
bleus me plaisent, vus de près, et me regardant comme ils   5
le font souvent! Quelle différence de ce printemps-ci à
celui de l'année passée, quand je vivais malheureux et me
soutenant à force de caractère, au milieu de ces trois cents
hypocrites méchants et sales! J'étais presque aussi méchant
qu'eux.   10

Dans les jours de méfiance : Cette jeune fille se moque de
moi, pensait Julien. Elle est d'accord avec son frère pour
me mystifier. Mais elle a l'air de tellement mépriser le
manque d'énergie de ce frère! Il est brave, et puis c'est
tout, me dit-elle. Il n'a pas une pensée qui ose s'écarter   15
de la mode. C'est toujours moi qui suis obligé de prendre
sa défense. Une jeune fille de dix-neuf ans! A cet âge
peut-on être fidèle à chaque instant de la journée à l'hypocrisie qu'on s'est prescrite?

D'un autre côté, quand Mlle de La Mole fixe sur moi ses   20
grands yeux bleus avec une certaine expression singulière,
toujours le comte Norbert s'éloigne. Ceci m'est suspect;
ne devrait-il pas s'indigner de ce que sa sœur distingue un
domestique de leur maison? car j'ai entendu le duc de
Chaulnes parler ainsi de moi. A ce souvenir la colère   25
remplaçait tout autre sentiment. Est-ce amour du vieux
langage chez ce duc maniaque?

Eh bien, elle est jolie! continuait Julien avec des regards
de tigre. Je l'aurai, je m'en irai ensuite, et malheur à qui
me troublera dans ma fuite!   30

● **Les incertitudes de Julien :** *Il serait plaisant... M'aime-t-elle?*
(p. 158, l. 25-160, l. 7). Julien, que Mathilde intéresse, ne peut
bientôt plus douter qu'il l'intéresse à son tour. Pour lui, l'affaire
est d'importance; c'est pourquoi il y pense continuellement.

① Quelle idée Julien se fait-il de Mathilde? Interprète-t-il comme il
convient ses gestes, ses attitudes, ses paroles?

② Quels sont, pour Mathilde, les sentiments de Julien? Lui est-il
indifférent d'être aimé par elle? Que prouve le fait que Julien soit
capable d'analyser sa situation avec tant de lucidité?

③ On pourrait voir, dans ce passage, un véritable « monologue intérieur ». Quel est l'intérêt de cette présentation?

Cette idée devint l'unique affaire de Julien; il ne pouvait plus penser à rien autre chose. Ses journées passaient comme des heures.

A chaque instant, cherchant à s'occuper de quelque affaire sérieuse, sa pensée abandonnait tout, et il se réveillait un quart d'heure après, le cœur palpitant, la tête troublée, et rêvant à cette idée : M'aime-t-elle?

CHAPITRE 11

L'EMPIRE D'UNE JEUNE FILLE

Si Julien eût employé à examiner ce qui se passait dans le salon le temps qu'il mettait à s'exagérer la beauté de Mathilde, ou à se passionner contre la hauteur naturelle à sa famille, qu'elle oubliait pour lui, il eût compris en quoi consistait son empire sur tout ce qui l'entourait. Dès qu'on déplaisait à Mlle de La Mole, elle savait punir par une plaisanterie si mesurée, si bien choisie, si convenable en apparence, lancée si à propos, que la blessure croissait à chaque instant, plus on y réfléchissait. Peu à peu elle devenait atroce pour l'amour-propre offensé. Comme elle n'attachait aucun prix à bien des choses qui étaient des objets de désirs sérieux pour le reste de sa famille, elle paraissait toujours de sang-froid à leurs yeux. Les salons de l'aristocratie sont agréables à citer quand on en sort, mais voilà tout; la politesse toute seule n'est quelque chose par elle-même que les premiers jours. Julien l'éprouvait; après le premier enchantement, le premier étonnement. La politesse, se disait-il, n'est que l'absence de la colère que donneraient les mauvaises manières. Mathilde s'ennuyait souvent, peut-être se fût-elle ennuyée partout. Alors aiguiser une épigramme était pour elle une distraction et un vrai plaisir.

C'était peut-être pour avoir des victimes un peu plus amusantes que ses grands parents, que l'académicien et les cinq ou six autres subalternes qui leur faisaient la cour, qu'elle avait donné des espérances au marquis de Croisenois, au comte de Caylus et deux ou trois autres jeunes gens de la première distinction. Ils n'étaient pour elle que de nouveaux objets d'épigramme.

Nous avouerons avec peine, car nous aimons Mathilde, qu'elle avait reçu des lettres de plusieurs d'entre eux, et leur avait quelquefois répondu. Nous nous hâtons d'ajouter que ce personnage fait exception aux mœurs du siècle. Ce n'est pas en général le manque de prudence que l'on peut reprocher aux élèves du noble couvent du Sacré-Cœur.

Un jour le marquis de Croisenois rendit à Mathilde une lettre assez compromettante qu'elle lui avait écrite la veille. Il croyait par cette marque de haute prudence avancer beaucoup ses affaires. Mais c'était l'imprudence que Mathilde aimait dans ses correspondances. Son plaisir était de jouer son sort. Elle ne lui adressa pas la parole de six semaines.

Elle s'amusait des lettres de ces jeunes gens; mais suivant elle, toutes se ressemblaient. C'était toujours la passion la plus profonde, la plus mélancolique.

— Ils sont tous le même homme parfait, prêt à partir pour la Palestine, disait-elle à sa cousine. Connaissez-vous quelque chose de plus insipide? Voilà donc les lettres que je vais recevoir toute la vie! Ces lettres-là ne doivent changer que tous les vingt ans, suivant le genre d'occupation qui est à la mode. Elles devaient être moins décolorées du temps de l'Empire. Alors tous ces jeunes gens du grand monde avaient vu ou fait des actions qui *réellement* avaient de la grandeur. Le duc de N***, mon oncle, a été à Wagram.

— Quel esprit faut-il pour donner un coup de sabre? Et quand cela leur est arrivé, ils en parlent si souvent! dit Mlle de Sainte-Hérédité, la cousine de Mathilde.

— Eh bien! ces récits me font plaisir. Être dans une *véritable* bataille, une bataille de Napoléon, où l'on tuait dix mille soldats, cela prouve du courage. S'exposer au danger élève l'âme et la sauve de l'ennui où mes pauvres adorateurs semblent plongés; et il est contagieux, cet ennui. Lequel d'entre eux a l'idée de faire quelque chose d'extraordinaire? Ils cherchent à obtenir ma main, la belle affaire! Je suis riche, et mon père avancera son gendre. Ah! pût-il en trouver un qui fût un peu amusant!

La manière de voir vive, nette, pittoresque de Mathilde, gâtait son langage comme on voit. Souvent un mot d'elle faisait tache aux yeux de ses amis si polis. Ils se seraient

presque avoué, si elle eût été moins à la mode, que son
parler avait quelque chose d'un peu coloré pour la délicatesse féminine.

Elle, de son côté, était bien injuste envers les jolis cava-
liers qui peuplent le bois de Boulogne. Elle voyait l'avenir   5
non pas avec terreur, c'eût été un sentiment vif, mais avec
un dégoût bien rare à son âge.

Que pouvait-elle désirer? La fortune, la haute naissance,
l'esprit, la beauté à ce qu'on disait, et à ce qu'elle croyait,
tout avait été accumulé sur elle par les mains du hasard.   10

Voilà quelles étaient les pensées de l'héritière la plus
enviée du faubourg Saint-Germain, quand elle commença
à trouver du plaisir à se promener avec Julien. Elle fut
étonnée de son orgueil; elle admira l'adresse de ce petit
bourgeois. Il saura se faire évêque comme l'abbé Maury,[1]   15
se dit-elle.

Bientôt cette résistance sincère et non jouée, avec laquelle
notre héros accueillait plusieurs de ses idées, l'occupa;
elle y pensait; elle racontait à son amie les moindres détails
des conversations, et trouvait que jamais elle ne parvenait   20
à en bien rendre toute la physionomie.

Une idée l'illumina tout à coup : J'ai le bonheur d'aimer,
se dit-elle un jour, avec un transport de joie incroyable.
J'aime, j'aime, c'est clair! A mon âge, une fille jeune,
belle, spirituelle, où peut-elle trouver des sensations, si   25
ce n'est dans l'amour? J'ai beau faire, je n'aurai jamais
d'amour pour Croisenois, Caylus, et *tutti quanti*. Ils sont
parfaits, trop parfaits peut-être; enfin, ils m'ennuient.

Elle repassa dans sa tête toutes les descriptions de passion
qu'elle avait lues dans *Manon Lescaut*, la *Nouvelle Héloïse*,   30
les *Lettres d'une Religieuse portugaise*, etc., etc. Il n'était
question, bien entendu, que de la grande passion; l'amour
léger était indigne d'une fille de son âge et de sa naissance.
Elle ne donnait le nom d'amour qu'à ce sentiment héroïque
que l'on rencontrait en France du temps de Henri III et   35
de Bassompierre.[2] Cet amour-là ne cédait point bassement
aux obstacles; mais, bien loin de là, faisait faire de grandes
choses. Quel malheur pour moi qu'il n'y ait pas une cour

---

1. Représentant du clergé à l'Assemblée Constituante, il dut son élévation dans la
hiérarchie ecclésiastique à ses opinions révolutionnaires. — 2. Maréchal de France, révolté
contre Richelieu, qui le fit enfermer à la Bastille.

véritable comme celle de Catherine de Médicis ou de
Louis XIII ! Je me sens au niveau de tout ce qu'il y a de
plus hardi et de plus grand. Que ne ferais-je pas d'un roi
homme de cœur, comme Louis XIII, soupirant à mes pieds !
Je le mènerais en Vendée, comme dit si souvent le baron   5
de Tolly, et de là il reconquerrait son royaume; alors plus
de charte... et Julien me seconderait. Que lui manque-t-il?
un nom et de la fortune. Il se ferait un nom, il acquerrait
de la fortune.

Rien ne manque à Croisenois, et il ne sera toute sa vie   10
qu'un duc à demi-ultra, à demi-libéral, un être indécis,
toujours éloigné des extrêmes, et *par conséquent se trouvant
le second partout.*

Quelle est la grande action qui ne soit pas *un extrême*
au moment où on l'entreprend? C'est quand elle est accom-   15
plie qu'elle semble possible aux êtres du commun. Oui,
c'est l'amour avec tous ses miracles qui va régner dans
mon cœur; je le sens au feu qui m'anime. Le ciel me devait
cette faveur. Il n'aura pas en vain accumulé sur un seul
être tous les avantages. Mon bonheur sera digne de moi.   20
Chacune de mes journées ne ressemblera pas froidement à
celle de la veille. Il y a déjà de la grandeur et de l'audace
à oser aimer un homme placé si loin de moi par sa position
sociale. Voyons : continuera-t-il à me mériter? A la première faiblesse que je vois en lui, je l'abandonne. Une   25

● **Mathilde entre l'ennui et l'amour :** *Elle, de son côté...* (p. 162, l. 4).

*Cinq ou six jeunes gens du noble faubourg papillotent autour
d'elle. Tous ont des manières charmantes, mais chez tous il y a disette
d'idées et encore plus de sentiments. Ces jeunes gens parfaitement
généreux se croiraient perdus s'ils n'étaient pas tous la copie exacte
les uns des autres. Les plébéiens ont plus d'idées et moins d'élégance
dans les manières* (Stendhal).

① D'où vient l'ennui de Mathilde? Préciser son genre de vie, son
entourage, ses relations, son avenir. Le fait d'en prendre conscience
est-il de nature à diminuer cet ennui?

② Étudier avec soin la genèse de l'amour chez Mathilde. Stendhal
écrit (p. 162, l. 22) qu'*une idée l'illumina tout à coup.* Cette expression n'est-elle pas significative? Qu'y a-t-il de puéril et d'émou-
vant dans les références littéraires ou historiques? L'attitude de
Mathilde, dans cette page, est-elle conforme à ce que nous connais-
sions de son caractère?

fille de ma naissance, et avec le caractère chevaleresque que l'on veut bien m'accorder (c'était un mot de son père), ne doit pas se conduire comme une sotte.

N'est-ce pas là le rôle que je jouerais si j'aimais le marquis de Croisenois? J'aurais une nouvelle édition du bonheur de mes cousines, que je méprise si complètement. Je sais d'avance tout ce que me dirait le pauvre marquis, tout ce que j'aurais à lui répondre. Qu'est-ce qu'un amour qui fait bâiller? autant vaudrait être dévote. J'aurais une signature de contrat comme celle de la cadette de mes cousines, où les grands-parents s'attendriraient, si pourtant ils n'avaient pas d'humeur à cause d'une dernière condition introduite la veille dans le contrat par le notaire de la partie adverse.

CHAPITRE 12

Les sentiments de Mathilde pour Julien se précisent encore : en partie par goût de l'énergie qu'elle croit voir incarnée en lui, en partie par goût du scandale (étant donné la différence de leurs conditions), en partie aussi par désœuvrement au milieu de la platitude de son entourage, Mathilde choisit délibérément d'aimer Julien, cependant que les jeunes nobles, ses prétendants, en conçoivent une certaine jalousie. Quant à Julien, à qui l'attitude de Mathilde semble équivoque, il ne sait s'il doit se réjouir d'avoir été distingué ou se garder de tomber dans un piège où il serait ridicule.

CHAPITRE 13

UN COMPLOT

Le lendemain, il surprit encore Norbert et sa sœur, qui parlaient de lui. A son arrivée, un silence de mort s'établit, comme la veille. Ses soupçons n'eurent plus de bornes. Ces aimables jeunes gens auraient-ils entrepris de se moquer de moi? Il faut avouer que cela est beaucoup plus probable, beaucoup plus naturel qu'une prétendue passion de Mlle de La Mole, pour un pauvre diable de secrétaire. D'abord ces gens-là ont-ils des passions? Mystifier est leur fort. Ils sont jaloux de ma pauvre petite supériorité de paroles. Être jaloux est encore un de leurs faibles. Tout s'explique dans ce système. Mlle de La Mole veut me persuader qu'elle me distingue, tout simplement pour me donner en spectacle à son prétendu.

Ce cruel soupçon changea toute la position morale de Julien. Cette idée trouva dans son cœur un commencement d'amour qu'elle n'eut pas de peine à détruire. Cet amour n'était fondé que sur la rare beauté de Mathilde, ou plutôt sur ses façons de reine et sa toilette admirable. En cela Julien était encore un parvenu. Une jolie femme du grand monde est, à ce qu'on assure, ce qui étonne le plus un paysan homme d'esprit, quand il arrive aux premières classes de la société. Ce n'était point le caractère de Mathilde qui faisait rêver Julien les jours précédents. Il avait assez de sens pour comprendre qu'il ne connaissait point ce caractère. Tout ce qu'il en voyait pouvait n'être qu'une apparence. [...]

Il est possible que ce *trio* se moque de moi, pensait Julien. On connaît bien peu son caractère, si l'on ne voit pas déjà l'expression sombre et froide que prirent ses regards en répondant à ceux de Mathilde. Une ironie amère repoussa les assurances d'amitié que Mlle de La Mole étonnée osa hasarder deux ou trois fois.

Piqué par cette bizarrerie soudaine, le cœur de cette jeune fille naturellement froid, ennuyé, sensible à l'esprit, devint aussi passionné qu'il était dans sa nature de l'être. Mais il y avait aussi beaucoup d'orgueil dans le caractère de Mathilde, et la naissance d'un sentiment qui faisait dépendre d'un autre tout son bonheur fut accompagnée d'une sombre tristesse.

Julien avait déjà assez profité depuis son arrivée à Paris pour distinguer que ce n'était pas là la tristesse sèche de l'ennui. Au lieu d'être avide, comme autrefois, de soirées, de spectacles et de distractions de tous genres, elle les fuyait.

La musique chantée par des Français ennuyait Mathilde à la mort, et cependant Julien, qui se faisait un devoir

d'assister à la sortie de l'Opéra, remarqua qu'elle s'y
faisait mener le plus souvent qu'elle pouvait. Il crut distinguer qu'elle avait perdu un peu de la mesure parfaite
qui brillait dans toutes ses actions. Elle répondait quelquefois à ses amis par des plaisanteries outrageantes à   5
force de piquante énergie. Il lui sembla qu'elle prenait
en guignon le marquis de Croisenois. Il faut que ce jeune
homme aime furieusement l'argent, pour ne pas planter
là cette fille, si riche qu'elle soit! pensait Julien. Et pour
lui, indigné des outrages faits à la dignité masculine, il   10
redoublait de froideur envers elle. Souvent il alla jusqu'aux
réponses peu polies.

   Quelque résolu qu'il fût à ne pas être dupe des marques
d'intérêt de Mathilde, elles étaient si évidentes de certains
jours, et Julien, dont les yeux commençaient à se dessiller,   15
la trouvait si jolie, qu'il en était quelquefois embarrassé.

   L'adresse et la longanimité de ces jeunes gens du grand
monde finiraient par triompher de mon peu d'expérience,
se dit-il; il faut partir et mettre un terme à tout ceci. Le
marquis venait de lui confier l'administration d'une quan-   20
tité de petites terres et de maisons qu'il possédait dans le bas
Languedoc. Un voyage était nécessaire : M. de La Mole y
consentit avec peine. Excepté pour les matières de haute
ambition, Julien était devenu un autre lui-même.

   Au bout du compte, ils ne m'ont point attrapé, se disait   25
Julien en préparant son départ. Que les plaisanteries que
Mlle de La Mole fait à ces messieurs soient réelles ou seulement destinées à m'inspirer de la confiance, je m'en suis
amusé.

   S'il n'y a pas conspiration contre le fils du charpentier,   30
Mlle de La Mole est inexplicable, mais elle l'est pour le
marquis de Croisenois du moins autant que pour moi.
Hier, par exemple, son humeur était bien réelle, et j'ai
eu le plaisir de faire bouquer [1] par ma faveur un jeune
homme aussi noble et aussi riche que je suis gueux et   35
plébéien. Voilà le plus beau de mes triomphes; il m'égaiera
dans ma chaise de poste, en courant les plaines du
Languedoc.

   Il avait fait de son départ un secret, mais Mathilde
savait mieux que lui qu'il allait quitter Paris le lendemain,   40

---

1. *Faire bouquer* quelqu'un : le réduire à faire ce qu'on veut.

et pour longtemps. Elle eut recours à un mal de tête fou, qu'augmentait l'air étouffé du salon. Elle se promena beaucoup dans le jardin, et poursuivit tellement de ses plaisanteries mordantes Norbert, le marquis de Croisenois, Caylus, de Luz et quelques autres jeunes gens qui avaient dîné à l'hôtel de La Mole, qu'elle les força de partir. Elle regardait Julien d'une façon étrange.

Ce regard est peut-être une comédie, pensa Julien; mais cette respiration pressée, mais tout ce trouble! Bah! se dit-il, qui suis-je pour juger de toutes ces choses? Il s'agit ici de ce qu'il y a de plus sublime et de plus fin parmi les femmes de Paris. Cette respiration pressée qui a été sur le point de me toucher, elle l'aura étudiée chez Léontine Fay [1] qu'elle aime tant.

Ils étaient restés seuls; la conversation languissait évidemment. Non! Julien ne sent rien pour moi, se disait Mathilde vraiment malheureuse.

Comme il prenait congé d'elle, elle lui serra le bras avec force :

— Vous recevrez ce soir une lettre de moi, lui dit-elle d'une voix tellement altérée, que le son n'en était pas reconnaissable.

Cette circonstance toucha sur-le-champ Julien.

— Mon père, continua-t-elle, a une juste estime pour les services que vous lui rendez. *Il faut* ne pas partir demain; trouvez un prétexte. Et elle s'éloigna en courant.

Sa taille était charmante. Il était impossible d'avoir un plus joli pied, elle courait avec une grâce qui ravit Julien; mais devinerait-on à quoi fut sa seconde pensée après qu'elle eut tout à fait disparu? Il fut offensé du ton impératif avec lequel elle avait dit ce mot *il faut*. Louis XV aussi, au moment de mourir, fut vivement piqué du mot *il faut*, maladroitement employé par son premier médecin, et Louis XV pourtant n'était pas un parvenu.

Une heure après, un laquais remit une lettre à Julien; c'était tout simplement une déclaration d'amour.

Il n'y a pas trop d'affectation dans le style, se dit Julien, cherchant par ses remarques littéraires à contenir la joie qui contractait ses joues et le forçait à rire malgré lui.

---

1. Célèbre actrice du théâtre du Gymnase.

Enfin moi, s'écria-t-il tout à coup, la passion étant trop forte pour être contenue, moi, pauvre paysan, j'ai donc une déclaration d'amour d'une grande dame !

Quant à moi, ce n'est pas mal, ajouta-t-il en comprimant sa joie le plus possible. J'ai su conserver la dignité de mon caractère. Je n'ai point dit que j'aimais. Il se mit à étudier la forme des caractères ; Mlle de La Mole avait une jolie petite écriture anglaise. Il avait besoin d'une occupation physique pour se distraire d'une joie qui allait jusqu'au délire.

« Votre départ m'oblige à parler... Il serait au-dessus de mes forces de ne plus vous voir. »

Une pensée vint frapper Julien comme une découverte, interrompre l'examen qu'il faisait de la lettre de Mathilde, et redoubler sa joie. Je l'emporte sur le marquis de Croisenois, s'écria-t-il, moi qui ne dis que des choses sérieuses ! Et lui est si joli ! il a des moustaches, un charmant uniforme ; il trouve toujours à dire, juste au moment convenable, un mot spirituel et fin.

Julien eut un instant délicieux ; il errait à l'aventure dans le jardin, fou de bonheur.

Plus tard il monta à son bureau et se fit annoncer chez le marquis de La Mole, qui heureusement n'était pas sorti. Il lui prouva facilement, en lui montrant quelques papiers marqués arrivés de Normandie, que le soin des procès normands l'obligeait à différer son départ pour le Languedoc.

— Je suis bien aise que vous ne partiez pas, lui dit le marquis, quand ils eurent fini de parler d'affaires, *j'aime à vous voir*. Julien sortit ; ce mot le gênait.

Et moi, je vais séduire sa fille ! rendre impossible peut-être ce mariage avec le marquis de Croisenois, qui fait le charme de son avenir : s'il n'est pas duc, du moins sa fille aura un tabouret.[1] Julien eut l'idée de partir pour le Languedoc malgré la lettre de Mathilde, malgré l'explication donnée au marquis. Cet éclair de vertu disparut bien vite.

Que je suis bon, se dit-il ; moi, plébéien, avoir pitié d'une famille de ce rang ! Moi, que le duc de Chaulnes appelle un domestique ! Comment le marquis augmente-

---

1. Seules, les duchesses avaient le privilège de s'asseoir en présence du roi et de la reine.

t-il son immense fortune? En vendant de la rente, quand
il apprend au Château qu'il y aura le lendemain apparence
de coup d'État. Et moi, jeté au dernier rang par une Providence marâtre, moi à qui elle a donné un cœur noble et
pas mille francs de rente, c'est-à-dire pas de pain, *exac-*   5
tement parlant pas de pain; moi, refuser un plaisir qui
s'offre! Une source limpide qui vient étancher ma soif
dans le désert brûlant de la médiocrité que je traverse si
péniblement! Ma foi, pas si bête! chacun pour soi dans ce
désert d'égoïsme qu'on appelle la vie.   10

Et il se rappela quelques regards remplis de dédain,
à lui adressés par Mme de La Mole, et surtout par les *dames*
ses amies.

Le plaisir de triompher du marquis de Croisenois vint
achever la déroute de ce souvenir de vertu.   15

Que je voudrais qu'il se fâchât! dit Julien; avec quelle
assurance je lui donnerais maintenant un coup d'épée.
Et il faisait le geste du coup de seconde. Avant ceci,
j'étais un cuistre, abusant bassement d'un peu de courage.
Après cette lettre, je suis son égal.   20

Oui, se disait-il avec une volupté infinie et en parlant
lentement, nos mérites, au marquis et à moi, ont été pesés,
et le pauvre charpentier du Jura l'emporte.

Bon! s'écria-t-il, voilà la signature de ma réponse
trouvée. N'allez pas vous figurer, Mlle de La Mole, que   25
j'oublie mon état. Je vous ferai comprendre et bien sentir
que c'est pour le fils d'un charpentier que vous trahissez
un descendant du fameux Guy de Croisenois, qui suivit
Saint Louis à la croisade.

Julien ne pouvait contenir sa joie. Il fut obligé de des-   30
cendre au jardin. Sa chambre, où il s'était enfermé à clef,
lui semblait trop étroite pour y respirer.

Moi, pauvre paysan du Jura, se répétait-il sans cesse,
moi, condamné à porter toujours ce triste habit noir!
Hélas! vingt ans plus tôt, j'aurais porté l'uniforme comme   35
eux! Alors un homme comme moi était tué, ou *général à*
trente-six ans. Cette lettre, qu'il tenait serrée dans sa main,
lui donnait la taille et l'attitude d'un héros. Maintenant,
il est vrai, avec cet habit noir, à quarante ans, on a cent
mille francs d'appointements et le cordon bleu, comme   40
M. l'évêque de Beauvais.

Eh bien! se dit-il en riant comme Méphistophélès,

j'ai plus d'esprit qu'eux; je sais choisir l'uniforme de mon siècle. Et il sentit redoubler son ambition et son attachement à l'habit ecclésiastique. Que de cardinaux nés plus bas que moi et qui ont gouverné! mon compatriote Granvelle [1], par exemple.

Peu à peu l'agitation de Julien se calma; la prudence surnagea. Il se dit, comme son maître Tartuffe, dont il savait le rôle par cœur :

> Je puis croire ces mots, un artifice honnête.
> . . . .
> Je ne me fierai point à des propos si doux,
> Qu'un peu de *ses* faveurs, après quoi je soupire,
> Ne vienne m'assurer tout ce qu'ils m'ont pu dire.
>
> TARTUFFE, acte IV, scène v.

Tartuffe aussi fut perdu par une femme, et il en valait bien un autre... Ma réponse peut être montrée... à quoi nous trouvons ce remède, ajouta-t-il en prononçant lentement, et avec l'accent de la férocité qui se contient, nous la commençons par les phrases les plus vives de la lettre de la sublime Mathilde.

Oui, mais quatre laquais de M. de Croisenois se précipitent sur moi et m'arrachent l'original.

Non, car je suis bien armé, et j'ai l'habitude, comme on sait, de faire feu sur les laquais.

Eh bien, l'un d'eux a du courage; il se précipite sur moi. On lui a promis cent napoléons. Je le tue ou je le blesse, à la bonne heure, c'est ce qu'on demande. On me jette en prison fort légalement; je parais en police correctionnelle, et l'on m'envoie, avec toute justice et équité de la part des juges, tenir compagnie dans Poissy à MM. Fontan et Magalon [2]. Là, je couche avec quatre cents gueux pêle-mêle... Et j'aurais quelque pitié de ces gens-là, s'écriat-il en se levant impétueusement! En ont-ils pour les gens du tiers-état quand ils les tiennent! Ce mot fut le dernier soupir de sa reconnaissance pour M. de La Mole qui, malgré lui, le tourmentait jusque-là.

Doucement, messieurs les gentilshommes, je comprends ce petit trait de machiavélisme; l'abbé Maslon ou M. Cas-

---

1. Ministre de Charles-Quint, né à Besançon. — 2. Pamphlétaires condamnés, sous la Restauration, aux galères de Poissy pour délit de presse.

tanède du séminaire n'auraient pas mieux fait. Vous m'en-
lèverez la lettre *provocatrice*, et je serai le second tome du
colonel Caron à Colmar [1].

Un instant, messieurs, je vais envoyer la lettre fatale
en dépôt dans un paquet bien cacheté à M. l'abbé Pirard. ⁵
Celui-là est honnête homme, janséniste, et en cette qualité
à l'abri des séductions du budget. Oui, mais il ouvre les
lettres... c'est à Fouqué que j'enverrai celle-ci.

Il faut en convenir, le regard de Julien était atroce, sa
physionomie hideuse; elle respirait le crime sans alliage. ¹⁰
C'était l'homme malheureux en guerre avec toute la société.

Aux armes! s'écria Julien. Et il franchit d'un saut les
marches du perron de l'hôtel. Il entra dans l'échoppe de
l'écrivain du coin de la rue; il lui fit peur. Copiez, lui dit-il
en lui donnant la lettre de Mlle de La Mole. ¹⁵

Pendant que l'écrivain travaillait, il écrivit lui-même à
Fouqué; il le priait de lui conserver un dépôt précieux.
Mais, se dit-il en s'interrompant, le cabinet noir à la poste
ouvrira ma lettre et vous rendra celle que vous cherchez...;
non, messieurs. Il alla acheter une énorme Bible chez un ²⁰
libraire protestant, cacha fort adroitement la lettre de
Mathilde dans la couverture, fit emballer le tout, et son

● **Le chapitre 13**

*En vraie parisienne [Mathilde] agace [Julien]. La retenue du secré-
taire favori de son père lui semble presque du mépris. Elle ne voit
pas que ce n'est que de l'orgueil, que de la peur d'être méprisé. La
vanité excessive de Mlle de La Mole s'attache à troubler la tranquillité du cœur de Julien. L'orgueil de Julien se conduit si bien que
Mlle de La Mole se pique tout de bon et ici il faut lire les détails dans
le livre même, il faut y chercher des nuances imperceptibles en apparence, mais décisives pour la vanité d'une jeune fille de Paris* (Stendhal, *Lettre au comte Salvagnoli*).

① Essayer de noter ces *nuances imperceptibles*. Montrer que les
sentiments de Mathilde ne sont pas simples. Étudier la succession
ou la simultanéité des mouvements d'orgueil, d'enthousiasme et de
tristesse. Quelle est l'importance de la lettre?

② Julien non plus n'est pas simple, ni stable dans ses sentiments,
même après que Mathilde lui ait écrit. Montrer que la méfiance et
la joie se tempèrent l'une l'autre. Pourquoi s'écrie-t-il *Aux armes!*?

---

1. Conspirateur libéral, fusillé en 1822.

paquet partit par la diligence, adressé à un des ouvriers
de Fouqué, dont personne à Paris ne savait le nom.

Cela fait, il rentra joyeux et leste à l'hôtel de La Mole.
A nous! maintenant, s'écria-t-il, en s'enfermant à clef dans
sa chambre, et jetant son habit :

« Quoi! Mademoiselle, écrivait-il à Mathilde, c'est
Mlle de La Mole qui, par les mains d'Arsène, laquais de
son père, fait remettre une lettre trop séduisante à un
pauvre charpentier du Jura, sans doute pour se jouer
de sa simplicité... » Et il transcrivait les phrases les plus
claires de la lettre qu'il venait de recevoir.

La sienne eût fait honneur à la prudence diplomatique
de M. le chevalier de Beauvoisis.[1] Il n'était encore que
dix heures; Julien, ivre de bonheur et du sentiment de
sa puissance, si nouveau pour un pauvre diable, entra à
l'Opéra italien. Il entendit chanter son ami Geronimo.
Jamais la musique ne l'avait exalté à ce point. Il était un
dieu.

CHAPITRE 14

PENSÉES D'UNE JEUNE FILLE

Ce n'était point sans combats que Mathilde avait écrit.
Quel qu'eût été le commencement de son intérêt pour
Julien, bientôt il domina l'orgueil qui, depuis qu'elle se
connaissait, régnait seul dans son cœur. Cette âme
haute et froide était emportée pour la première fois
par un sentiment passionné. Mais s'il dominait l'orgueil,
il était encore fidèle aux habitudes de l'orgueil. Deux mois
de combats et de sensations nouvelles renouvelèrent pour
ainsi dire tout son être moral.

Mathilde croyait voir le bonheur. Cette vue toute-puissante sur les âmes courageuses, liées à un esprit supérieur,
eut à lutter longuement contre la dignité et tous sentiments
de devoirs vulgaires. Un jour, elle entra chez sa mère, dès

---

1. Julien s'était battu en duel avec lui : voir p. 146, l. 23.

sept heures du matin, la priant de lui permettre de se réfu-
gier à Villequier.[1] La marquise ne daigna pas même lui
répondre, et lui conseilla d'aller se remettre au lit. Ce fut
le dernier effort de la sagesse vulgaire et de la déférence
aux idées reçues.   5

La crainte de mal faire et de heurter les idées tenues
pour sacrées par les Caylus, les de Luz, les Croisenois,
avait assez peu d'empire sur son âme; de tels êtres ne lui
semblaient pas faits pour la comprendre; elle les eût consul-
tés s'il eût été question d'acheter une calèche ou une terre.   10
Sa véritable terreur était que Julien ne fût mécontent
d'elle.

Peut-être aussi n'a-t-il que les apparences d'un homme
supérieur?

Elle abhorrait le manque de caractère, c'était sa seule   15
objection contre les beaux jeunes gens qui l'entouraient.
Plus ils plaisantaient avec grâce tout ce qui s'écarte de la
mode, ou la suit mal, croyant la suivre, plus ils se per-
daient à ses yeux.

Ils étaient braves, et voilà tout. Et encore, comment   20
braves? se disait-elle : en duel, mais le duel n'est plus
qu'une cérémonie. Tout en est su d'avance, même ce que
l'on doit dire en tombant. Étendu sur le gazon, et la main
sur le cœur, il faut un pardon généreux pour l'adversaire
et un mot pour une belle souvent imaginaire, ou bien qui   25
va au bal le jour de votre mort, de peur d'exciter les soupçons.

On brave le danger à la tête d'un escadron tout brillant
d'acier, mais le danger solitaire, singulier, imprévu, vraiment laid?   30

Hélas! se disait Mathilde, c'était à la cour de Henri III
que l'on trouvait des hommes grands par le caractère
comme par la naissance! Ah! si Julien avait servi à Jarnac
ou à Moncontour,[2] je n'aurais plus de doute. En ces temps
de vigueur et de force, les Français n'étaient pas des   35
poupées. Le jour de la bataille était presque celui des
moindres perplexités.

Leur vie n'était pas emprisonnée comme une momie
d'Égypte, sous une enveloppe toujours commune à tous,
toujours la même. Oui, ajoutait-elle, il y avait plus de vrai   40

---

1. La famille de La Mole y possède une propriété. — 2. Batailles des guerres de Religion.

courage à se retirer seul à onze heures du soir, en sortant de l'hôtel de Soissons, habité par Catherine de Médicis, qu'aujourd'hui à courir à Alger[1]. La vie d'un homme était une suite de hasards. Maintenant la civilisation a chassé le hasard, plus d'imprévu. S'il paraît dans les idées, il n'est pas assez d'épigrammes pour lui; s'il paraît dans les événements, aucune lâcheté n'est au-dessus de notre peur. Quelque folie que nous fasse faire la peur, elle est excusée. Siècle dégénéré et ennuyeux! Qu'aurait dit Boniface de La Mole, si, levant hors de la tombe sa tête coupée, il eût vu, en 1793, dix-sept de ses descendants se laisser prendre comme des moutons, pour être guillotinés deux jours après? La mort était certaine, mais il eût été de mauvais ton de se défendre et de tuer au moins un jacobin ou deux. Ah! dans les temps héroïques de la France, au siècle de Boniface de La Mole, Julien eût été le chef d'escadron, et mon frère, le jeune prêtre, aux mœurs convenables, avec la sagesse dans les yeux et la raison à la bouche.

Quelques mois auparavant, Mathilde désespérait de rencontrer un être un peu différent du patron commun. Elle avait trouvé quelque bonheur en se permettant d'écrire à quelques jeunes gens de la société. Cette hardiesse si inconvenante, si imprudente chez une jeune fille, pouvait la déshonorer aux yeux de M. de Croisenois, du duc de Chaulnes son père, et de tout l'hôtel de Chaulnes, qui, voyant se rompre le mariage projeté, aurait voulu savoir pourquoi. En ce temps-là les jours où elle avait écrit une de ses lettres, Mathilde ne pouvait dormir. Mais ces lettres n'étaient que des réponses.

Ici elle osait dire qu'elle aimait. Elle écrivait *la première* (quel mot terrible!) à un homme placé dans les derniers rangs de la société.

Cette circonstance assurait, en cas de découverte, un déshonneur éternel. Laquelle des femmes venant chez sa mère eût osé prendre son parti? Quelle phrase eût-on pu leur donner à répéter pour amortir le coup de l'affreux mépris des salons?

Et encore parler était affreux, mais écrire! *Il est des choses qu'on n'écrit pas*, s'écriait Napoléon apprenant la

---

1. En juillet 1830, les troupes françaises s'emparèrent d'Alger.

capitulation de Baylen.[1] Et c'était Julien qui lui avait
conté ce mot! comme lui faisant d'avance une leçon.

Mais tout cela n'était rien encore, l'angoisse de Mathilde
avait d'autres causes. Oubliant l'effet horrible sur la
société, la tache ineffaçable et toute pleine de mépris, car
elle outrageait sa caste, Mathilde allait écrire à un être
d'une bien autre nature que les Croisenois, les de Luz,
les Caylus.

La profondeur, l'*inconnu* du caractère de Julien eussent
effrayé, même en nouant avec lui une relation ordinaire.
Et elle en allait faire son amant, peut-être son maître!

Quelles ne seront pas ses prétentions, si jamais il peut
tout sur moi? Eh bien! je me dirai comme Médée : *Au
milieu de tant de périls, il me reste* MOI.[2]

Julien n'avait nulle vénération pour la noblesse du sang,
croyait-elle. Bien plus, peut-être il n'avait nul amour
pour elle!

Dans ces derniers moments de doutes affreux, se pré-
sentèrent les idées d'orgueil féminin. Tout doit être singulier dans le sort d'une fille comme moi, s'écria Mathilde
impatientée. Alors l'orgueil qu'on lui avait inspiré dès le
berceau se battait contre la vertu. Ce fut dans cet instant
que le départ de Julien vint tout précipiter.

(De tels caractères sont heureusement fort rares.)

Le soir, fort tard, Julien eut la malice de faire descendre
une malle très pesante chez le portier; il appela pour la
transporter le valet de pied qui faisait la cour à la femme de
chambre de Mlle de La Mole. Cette manœuvre peut n'avoir
aucun résultat, se dit-il, mais si elle réussit, elle me croit
parti. Il s'endormit fort gai sur cette plaisanterie. Mathilde
ne ferma pas l'œil.

Le lendemain, de fort grand matin, Julien sortit de l'hôtel
sans être aperçu, mais il rentra avant huit heures.

A peine était-il dans la bibliothèque, que Mlle de La Mole
parut sur la porte. Il lui remit sa réponse. Il pensait qu'il
était de son devoir de lui parler; rien n'était plus commode,
du moins, mais Mlle de La Mole ne voulut pas l'écouter et disparut. Julien en fut charmé, il ne savait que
lui dire.

1. Premier échec essuyé par les armées napoléoniennes, en Espagne (1808). — 2. Citation
approximative d'un passage célèbre de *Médée*, tragédie de Corneille (1635), passage qui
se poursuit ainsi : « Moi, dis-je, et c'est assez. »

Si tout ceci n'est pas un jeu convenu avec le comte Norbert, il est clair que ce sont mes regards pleins de froideur qui ont allumé l'amour baroque que cette fille de si haute naissance s'avise d'avoir pour moi. Je serais un peu plus sot qu'il ne convient, si jamais je me laissais entraîner à avoir du goût pour cette grande poupée blonde. Ce raisonnement le laissa plus froid et plus calculant qu'il n'avait jamais été.

Dans la bataille qui se prépare, ajouta-t-il, l'orgueil de la naissance sera comme une colline élevée, formant position militaire entre elle et moi. C'est là-dessus qu'il faut manœuvrer. J'ai fort mal fait de rester à Paris ; cette remise de mon départ m'avilit et m'expose si tout ceci n'est qu'un jeu. Quel danger y avait-il à partir ? Je me moquais d'eux, s'ils se moquent de moi. Si son intérêt pour moi a quelque réalité, je centuplais cet intérêt.

La lettre de Mlle de La Mole avait donné à Julien une jouissance de vanité si vive, que, tout en riant de ce qui lui arrivait, il avait oublié de songer sérieusement à la convenance du départ.

C'était une fatalité de son caractère d'être extrêmement sensible à ses fautes. Il était fort contrarié de celle-ci, et ne songeait presque plus à la victoire incroyable qui avait précédé ce petit échec, lorsque, vers les neuf heures, Mlle de La Mole parut sur le seuil de la porte de la bibliothèque, lui jeta une lettre et s'enfuit.

Il paraît que ceci va être le roman par lettres, dit-il en relevant celle-ci. L'ennemi fait un faux mouvement, moi je vais faire donner la froideur et la vertu.

On lui demandait une réponse décisive avec une hauteur qui augmenta sa gaîté intérieure. Il se donna le plaisir de mystifier, pendant deux pages, les personnes qui voudraient se moquer de lui, et ce fut encore par une plaisanterie qu'il annonça, vers la fin de sa réponse, son départ décidé pour le lendemain matin.

Cette lettre terminée : Le jardin va me servir pour la remettre, pensa-t-il, et il y alla. Il regardait la fenêtre de la chambre de Mlle de La Mole.

Elle était au premier étage, à côté de l'appartement de sa mère, mais il y avait un grand entresol.

Ce premier était tellement élevé, qu'en se promenant sous l'allée de tilleuls, sa lettre à la main, Julien ne pouvait

être aperçu de la fenêtre de Mlle de La Mole. La voûte
formée par les tilleuls, fort bien taillés, interceptait la vue.
Mais quoi! se dit Julien avec humeur, encore une imprudence! Si l'on a entrepris de se moquer de moi, me faire
voir une lettre à la main, c'est servir mes ennemis.   5

La chambre de Norbert était précisément au-dessus de
celle de sa sœur, et si Julien sortait de la voûte formée par
les branches taillées des tilleuls, le comte et ses amis pouvaient suivre tous ses mouvements.

Mlle de La Mole parut derrière sa vitre; il montra sa   10
lettre à demi; elle baissa la tête. Aussitôt Julien remonta
chez lui en courant, et rencontra par hasard, dans le grand
escalier, la belle Mathilde, qui saisit sa lettre avec une
aisance parfaite et des yeux riants.

Que de passion il y avait dans les yeux de cette pauvre   15
Mme de Rênal, se dit Julien, quand, même après six mois
de relations intimes, elle osait recevoir une lettre de moi!
De sa vie, je crois, elle ne m'a regardé avec des yeux riants.

Il ne s'exprima pas aussi nettement le reste de sa réponse;
avait-il honte de la futilité des motifs? Mais aussi quelle   20
différence, ajoutait sa pensée, dans l'élégance de la robe
du matin, dans l'élégance de la tournure! En apercevant
Mlle de La Mole à trente pas de distance, un homme de
goût devinerait le rang qu'elle occupe dans la société.
Voilà ce qu'on peut appeler un mérite explicite.   25

Tout en plaisantant, Julien ne s'avouait pas encore
toute sa pensée; Mme de Rênal n'avait pas de marquis de
Croisenois à lui sacrifier. Il n'avait pour rival que cet
ignoble sous-préfet M. Charcot, qui se faisait appeler de
Maugiron, parce qu'il n'y a plus de Maugirons.   30

A cinq heures, Julien reçut une troisième lettre; elle lui
fut lancée de la porte de la bibliothèque. Mlle de La Mole
s'enfuit encore. Quelle manie d'écrire! se dit-il en riant,
quand on peut se parler si commodément! L'ennemi veut
avoir de mes lettres, c'est clair, et plusieurs! Il ne se hâtait   35
point d'ouvrir celle-ci. Encore des phrases élégantes, pensait-il; mais il pâlit en lisant. Il n'y avait que huit lignes.

« J'ai besoin de vous parler : il faut que je vous parle,
ce soir; au moment où une heure après minuit sonnera,
trouvez-vous dans le jardin. Prenez la grande échelle du   40
jardinier auprès du puits; placez-la contre ma fenêtre et
montez chez moi. Il fait clair de lune : n'importe. »

CHAPITRE 15

EST-CE UN COMPLOT?

Ceci devient sérieux, pensa Julien... et un peu trop
clair, ajouta-t-il après avoir pensé. Quoi! cette belle
demoiselle peut me parler dans la bibliothèque avec une
liberté qui, grâce à Dieu, est entière; le marquis, dans la
peur qu'il a que je ne lui montre des comptes, n'y vient 5
jamais. Quoi! M. de La Mole et le comte Norbert, les
seules personnes qui entrent ici, sont absents presque toute
la journée; on peut facilement observer le moment de
leur rentrée à l'hôtel, et la sublime Mathilde, pour la main
de laquelle un prince souverain ne serait pas trop noble, 10
veut que je commette une imprudence abominable!
C'est clair, on veut me perdre ou se moquer de moi,
tout au moins. D'abord, on a voulu me perdre avec mes
lettres; elles se trouvent prudentes; eh bien! il leur faut
une action plus claire que le jour. Ces jolis petits messieurs 15
me croient aussi trop bête ou trop fat. Diable! par le plus
beau clair de lune du monde monter ainsi par une échelle
à un premier étage de vingt-cinq pieds d'élévation! on
aura le temps de me voir, même des hôtels voisins. Je serai
beau sur mon échelle! Julien monta chez lui et se mit à 20
faire sa malle en sifflant. Il était résolu à partir et à ne pas
même répondre.
Mais cette sage résolution ne lui donnait pas la paix du
cœur. Si par hasard, se dit-il tout à coup, sa malle fermée,
Mathilde était de bonne foi! alors moi je joue, à ses yeux, 25
le rôle d'un lâche parfait. Je n'ai point de naissance, moi,
il me faut de grandes qualités, argent comptant, sans
suppositions complaisantes, bien prouvées par des actions
parlantes...
Il fut un quart d'heure à réfléchir. A quoi bon le nier? 30
dit-il enfin; je serai un lâche à ses yeux. Je perds non
seulement la personne la plus brillante de la haute société,
ainsi qu'ils disaient tous au bal de M. le duc de Retz,
mais encore le divin plaisir de me voir sacrifier le mar-

quis de Croisenois, le fils d'un duc, et qui sera duc lui-
même. Un jeune homme charmant qui a toutes les qualités
qui me manquent : esprit d'à-propos, naissance, fortune...

Ce remords va me poursuivre toute ma vie, non pour
elle, il est tant de maîtresses!   5

> ...Mais il n'est qu'un honneur!

dit le vieux don Diègue,[1] et ici clairement et nettement,
je recule devant le premier péril qui m'est offert; car ce
duel avec M. de Beauvoisis se présentait comme une
plaisanterie. Ceci est tout différent. Je puis être tiré au   10
blanc [2] par un domestique, mais c'est le moindre danger;
je puis être déshonoré.

Ceci devient sérieux, mon garçon, ajouta-t-il avec une
gaîté et un accent gascons. Il y va de l'*honur*. Jamais un
pauvre diable, jeté aussi bas que moi par le hasard, ne   15
retrouvera une telle occasion; j'aurai des bonnes fortunes,
mais subalternes...

Il réfléchit longtemps, il se promenait à pas précipités,
s'arrêtant tout court de temps à autre. On avait déposé
dans sa chambre un magnifique buste en marbre du car-   20
dinal Richelieu, qui malgré lui attirait ses regards. Ce
buste avait l'air de le regarder d'une façon sévère, et
comme lui reprochant le manque de cette audace qui doit
être si naturelle au caractère français. De ton temps, grand
homme, aurais-je hésité?   25

Au pire, se dit enfin Julien, supposons que tout ceci
soit un piège, il est bien noir et bien compromettant pour
une jeune fille. On sait que je ne suis pas homme à me
taire. Il faudra donc me tuer. Cela était bon en 1574,
du temps de Boniface de La Mole, mais jamais celui d'au-   30
jourd'hui n'oserait. Ces gens-là ne sont plus les mêmes.
Mlle de La Mole est si enviée! Quatre cents salons retenti-
raient demain de sa honte, et avec quel plaisir!

Les domestiques jasent, entre eux, des préférences
marquées dont je suis l'objet, je le sais, je les ai entendus... 35

D'un autre côté, ses lettres!... ils peuvent croire que je
les ai sur moi. Surpris dans sa chambre, on me les enlève.
J'aurai affaire à deux, trois, quatre hommes, que sais-je?

---

1. Don Diègue dit exactement (*Le Cid*, v. 1058) : « Nous n'avons qu'un honneur; il est
tant de maîtresses ! » — 2. Centre d'une cible, but.

Mais ces hommes, où les prendront-ils? où trouver des
subalternes discrets à Paris? La justice leur fait peur...
Parbleu! les Caylus, les Croisenois, les de Luz eux-mêmes.
Ce moment, et la sotte figure que je ferai au milieu d'eux
sera ce qui les aura séduits. Gare le sort d'Abailard,[1]   5
Monsieur le secrétaire!

Eh bien, parbleu! messieurs, vous porterez de mes
marques, je frapperai à la figure, comme les soldats de
César à Pharsale...[2] Quant aux lettres, je puis les mettre
en lieu sûr.   10

Julien fit des copies des deux dernières, les cacha dans
un volume du beau Voltaire de la bibliothèque, et porta
lui-même les originaux à la poste.

Quand il fut de retour : Dans quelle folie je vais me jeter!
se dit-il avec surprise et terreur. Il avait été un quart   15
d'heure sans regarder en face son action de la nuit pro-
chaine.

Mais, si je refuse, je me méprise moi-même dans la suite!
Toute la vie cette action sera un grand sujet de doute, et,
pour moi, un tel doute est le plus cuisant des malheurs [...]. 20
Je crois que je me pardonnerais plus aisément un crime bien
clair; une fois avoué, je cesserais d'y penser.

Quoi! j'aurai été en rivalité avec un homme portant
un des plus beaux noms de France, et je me serai moi-
même, de gaîté de cœur, déclaré son inférieur! Au fond, 25
il y a de la lâcheté à ne pas aller. Ce mot décide tout,
s'écria Julien en se levant... d'ailleurs elle est bien jolie.

Si ceci n'est pas une trahison, quelle folie elle fait pour
moi!... Si c'est une mystification, parbleu! messieurs, il
ne tient qu'à moi de rendre la plaisanterie sérieuse, et ainsi 30
ferai-je.

Mais s'ils m'attachent les bras au moment de l'entrée
dans la chambre; ils peuvent avoir placé quelque machine
ingénieuse!

C'est comme un duel, se dit-il en en riant, il y a parade à 35
tout, dit mon maître d'armes, mais le bon Dieu, qui veut
qu'on en finisse, fait que l'un des deux oublie de parer.

---

1. Abélard, théologien français du xiiᵉ siècle, auquel sa passion pour Héloïse valut bien
des malheurs. — 2. Ville de Thessalie où César battit définitivement Pompée (48 av. J.-C.).
César avait recommandé à ses troupes de frapper l'ennemi au visage, car l'armée de Pompée
était composée en grande partie de jeunes nobles, très attachés à leur physique.

Du reste, voici de quoi leur répondre : il tirait ses pistolets de poche; et quoique l'amorce fût fulminante, il la renouvela.

Il y avait encore bien des heures à attendre; pour faire quelque chose, Julien écrivit à Fouqué : « Mon ami, n'ouvre la lettre ci-incluse qu'en cas d'accident, si tu entends dire que quelque chose d'étrange m'est arrivé. Alors, efface les noms propres du manuscrit que je t'envoie, et fais-en huit copies que tu enverras aux journaux de Marseille, Bordeaux, Lyon, Bruxelles, etc.; dix jours plus tard, fais imprimer ce manuscrit, envoie le premier exemplaire à M. le marquis de La Mole; et quinze jours après, jette les autres exemplaires de nuit dans les rues de Verrières. »

Ce petit mémoire justificatif arrangé en forme de conte, que Fouqué ne devait ouvrir qu'en cas d'accident, Julien le fit aussi peu compromettant que possible pour Mlle de La Mole, mais enfin il peignait fort exactement sa position.

Julien achevait de fermer son paquet, lorsque la cloche du dîner sonna; elle fit battre son cœur. Son imagination, préoccupée du récit qu'il venait de composer, était toute aux pressentiments tragiques. Il s'était vu saisi par des domestiques, garrotté, conduit dans une cave avec un bâillon dans la bouche. Là, un domestique le gardait à vue, et si l'honneur de la noble famille exigeait que l'aventure eût une fin tragique, il était facile de tout finir avec ces

---

● **Le chapitre 15**

① Étudier la composition de ce chapitre.

② Pourquoi Julien a-t-il tant de mal à adopter une attitude? Quels sentiments opposés se partagent son cœur?

③ Sur quel ton Julien réfléchit-il à sa situation? Que peut-on en conclure? N'y a-t-il pas une opposition voulue entre la minutie de ses réflexions et le caractère romanesque de l'invitation de Mathilde (p. 177, l. 38-42)? Ne trouve-t-on pas pourtant de la « jeunesse » chez Julien?

④ Julien est-il méfiant parce qu'il n'est pas amoureux ou bien est-ce sa méfiance qui l'empêche d'être amoureux?

⑤ L'art de Stendhal : montrer la variété des registres, des techniques de présentation, du style.

poisons qui ne laissent point de traces; alors, on disait qu'il était mort de maladie, et on le transportait mort dans sa chambre.

Ému de son propre conte comme un auteur dramatique, Julien avait réellement peur lorsqu'il entra dans la salle à manger. Il regardait tous ces domestiques en grande livrée. Il étudiait leur physionomie. Quels sont ceux qu'on a choisis pour l'expédition de cette nuit? se disait-il. Dans cette famille, les souvenirs de la cour de Henri III sont si présents, si souvent rappelés, que, se croyant outragés, ils auront plus de décision que les autres personnages de leur rang. Il regarda Mlle de La Mole pour lire dans ses yeux les projets de sa famille; elle était pâle, et avait tout à fait une physionomie du moyen âge. Jamais il ne lui avait trouvé l'air si grand, elle était vraiment belle et imposante. Il en devint presque amoureux. *Pallida morte futura*, se dit-il (Sa pâleur annonce ses grands desseins).

En vain, après dîner, il affecta de se promener longtemps dans le jardin, Mlle de La Mole n'y parut pas. Lui parler eût, dans ce moment, délivré son cœur d'un grand poids.

Pourquoi ne pas l'avouer? il avait peur. Comme il était résolu à agir, il s'abandonnait à ce sentiment sans vergogne. Pourvu qu'au moment d'agir je me trouve le courage qu'il faut, se disait-il, qu'importe ce que je puis sentir en ce moment? Il alla reconnaître la situation et le poids de l'échelle.

C'est un instrument, se dit-il en riant, dont il est dans mon destin de me servir! ici comme à Verrières. Quelle différence! Alors, ajouta-t-il avec un soupir, je n'étais pas obligé de me méfier de la personne pour laquelle je m'exposais. Quelle différence aussi dans le danger!

J'eusse été tué dans les jardins de M. de Rênal qu'il n'y avait point de déshonneur pour moi. Facilement on eût rendu ma mort inexplicable. Ici, quels récits abominables ne va-t-on pas faire dans les salons de l'hôtel de Chaulnes, de l'hôtel de Caylus, de l'hôtel de Retz, etc., partout enfin. Je serai un monstre dans la postérité.

Pendant deux ou trois ans, reprit-il en riant, et se moquant de soi. Mais cette idée l'anéantissait. Et moi, où pourra-t-on me justifier? En supposant que Fouqué imprime mon pamphlet posthume, ce ne sera qu'une infamie de plus. Quoi! Je suis reçu dans une maison, et pour prix de l'hospitalité que j'y reçois, des bontés dont on m'y accable, j'imprime un pamphlet sur ce qui s'y passe! j'attaque l'honneur des femmes! Ah! mille fois plutôt, soyons dupes!

Cette soirée fut affreuse. 5

CHAPITRE 16

UNE HEURE DU MATIN

Il allait écrire un contre-ordre à Fouqué lorsque onze heures sonnèrent. Il fit jouer avec bruit la serrure de la porte de sa chambre, comme s'il se fût enfermé chez lui. Il alla observer à pas de loup ce qui se passait dans toute la maison, surtout au quatrième étage, habité par les 10 domestiques. Il n'y avait rien d'extraordinaire. Une des femmes de chambre de Mme de La Mole donnait soirée, les domestiques prenaient du punch fort gaiement. Ceux qui rient ainsi, pensa Julien, ne doivent pas faire partie de l'expédition nocturne, ils seraient plus sérieux. 15

Enfin il alla se placer dans un coin obscur du jardin. Si leur plan est de se cacher des domestiques de la maison, ils feront arriver par-dessus les murs du jardin les gens chargés de me surprendre.

Si M. de Croisenois porte quelque sang-froid dans tout 20 ceci, il doit trouver moins compromettant pour la jeune personne qu'il veut épouser de me faire surprendre avant le moment où je serai entré dans sa chambre.

Il fit une reconnaissance militaire et fort exacte. Il s'agit de mon honneur, pensa-t-il ; si je tombe dans quelque 25 bévue, ce ne sera pas une excuse à mes propres yeux de me dire : Je n'y avais pas songé.

Le temps était d'une sérénité désespérante. Vers les onze heures la lune se leva, à minuit et demi elle éclairait en plein la façade de l'hôtel donnant sur le jardin. 30

Elle est folle, se disait Julien; comme une heure sonna, il y avait encore de la lumière aux fenêtres du comte Norbert. De sa vie Julien n'avait eu autant de peur, il ne voyait que les dangers de l'entreprise, et n'avait aucun enthousiasme. 35

Il alla prendre l'immense échelle, attendit cinq minutes
pour laisser le temps à un contre-ordre, et à une heure
cinq minutes posa l'échelle contre la fenêtre de Mathilde.
Il monta doucement, le pistolet à la main, étonné de n'être
pas attaqué. Comme il approchait de la fenêtre, elle s'ouvrit
sans bruit :

— Vous voilà, monsieur, lui dit Mathilde avec beaucoup d'émotion ; je suis vos mouvements depuis une heure.

Julien était fort embarrassé, il ne savait comment se
conduire, il n'avait pas d'amour du tout. Dans son embarras, il pensa qu'il fallait oser, il essaya d'embrasser
Mathilde.

— Fi donc ! lui dit-elle en le repoussant.

Fort content d'être éconduit, il se hâta de jeter un coup
d'œil autour de lui : la lune était si brillante que les ombres
qu'elle formait dans la chambre de Mlle de La Mole étaient
noires. Il peut fort bien y avoir là des hommes cachés
sans que je les voie, pensa-t-il.

— Qu'avez-vous dans la poche de côté de votre habit ?
lui dit Mathilde, enchantée de trouver un sujet de conversation. Elle souffrait étrangement ; tous les sentiments de
retenue et de timidité, si naturels à une fille bien née,
avaient repris leur empire, et la mettaient au supplice.

— J'ai toutes sortes d'armes et de pistolets, répondit
Julien, non moins content d'avoir quelque chose à dire.

— Il faut retirer l'échelle, dit Mathilde.

— Elle est immense, et peut casser les vitres du salon
en bas, ou de l'entresol.

— Il ne faut pas casser les vitres, reprit Mathilde
essayant en vain de prendre le ton de la conversation
ordinaire ; vous pourriez, ce me semble, abaisser l'échelle
au moyen d'une corde qu'on attacherait au premier
échelon. J'ai toujours une provision de cordes chez
moi.

Et c'est là une femme amoureuse ! pensa Julien, elle
ose dire qu'elle aime ! tant de sang-froid, tant de sagesse
dans les précautions m'indiquent assez que je ne triomphe
pas de M. de Croisenois comme je le croyais sottement ;
mais que tout simplement je lui succède. Au fait, que
m'importe ! est-ce que je l'aime ? Je triomphe du marquis
en ce sens qu'il sera très fâché d'avoir un successeur, et
plus fâché encore que ce successeur soit moi. Avec quelle

hauteur il me regardait hier soir au café Tortoni,[1] en affectant de ne pas me reconnaître! avec quel air méchant il me salua ensuite, quand il ne put plus s'en dispenser!

Julien avait attaché la corde au dernier échelon de l'échelle, il la descendait doucement, et en se penchant beaucoup en dehors du balcon pour faire en sorte qu'elle ne touchât pas les vitres. Beau moment pour me tuer, pensa-t-il, si quelqu'un est caché dans la chambre de Mathilde; mais un silence profond continuait à régner partout.

L'échelle toucha la terre, Julien parvint à la coucher dans la plate-bande de fleurs exotiques le long du mur.

— Que va dire ma mère, dit Mathilde, quand elle verra ses belles plantes tout écrasées!... Il faut jeter la corde, ajouta-t-elle d'un grand sang-froid. Si on l'apercevait remontant au balcon, ce serait une circonstance difficile à expliquer.

— Et comment moi m'en aller? dit Julien d'un ton plaisant, et en affectant le langage créole. (Une des femmes de chambre de la maison était née à Saint-Domingue.)

— Vous, vous en aller par la porte, dit Mathilde ravie de cette idée.

Ah! que cet homme est digne de tout mon amour! pensa-t-elle.

Julien venait de laisser tomber la corde dans le jardin; Mathilde lui serra le bras. Il crut être saisi par un ennemi, et se retourna vivement en tirant un poignard. Elle avait cru entendre ouvrir une fenêtre. Ils restèrent immobiles et sans respirer. La lune les éclairait en plein. Le bruit ne se renouvelant pas, il n'y eut plus d'inquiétude.

Alors l'embarras recommença, il était grand des deux parts. Julien s'assura que la porte était fermée avec tous ses verrous; il pensait bien à regarder sous le lit, mais n'osait pas; on avait pu y placer un ou deux laquais. Enfin il craignit un reproche futur de sa prudence et regarda.

Mathilde était tombée dans toutes les angoisses de la timidité la plus extrême. Elle avait horreur de sa position.

— Qu'avez-vous fait de mes lettres? dit-elle enfin.

---

1. Célèbre café du Boulevard des Italiens, fréquenté par les hommes politiques et les gens de Lettres.

Quelle bonne occasion de déconcerter ces messieurs s'ils sont aux écoutes, et d'éviter la bataille! pensa Julien.

— La première est cachée dans une grosse Bible protestante que la diligence d'hier soir emporte bien loin d'ici.

Il parlait fort distinctement en entrant dans ces détails, et de façon à être entendu des personnes qui pouvaient être cachées dans deux grandes armoires d'acajou qu'il n'avait pas osé visiter.

— Les deux autres sont à la poste, et suivent la même route que la première.

— Eh, grand Dieu! pourquoi toutes ces précautions? dit Mathilde étonnée.

A propos de quoi est-ce que je mentirais? pensa Julien, et il lui avoua tous ses soupçons.

— Voilà donc la cause de la froideur de tes lettres! s'écria Mathilde avec l'accent de la folie plus que de la tendresse.

Julien ne remarqua pas cette nuance. Ce tutoiement lui fit perdre la tête, ou du moins ses soupçons s'évanouirent; il osa serrer dans ses bras cette fille si belle, et qui lui inspirait tant de respect. Il ne fut repoussé qu'à demi.

Il eut recours à sa mémoire, comme jadis à Besançon auprès d'Amanda Binet,[1] et récita plusieurs des plus belles phrases de la *Nouvelle Héloïse*.

— Tu as un cœur d'homme, lui répondit-on sans trop écouter ses phrases; j'ai voulu éprouver ta bravoure, je l'avoue. Tes premiers soupçons et ta résolution te montrent plus intrépide encore que je ne croyais.

Mathilde faisait effort pour le tutoyer, elle était évidemment plus attentive à cette étrange façon de parler qu'au fond des choses qu'elle disait. Ce tutoiement, dépouillé du ton de la tendresse, ne faisait aucun plaisir à Julien, il s'étonnait de l'absence du bonheur; enfin pour le sentir il eut recours à sa raison. Il se voyait estimé par cette jeune fille si fière, et qui n'accordait jamais de louanges sans restriction; avec ce raisonnement il parvint à un bonheur d'amour-propre.

Ce n'était pas, il est vrai, cette volupté de l'âme qu'il

1. Voir p. 119, l. 9.

avait trouvée quelquefois auprès de Mme de Rênal.
Il n'y avait rien de tendre dans ses sentiments de ce premier
moment. C'était le plus vif bonheur d'ambition, et Julien
était surtout ambitieux. Il parla de nouveau des gens
par lui soupçonnés, et des précautions qu'il avait inventées.   5
En parlant il songeait aux moyens de profiter de sa victoire.

Mathilde encore fort embarrassée, et qui avait l'air
atterrée de sa démarche, parut enchantée de trouver un
sujet de conversation. On parla des moyens de se revoir.
Julien jouit délicieusement de l'esprit et de la bravoure   10
dont il fit preuve de nouveau pendant cette discussion.
On avait affaire à des gens très clairvoyants [...] mais
Mathilde et lui n'étaient pas non plus sans adresse.

Quoi de plus facile que de se rencontrer dans la bibliothèque, pour convenir de tout?   15

— Je puis paraître, sans exciter de soupçons, dans
toutes les parties de l'hôtel, ajoutait Julien, et presque
jusque dans la chambre de Mme de La Mole. Il fallait
absolument la traverser pour arriver à celle de sa fille. Si
Mathilde trouvait mieux qu'il arrivât toujours par une   20
échelle, c'était avec un cœur ivre de joie qu'il s'exposerait
à ce faible danger.

En l'écoutant parler, Mathilde était choquée de cet air
de triomphe. Il est donc mon maître! se dit-elle. Déjà
elle était en proie au remords. Sa raison avait horreur de   25
l'insigne folie qu'elle venait de commettre. Si elle l'eût
pu, elle eût anéanti elle et Julien. Quand par instants la
force de sa volonté faisait taire les remords, des sentiments
de timidité et de pudeur souffrante la rendaient fort malheureuse. Elle n'avait nullement prévu l'état affreux où   30
elle se trouvait.

Il faut cependant que je lui parle, se dit-elle à la fin,
cela est dans les convenances, on parle à son amant. Et alors
pour accomplir un devoir, et avec une tendresse qui était
bien plus dans les paroles dont elle se servait que dans le   35
son de sa voix, elle raconta les diverses résolutions qu'elle
avait prises à son égard pendant ces derniers jours.

Elle avait décidé que s'il osait arriver chez elle avec le
secours de l'échelle du jardinier, ainsi qu'il lui était prescrit,
elle serait toute à lui. Mais jamais l'on ne dit d'un ton plus   40
froid et plus poli des choses aussi tendres. Jusque-là ce
rendez-vous était glacé. C'était à faire prendre l'amour

en haine. Quelle leçon de morale pour une jeune imprudente! Vaut-il la peine de perdre son avenir pour un tel
moment?

Après de longues incertitudes, qui eussent pu paraître
à un observateur superficiel l'effet de la haine la plus décidée, tant les sentiments qu'une femme se doit à elle-même
avaient de peine à céder même à une volonté aussi ferme,
Mathilde finit par être pour lui une maîtresse aimable.

A la vérité, ces transports étaient un peu *voulus*. L'amour
passionné était encore plutôt un modèle qu'on imitait
qu'une réalité.

Mlle de La Mole croyait remplir un devoir envers elle-
même et envers son amant. Le pauvre garçon, se disait-elle,
a été d'une bravoure achevée, il doit être heureux, ou bien
c'est moi qui manque de caractère. Mais elle eût voulu
racheter au prix d'une éternité de malheur la nécessité
cruelle où elle se trouvait.

Malgré la violence affreuse qu'elle se faisait, elle fut
parfaitement maîtresse de ses paroles.

Aucun regret, aucun reproche ne vinrent gâter cette nuit
qui sembla singulière plutôt qu'heureuse à Julien. Quelle
différence, grand Dieu! avec son dernier séjour de vingt-
quatre heures à Verrières! Ces belles façons de Paris ont
trouvé le secret de tout gâter, même l'amour, se disait-il
dans son injustice extrême.

Il se livrait à ces réflexions debout dans une des grandes
armoires d'acajou où on l'avait fait entrer aux premiers
bruits entendus dans l'appartement voisin, qui était celui
de Mme de La Mole. Mathilde suivit sa mère à la messe,
les femmes quittèrent bientôt l'appartement, et Julien
s'échappa facilement avant qu'elles ne revinssent terminer
leurs travaux.

Il monta à cheval et chercha les endroits les plus soli-
taires d'une des forêts voisines de Paris. Il était bien
plus étonné qu'heureux. Le bonheur qui, de temps à autre,
venait occuper son âme, était comme celui d'un jeune sous-
lieutenant qui, à la suite de quelque action étonnante,
vient d'être nommé colonel d'emblée par le général en
chef; il se sentait porté à une immense hauteur. Tout ce
qui était au-dessus de lui la veille était à ses côtés maintenant ou bien au-dessous. Peu à peu le bonheur de Julien
augmenta à mesure qu'il s'éloignait.

S'il n'y avait rien de tendre dans son âme, c'est que, quelque étrange que ce mot puisse paraître, Mathilde, dans toute sa conduite avec lui, avait accompli un devoir. Il n'y eut rien d'imprévu pour elle, dans tous les événements de cette nuit, que le malheur et la honte qu'elle avait trouvés au lieu de cette entière félicité dont parlent les romans.

Me serais-je trompée, n'aurais-je pas d'amour pour lui? se dit-elle.

CHAPITRE 17

UNE VIEILLE ÉPÉE

Elle ne parut pas au dîner. Le soir elle vint un instant au salon, mais ne regarda pas Julien. Cette conduite lui parut étrange; mais, pensa-t-il, je ne connais pas leurs usages; elle me donnera quelque bonne raison pour tout ceci. Toutefois, agité par la plus extrême curiosité, il étudiait l'expression des traits de Mathilde; il ne put pas se dissimuler qu'elle avait l'air sec et méchant. Évidemment ce n'était pas la même femme qui, la nuit précédente, avait ou feignait des transports de bonheur trop excessifs pour être vrais.

Le lendemain, le surlendemain, même froideur de sa part; elle ne le regardait pas, elle ne s'apercevait pas de son existence. Julien, dévoré par la plus vive inquiétude, était à mille lieues des sentiments de triomphe qui l'avaient seuls animé le premier jour. Serait-ce, par hasard, se dit-il, un retour à la vertu? Mais ce mot était bien bourgeois pour l'altière Mathilde.

Dans les positions ordinaires de la vie elle ne croit guère à la religion, pensait Julien, elle l'aime comme très utile aux intérêts de sa caste.

Mais par simple délicatesse ne peut-elle pas se reprocher vivement la faute qu'elle a commise? Julien croyait être son premier amant.

Mais, se disait-il dans d'autres instants, il faut avouer qu'il n'y a rien de naïf, de simple, de tendre dans toute sa

manière d'être; jamais je ne l'ai vue plus altière. Me
mépriserait-elle? Il serait digne d'elle de se reprocher ce
qu'elle a fait pour moi, à cause seulement de la bassesse de
ma naissance.

Pendant que Julien, rempli de ses préjugés puisés dans   5
les livres et dans les souvenirs de Verrières, poursuivait
la chimère d'une maîtresse tendre et qui ne songe plus
à sa propre existence du moment qu'elle a fait le bonheur de son amant, la vanité de Mathilde était furieuse
contre lui.   10

Comme elle ne s'ennuyait plus depuis deux mois, elle
ne craignait plus l'ennui; ainsi, sans pouvoir s'en douter
le moins du monde, Julien avait perdu son plus grand
avantage.

Je me suis donné un maître! se disait Mlle de La Mole   15
en proie au plus noir chagrin. Il est rempli d'honneur,
à la bonne heure; mais si je pousse à bout sa vanité, il se
vengera en faisant connaître la nature de nos relations.
Jamais Mathilde n'avait eu d'amant, et dans cette circonstance de la vie qui donne quelques illusions tendres même   20
aux âmes les plus sèches, elle était en proie aux réflexions
les plus amères.

Il a sur moi un empire immense, puisqu'il règne par la
terreur et peut me punir d'une peine atroce, si je le pousse
à bout. Cette seule idée suffisait pour porter Mlle de La Mole   25
à l'outrager. Le courage était la première qualité de son
caractère. Rien ne pouvait lui donner quelque agitation
et la guérir d'un fond d'ennui sans cesse renaissant
que l'idée qu'elle jouait à croix ou pile son existence
entière.   30

Le troisième jour, comme Mlle de La Mole s'obstinait
à ne pas le regarder, Julien la suivit après dîner, et évidemment malgré elle, dans la salle de billard.

— Eh bien, monsieur, vous croyez donc avoir acquis
des droits bien puissants sur moi, lui dit-elle avec une colère   35
à peine retenue, puisque, en opposition à ma volonté bien
évidemment déclarée, vous prétendez me parler?... Savez-
vous que personne au monde n'a jamais tant osé?

Rien ne fut plaisant comme le dialogue de ces deux
amants; sans s'en douter ils étaient animés l'un contre   40
l'autre des sentiments de la haine la plus vive. Comme ni
l'un ni l'autre n'avaient le caractère endurant, que

d'ailleurs ils avaient des habitudes de bonne compagnie,
ils en furent bientôt à se déclarer nettement qu'ils se brouil-
laient à jamais...

— Je vous jure un secret éternel, dit Julien, j'ajoute-
rais même que jamais je ne vous adresserai la parole, si   5
votre réputation ne pouvait souffrir de ce changement
trop marqué. Il salua avec respect et partit.

Il accomplissait sans trop de peine ce qu'il croyait un
devoir; il était bien loin de se croire fort amoureux de
Mlle de La Mole. Sans doute il ne l'aimait pas trois jours   10
auparavant, quand on l'avait caché dans la grande armoire
d'acajou. Mais tout changea rapidement dans son âme,
du moment qu'il se vit à jamais brouillé avec elle.

Sa mémoire cruelle se mit à lui retracer les moindres circonstances de cette nuit qui dans la réalité l'avait laissé si   15
froid.

Dans la nuit même qui suivit la déclaration de brouille
éternelle, Julien faillit devenir fou en étant obligé de
s'avouer qu'il aimait Mlle de La Mole.

Des combats affreux suivirent cette découverte : tous ses   20
sentiments étaient bouleversés.

Deux jours après, au lieu d'être fier avec M. de Croisenois, il l'aurait presque embrassé en fondant en larmes.

L'habitude du malheur lui donna une lueur de bon sens,
il se décida à partir pour le Languedoc, fit sa malle et alla   25
à la poste.

Il se sentit défaillir quand, arrivé au bureau des malles-
poste, on lui apprit que, par un hasard singulier, il y avait
une place le lendemain dans la malle de Toulouse. Il
l'arrêta et revint à l'hôtel de La Mole, annoncer son départ   30
au marquis.

M. de La Mole était sorti. Plus mort que vif, Julien alla
l'attendre dans la bibliothèque. Que devint-il en y trouvant
Mlle de La Mole?

En le voyant paraître elle prit un air de méchanceté   35
auquel il lui fut impossible de se méprendre.

Emporté par son malheur, égaré par la surprise, Julien
eut la faiblesse de lui dire, du ton le plus tendre et qui
venait de l'âme : Ainsi, vous ne m'aimez plus?

— J'ai horreur de m'être livrée au premier venu, dit   40
Mathilde en pleurant de rage contre elle-même.

— *Au premier venu!* s'écria Julien, et il s'élança sur une

vieille épée du moyen âge qui était conservée dans la bibliothèque comme une curiosité.

Sa douleur, qu'il croyait extrême au moment où il avait adressé la parole à Mlle de La Mole, venait d'être centuplée par les larmes de honte qu'il lui voyait répandre. Il eût été le plus heureux des hommes de pouvoir la tuer.

Au moment où il venait de tirer l'épée, avec quelque peine, de son fourreau antique, Mathilde, heureuse d'une sensation si nouvelle, s'avança fièrement vers lui; ses larmes s'étaient taries.

L'idée du marquis de La Mole, son bienfaiteur, se présenta vivement à Julien. Je tuerais sa fille! se dit-il, quelle horreur! Il fit un mouvement pour jeter l'épée. Certainement, pensa-t-il, elle va éclater de rire à la vue de ce mouvement de mélodrame : il dut à cette idée le retour de tout son sang-froid. Il regarda la lame de la vieille épée curieusement et comme s'il y eût cherché quelque tache de rouille, puis il la remit dans le fourreau, et avec la plus grande tranquillité la replaça au clou de bronze doré qui la soutenait.

Tout ce mouvement, fort lent sur la fin, dura bien une minute; Mlle de La Mole le regardait étonnée. J'ai donc été sur le point d'être tuée par mon amant! se disait-elle.

Cette idée la transportait dans les plus beaux temps du siècle de Charles IX et de Henri III.

Elle était immobile devant Julien qui venait de replacer l'épée, elle le regardait avec des yeux où il n'y avait plus de haine. Il faut convenir qu'elle était bien séduisante en ce moment, certainement jamais femme n'avait moins ressemblé à une poupée parisienne (ce mot était la grande objection de Julien contre les femmes de ce pays).

Je vais retomber dans quelque faiblesse pour lui, pensa Mathilde; c'est bien pour le coup qu'il se croirait mon seigneur et maître, après une rechute, et au moment précis où je viens de lui parler si ferme. Elle s'enfuit.

Mon Dieu! qu'elle est belle! dit Julien en la voyant courir : voilà cet être qui se précipitait dans mes bras avec tant de fureur il n'y a pas huit jours... Et ces instants ne reviendront jamais! Et c'est par ma faute! Et, au moment d'une action si extraordinaire, si intéressante pour moi, je n'y étais pas sensible!... Il faut avouer que je suis né avec un caractère bien plat et bien malheureux [...].

CHAPITRES 18-20

MOMENTS CRUELS

Mademoiselle de La Mole ravie ne songeait qu'au bonheur d'avoir été sur le point d'être tuée. Elle allait jusqu'à dire : Il est digne d'être mon maître, puisqu'il a été sur le point de me tuer. Combien faudrait-il fondre ensemble de beaux jeunes gens de la société pour arriver à un tel mouvement de passion ? ⁵

Il faut avouer qu'il était bien joli au moment où il est monté sur la chaise, pour replacer l'épée, précisément dans la position pittoresque que le tapissier décorateur lui a donnée! Après tout, je n'ai pas été si folle de l'aimer. ¹⁰

Dans cet instant, s'il se fût présenté quelque moyen honnête de renouer, elle l'eût saisi avec plaisir. Julien, enfermé à double tour dans sa chambre, était en proie au plus violent désespoir. Dans ses idées folles, il pensait à se jeter à ses pieds. Si au lieu de se tenir caché dans un lieu ¹⁵ écarté, il eût erré au jardin et dans l'hôtel, de manière à se tenir à la portée des occasions, il eût peut-être en un seul instant changé en bonheur le plus vif son affreux malheur [...].

Cependant Mathilde se reprend : dans sa fierté, elle ne ²⁰ *peut accepter d'avoir un maître et elle déclare un jour à Julien, en termes humiliants, qu'elle ne l'aime plus.*

● **Un entretien orageux :** *En le voyant paraître...* (p. 191, l. 35)

① Étudier la composition du passage : la rencontre des deux personnages; l'extase romanesque; l'épilogue.

② Chercher, dans le début du chapitre, ce qui explique l'*air de méchanceté* (p. 191, l. 35) de Mathilde. Pourquoi le fait de lui parler *du ton le plus tendre* est-il, de la part de Julien, *une faiblesse?*

③ Qu'est-ce qui rend particulièrement cinglante et humiliante l'apostrophe de Mathilde?

④ Comment expliquer le geste de Julien (p. 191, l. 42).

⑤ Loin de séparer les amants, cette scène les a rapprochés : étudier le changement qu'elle a opéré dans les sentiments qu'ils éprouvent l'un pour l'autre. Pourquoi cependant Mathilde s'enfuit-elle?

« Quelle architecture magnifique! dit-il à son ami. Il s'agissait d'un de ces hôtels à façade si plate du faubourg Saint-Germain... » (p. 137, l. 26, 27)

L'hôtel du Châtelet, construit par Cherpitel en 1780

CHAPITRES 21-28

*Sur ces entrefaites, Julien est envoyé à Strasbourg par
M. de La Mole : il s'agit d'une mission politique secrète
et dont le récit reste assez mystérieux. On pense généralement
que Stendhal fait allusion aux démarches qu'avaient accom-
plies les ultras, sous le patronage du comte d'Artois, le* ⁵
*futur Charles X, vers 1817, auprès des cours d'Angleterre,
d'Autriche et de Russie, afin que fût prolongée l'occupation
de la France par les Alliés, dans l'espoir de supprimer la
Charte et de rétablir la monarchie absolue. Quoi qu'il en
soit, Julien s'ennuie à Strasbourg, mais il a la chance d'y* ¹⁰
*rencontrer bientôt le prince Korasoff, auquel il fait la confi-
dence de ses relations orageuses avec Mathilde, sans citer
son nom. Le prince Korasoff, pour qui la technique du
Don Juanisme n'a plus de secrets, conseille à Julien de
provoquer la jalousie de sa maîtresse afin de la reconquérir.* ¹⁵
*Il pousse la complaisance jusqu'à donner à Julien des
modèles tout faits de lettres passionnées, où les déclarations
d'amour sont savamment graduées. Dès son retour à Paris,
Julien se met en devoir d'envoyer ces lettres une à une
à la maréchale de Fervaques, célèbre par sa haute noblesse* ²⁰
et sa grande pruderie.

CHAPITRE 29

L'ENNUI

Après avoir lu sans plaisir d'abord les longues lettres
de Julien, Mme de Fervaques commençait à en être occupée;
mais une chose la désolait : Quel dommage que M. Sorel
ne soit pas décidément prêtre! On pourrait l'admettre à ²⁵
une sorte d'intimité; avec cette croix et cet habit presque
bourgeois, on est exposé à des questions cruelles et que
répondre? Elle n'achevait pas sa pensée : quelque amie
maligne peut supposer et même répandre que c'est un petit

cousin subalterne, parent de mon père, quelque marchand décoré par la garde nationale.

Jusqu'au moment où elle avait vu Julien, le plus grand plaisir de Mme de Fervaques avait été d'écrire le mot *maréchale* à côté de son nom. Ensuite une vanité de parvenue, maladive et qui s'offensait de tout, combattit un commencement d'intérêt.

Il me serait si facile, se disait la maréchale, d'en faire un grand vicaire dans quelque diocèse voisin de Paris! Mais M. Sorel tout court, et encore petit secrétaire de M. de la Mole! c'est désolant.

[...] Un jour, après avoir demandé trois fois s'il y avait des lettres, Mme de Fervaques se décida subitement à répondre à Julien. Ce fut une victoire de l'ennui. A la seconde lettre, la maréchale fut presque arrêtée par l'inconvenance d'écrire de sa main une adresse aussi vulgaire, *A M. Sorel, chez M. le marquis de la Mole*.

Il faut, dit-elle le soir à Julien, d'un air fort sec, que vous m'apportiez des enveloppes sur lesquelles il y aura votre adresse.

Me voilà constitué amant valet de chambre, pensa Julien, et il s'inclina en prenant plaisir à se grimer comme Arsène le vieux valet de chambre du marquis.

Le soir même il apporta des enveloppes, et le lendemain, de fort bonne heure, il eut une troisième lettre : il en lut cinq ou six lignes au commencement, et deux ou trois vers la fin. Elle avait quatre pages d'une petite écriture fort serrée.

Peu à peu on prit la douce habitude d'écrire presque tous les jours. Julien répondait par des copies fidèles des lettres russes, et tel est l'avantage du style emphatique : Mme de Fervaques n'était point étonnée du peu de rapport des réponses avec ses lettres.

[...] Un matin, le portier lui apportait dans la bibliothèque une lettre de la maréchale; Mathilde rencontra cet homme, vit la lettre et l'adresse de l'écriture de Julien. Elle entra dans la bibliothèque comme le portier en sortait; la lettre était encore sur le bord de la table; Julien, fort occupé à écrire, ne l'avait pas placée dans son tiroir.

— Voilà ce que je ne puis souffrir, s'écria Mathilde en s'emparant de la lettre; vous m'oubliez tout à fait, moi qui suis votre épouse. Votre conduite est affreuse, Monsieur.

A ces mots, son orgueil, étonné de l'effroyable inconvenance de sa démarche, la suffoqua; elle fondit en larmes, et bientôt parut à Julien hors d'état de respirer.

Surpris, confondu, Julien ne distinguait pas bien tout ce que cette scène avait d'admirable et d'heureux pour lui. Il aida Mathilde à s'asseoir; elle s'abandonnait presque dans ses bras.

Le premier instant où il s'aperçut de ce mouvement, fut de joie extrême. Le second fut une pensée pour Korasoff : je puis tout perdre par un seul mot.

Ses bras se raidirent, tant l'effort imposé par la politique était pénible. Je ne dois pas même me permettre de presser contre mon cœur ce corps souple et charmant, ou elle me méprise et me maltraite. Quel affreux caractère!

Et en maudissant le caractère de Mathilde, il l'en aimait cent fois plus; il lui semblait avoir dans ses bras une reine.

L'impassible froideur de Julien redoubla le malheur d'orgueil qui déchirait l'âme de Mlle de La Mole. Elle était loin d'avoir le sang-froid nécessaire pour chercher à deviner dans ses yeux ce qu'il sentait pour elle en cet instant. Elle ne put se résoudre à le regarder; elle tremblait de rencontrer l'expression du mépris.

Assise sur le divan de la bibliothèque, immobile et la tête tournée du côté opposé à Julien, elle était en proie aux plus vives douleurs que l'orgueil et l'amour puissent faire éprouver à une âme humaine. Dans quelle atroce démarche elle venait de tomber!

Il m'était réservé, malheureuse que je suis! de voir repousser les avances les plus indécentes! et repoussées par qui? ajoutait l'orgueil fou de douleur, repoussées par un domestique de mon père.

— C'est ce que je ne souffrirai pas, dit-elle à haute voix.

Et, se levant avec fureur, elle ouvrit le tiroir de la table de Julien placée à deux pas devant elle. Elle resta comme glacée d'horreur en y voyant huit ou dix lettres non ouvertes, semblables en tout à celle que le portier venait de monter. Sur toutes les adresses, elle reconnaissait l'écriture de Julien, plus ou moins contrefaite.

— Ainsi, s'écria-t-elle hors d'elle-même, non seulement vous êtes bien avec elle mais encore vous la méprisez. Vous, un homme de rien, mépriser Mme la maréchale de Fervaques!

Ah! pardon, mon ami, ajouta-t-elle en se jetant à ses
genoux, méprise-moi si tu veux, mais aime-moi, je ne puis
plus vivre privée de ton amour. Et elle tomba tout à fait
évanouie.

La voilà donc, cette orgueilleuse, à mes pieds! se dit
Julien.

CHAPITRE 30

UNE LOGE AUX BOUFFES [1]

Au milieu de tous ces grands mouvements, Julien était
plus étonné qu'heureux. Les injures de Mathilde lui
montraient combien la politique russe était sage. *Peu
parler*, *peu agir*, voilà mon unique moyen de salut.

Il releva Mathilde, et sans mot dire la replaça sur le
divan. Peu à peu les larmes la gagnèrent.

Pour se donner une contenance, elle prit dans ses mains
les lettres de Mme de Fervaques; elles les décachetait
lentement. Elle eut un mouvement nerveux bien marqué
quand elle reconnut l'écriture de la maréchale. Elle tournait sans les lire les feuilles de ces lettres; la plupart avaient
six pages.

— Répondez-moi, du moins, dit enfin Mathilde du ton
de voix le plus suppliant, mais sans oser regarder Julien.
Vous savez bien que j'ai de l'orgueil; c'est le malheur de
ma position et même de mon caractère, je l'avouerai;
Mme de Fervaques m'a donc enlevé votre cœur... A-t-elle
fait pour vous tous les sacrifices où ce fatal amour m'a
entraînée?

Un morne silence fut toute la réponse de Julien. De quel
droit, pensait-il, me demande-t-elle une indiscrétion
indigne d'un honnête homme?

Mathilde essaya de lire les lettres; ses yeux remplis de
larmes lui en ôtaient la possibilité.

Depuis un mois elle était malheureuse, mais cette âme
hautaine était bien loin de s'avouer ses sentiments. Le
hasard tout seul avait amené cette explosion. Un instant

---

1. Julien va y finir la soirée dans la *loge* de Mme de Fervaques.

la jalousie et l'amour l'avaient emporté sur l'orgueil. Elle
était placée sur le divan et fort près de lui. Il voyait ses
cheveux et son cou d'albâtre; un moment il oublia tout
ce qu'il se devait; il passa le bras autour de sa taille, et la
serra presque contre sa poitrine.

Elle tourna la tête vers lui lentement : il fut étonné de
l'extrême douleur qui était dans ses yeux, c'était à ne pas
reconnaître leur physionomie habituelle.

Julien sentit ses forces l'abandonner, tant était mortellement pénible l'acte de courage qu'il s'imposait.

Ces yeux n'exprimeront bientôt que le plus froid dédain,
se dit Julien, si je me laisse entraîner au bonheur de l'aimer.
Cependant, d'une voix éteinte et avec des paroles qu'elle
avait à peine la force d'achever, elle lui répétait en ce
moment l'assurance de tous ses regrets pour des démarches
que trop d'orgueil avait pu conseiller.

— J'ai aussi de l'orgueil, lui dit Julien d'une voix à
peine formée, et ses traits peignaient le point extrême de
l'abattement physique.

Mathilde se retourna vivement vers lui. Entendre sa
voix était un bonheur à l'espérance duquel elle avait
presque renoncé. En ce moment, elle ne se souvenait
de sa hauteur que pour la maudire, elle eût voulu trouver
des démarches insolites, incroyables, pour lui prouver
jusqu'à quel point elle l'adorait et se détestait elle-même.

— C'est probablement à cause de cet orgueil, continua
Julien, que vous m'avez distingué un instant; c'est certainement à cause de cette fermeté courageuse et qui convient
à un homme que vous m'estimez en ce moment. Je puis
avoir de l'amour pour la maréchale...

Mathilde tressaillit; ses yeux prirent une expression
étrange. Elle allait entendre prononcer son arrêt. Ce mouvement n'échappa point à Julien; il sentit faiblir son courage.

Ah! se disait-il en écoutant le son des vaines paroles
que prononçait sa bouche, comme il eût fait un bruit
étranger; si je pouvais couvrir de baisers ces joues si pâles,
et que tu ne le sentisses pas!

— Je puis avoir de l'amour pour la maréchale, conti-
nuait-il... et sa voix s'affaiblissait toujours; mais certainement, je n'ai de son intérêt pour moi aucune preuve décisive...

Mathilde le regarda : il soutint ce regard, du moins il

espéra que sa physionomie ne l'avait pas trahi. Il se sentait
pénétré d'amour jusque dans les replis les plus intimes de
son cœur. Jamais il ne l'avait adorée à ce point; il était
presque aussi fou que Mathilde. Si elle se fût trouvée assez
de sang-froid et de courage pour manœuvrer, il fût tombé   5
à ses pieds, en abjurant toute vaine comédie. Il eut assez
de force pour pouvoir continuer à parler. Ah! Korasoff,
s'écria-t-il intérieurement, que n'êtes-vous ici! quel besoin
j'aurais d'un mot pour diriger ma conduite! Pendant ce
temps sa voix disait :   10

— A défaut de tout autre sentiment, la reconnaissance
suffirait pour m'attacher à la maréchale; elle m'a montré de
l'indulgence, elle m'a consolé quand on me méprisait...
Je puis ne pas avoir une foi illimitée en de certaines apparences extrêmement flatteuses sans doute, mais peut-être,   15
aussi, bien peu durables.

— Ah! grand Dieu! s'écria Mathilde.

— Eh bien! quelle garantie me donnerez-vous? reprit
Julien avec un accent vif et ferme, et qui semblait abandonner pour un instant les formes prudentes de la diplomatie.   20
Quelle garantie, quel dieu me répondra que la position
que vous semblez disposée à me rendre en cet instant vivra
plus de deux jours?

— L'excès de mon amour et de mon malheur si vous
ne m'aimez plus, lui dit-elle en lui prenant les mains et se   25
tournant vers lui.

Le mouvement violent qu'elle venait de faire avait un
peu déplacé sa pèlerine : Julien apercevait ses épaules charmantes. Ses cheveux un peu dérangés lui rappelèrent un
souvenir délicieux...   30

Il allait céder. Un mot imprudent, se dit-il, et je fais
recommencer cette longue suite de journées passées dans
le désespoir. Mme de Rênal trouvait des raisons pour faire
ce que son cœur lui dictait : cette jeune fille du grand monde
ne laisse son cœur s'émouvoir que lorsqu'elle s'est prouvé   35
par bonnes raisons qu'il doit être ému.

Il vit cette vérité en un clin d'œil, et, en un clin d'œil
aussi retrouva du courage.

Il retira ses mains que Mathilde pressait dans les siennes,
et avec un respect marqué s'éloigna un peu d'elle. Un cou-   40
rage d'homme ne peut aller plus loin. Il s'occupa ensuite à
réunir toutes les lettres de Mme de Fervaques qui étaient

éparses sur le divan, et ce fut avec l'apparence d'une politesse extrême et si cruelle en ce moment qu'il ajouta :

— Mademoiselle de La Mole daignera me permettre
de réfléchir sur tout ceci. Il s'éloigna rapidement et quitta
la bibliothèque; elle l'entendit refermer successivement   5
toutes les portes [...].

CHAPITRE 31

*Julien, qui pourtant « adore Mathilde », continue de
jouer la froideur pour mieux la reconquérir et s'assurer
qu'elle ne se moque pas de lui.*

CHAPITRE 32

LE TIGRE

Un voyageur anglais raconte l'intimité où il vivait   10
avec un tigre; il l'avait élevé et le caressait, mais toujours
sur sa table tenait un pistolet armé.

Julien ne s'abandonnait à l'excès de son bonheur que dans
les instants où Mathilde ne pouvait en lire l'expression
dans ses yeux. Il s'acquittait avec exactitude du devoir de   15
lui dire de temps à autre quelque mot dur.

Quand la douceur de Mathilde, qu'il observait avec étonnement, et l'excès de son dévouement étaient sur le point
de lui ôter tout empire sur lui-même, il avait le courage de la
quitter brusquement.   20

Pour la première fois Mathilde aima.

La vie, qui toujours pour elle s'était traînée à pas de
tortue, volait maintenant.

Comme il fallait cependant que l'orgueil se fît jour de
quelque façon, elle voulait s'exposer avec témérité à tous les   25
dangers que son amour pouvait lui faire courir. C'était
Julien qui avait de la prudence; et c'était seulement quand
il était question de danger qu'elle ne cédait pas à sa volonté;
mais soumise et presque humble avec lui, elle n'en montrait

que plus de hauteur envers tout ce qui dans la maison l'approchait, parents ou valets.

Le soir au salon, au milieu de soixante personnes, elle appelait Julien pour lui parler en particulier et longtemps.

Le petit Tanbeau [1] s'établissant un jour à côté d'eux, elle le pria d'aller lui chercher dans la bibliothèque le volume de Smollett [2] où se trouve la révolution de 1688; et comme il hésitait : — Que rien ne vous presse, ajouta-t-elle avec une expression d'insultante hauteur qui fut un baume pour l'âme de Julien.

— Avez-vous remarqué le regard de ce petit monstre? lui dit-il.

— Son oncle a dix ou douze ans de service dans ce salon, sans quoi je le ferais chasser à l'instant.

Sa conduite envers MM. de Croisenois, de Luz, etc., parfaitement polie pour la forme, n'était guère moins provocante au fond. Mathilde se reprochait vivement toutes les confidences faites jadis à Julien, et d'autant plus qu'elle n'osait lui avouer qu'elle avait exagéré les marques d'intérêt presque tout à fait innocentes dont ces messieurs avaient été l'objet.

Malgré les plus belles résolutions, sa fierté de femme l'empêchait tous les jours de dire à Julien : C'est parce que je parlais à vous que je trouvais du plaisir à décrire la faiblesse que j'avais de ne pas retirer ma main, lorsque M. de Croisenois posant la sienne sur une table de marbre venait à l'effleurer un peu.

Aujourd'hui, à peine un de ces messieurs lui parlait-il quelques instants, qu'elle se trouvait avoir une question à faire à Julien, et c'était un prétexte pour le retenir auprès d'elle.

Elle se trouva enceinte et l'apprit avec joie à Julien.

— Maintenant douterez-vous de moi? N'est-ce pas une garantie? Je suis votre épouse à jamais.

Cette annonce frappa Julien d'un étonnement profond. Il fut sur le point d'oublier le principe de sa conduite. Comment être volontairement froid et offensant envers cette pauvre jeune fille qui se perd pour moi? Avait-elle l'air un peu souffrant, même les jours où la sagesse faisait

1. Ce neveu d'un académicien qui fréquente le salon de La Mole est employé comme secrétaire par le marquis et jalouse Julien. — 2. Historien écossais du XVIIIe siècle.

entendre sa voix terrible, il ne se trouvait plus le courage
de lui adresser un de ces mots cruels si indispensables, selon
son expérience, à la durée de leur amour.

— Je veux écrire à mon père, lui dit un jour Mathilde;
c'est plus qu'un père pour moi; c'est un ami : comme tel   5
je trouverais indigne de vous et de moi de chercher à le
tromper, ne fût-ce qu'un instant.

— Grand Dieu! Qu'allez-vous faire? dit Julien effrayé.

— Mon devoir, répondit-elle avec des yeux brillants de
joie.   10

Elle se trouvait plus magnanime que son amant.

— Mais il me chassera avec ignominie!

— C'est son droit, il faut le respecter. Je vous donnerai
le bras et nous sortirons par la porte cochère, en plein
midi.   15

Julien étonné la pria de différer d'une semaine.

— Je ne puis, répondit-elle, l'honneur parle, j'ai vu le
devoir, il faut le suivre, et à l'instant.

— Eh bien! je vous ordonne de différer, dit enfin Julien.
Votre honneur est à couvert, je suis votre époux. Notre état 20
à tous les deux va être changé par cette démarche capitale.
Je suis aussi dans mon droit. C'est aujourd'hui mardi;
mardi prochain c'est le jour du duc de Retz; le soir, quand
M. de La Mole rentrera, le portier lui remettra la lettre
fatale... Il ne pense qu'à vous faire duchesse, j'en suis   25
certain, jugez de son malheur!

— Voulez-vous dire : jugez de sa vengeance?

— Je puis avoir pitié de mon bienfaiteur, être navré de
lui nuire; mais je ne crains et ne craindrai jamais personne.

Mathilde se soumit. Depuis qu'elle avait annoncé son   30
nouvel état à Julien, c'était la première fois qu'il lui parlait
avec autorité; jamais il ne l'avait tant aimée. C'était avec
bonheur que la partie tendre de son âme saisissait le prétexte de l'état où se trouvait Mathilde pour se dispenser de
lui adresser des mots cruels. L'aveu à M. de La Mole l'agita   35
profondément. Allait-il être séparé de Mathilde? Et avec
quelque douleur qu'elle le vît partir, un mois après son
départ, songerait-elle à lui?

Il avait une horreur presque égale des justes reproches
que le marquis pouvait lui adresser.   40

Le soir, il avoua à Mathilde ce second sujet de chagrin,
et ensuite égaré par son amour il fit aussi l'aveu du premier.

Elle changea de couleur.

— Réellement, lui dit-elle, six mois passés loin de moi seraient un malheur pour vous!

— Immense, le seul au monde que je voie avec terreur.

Mathilde fut bien heureuse. Julien avait suivi son rôle avec tant d'application qu'il était parvenu à lui faire penser qu'elle était celle des deux qui avait le plus d'amour.

Le mardi fatal arriva. A minuit, en rentrant, le marquis trouva une lettre avec l'adresse qu'il fallait pour qu'il l'ouvrît lui-même, et seulement quand il serait sans témoins.

« MON PÈRE,

« Tous les liens sociaux sont rompus entre nous, il ne reste plus que ceux de la nature. Après mon mari, vous êtes et serez toujours l'être qui me sera le plus cher. Mes yeux se remplissent de larmes, je songe à la peine que je vous cause, mais pour que ma honte ne soit pas publique, pour vous laisser le temps de délibérer et d'agir, je n'ai pu différer plus longtemps l'aveu que je vous dois. Si votre amitié, que je sais être extrême pour moi, veut m'accorder une petite pension, j'irai m'établir où vous voudrez, en Suisse, par exemple, avec mon mari. Son nom est tellement obscur, que personne ne reconnaîtra votre fille dans Mᵐᵉ Sorel, belle-fille d'un charpentier de Verrières. Voilà ce nom qui m'a fait tant de peine à écrire. Je redoute pour Julien votre colère, si juste en apparence. Je ne serai pas duchesse, mon père; mais je le savais en l'aimant; car c'est moi qui l'ai aimé la première, c'est moi qui l'ai séduit. Je tiens de vous une âme trop élevée pour arrêter mon attention à ce qui est ou me semble vulgaire. C'est en vain que dans le dessein de vous plaire j'ai songé à M. de Croisenois. Pourquoi aviez-vous placé le vrai mérite sous mes yeux? Vous me l'avez dit vous-même à mon retour d'Hyères : ce jeune Sorel est le seul être qui m'amuse; le pauvre garçon est aussi affligé que moi, s'il est possible, de la peine que vous fait cette lettre. Je ne puis empêcher que vous ne soyez irrité comme père; mais aimez-moi toujours comme ami.

» Julien me respectait. S'il me parlait quelquefois, c'était uniquement à cause de sa profonde reconnaissance pour vous : car la hauteur naturelle de son caractère le porte à ne

jamais répondre qu'officiellement à tout ce qui est tellement
au-dessus de lui. Il a un sentiment vif et inné de la différence
des positions sociales. C'est moi, je l'avoue, en rougissant,
à mon meilleur ami, et jamais un tel aveu ne sera fait à un
autre, c'est moi qui un jour au jardin lui ai serré le bras.

» Après vingt-quatre heures, pourquoi seriez-vous irrité
contre lui? Ma faute est irréparable. Si vous l'exigez, c'est
par moi que passeront les assurances de son profond respect
et de son désespoir de vous déplaire. Vous ne le verrez
point; mais j'irai le rejoindre où il voudra. C'est son
droit, c'est mon devoir, il est le père de mon enfant.
Si votre bonté veut bien nous accorder six mille francs
pour vivre, je les recevrai avec reconnaissance : sinon Julien
compte s'établir à Besançon où il commencera le métier de
maître de latin et de littérature. De quelque bas degré qu'il
parte, j'ai la certitude qu'il s'élèvera. Avec lui je ne crains
pas l'obscurité. S'il y a révolution, je suis sûre pour lui d'un
premier rôle. Pourriez-vous en dire autant d'aucun de
ceux qui ont demandé ma main? Ils ont de belles terres!
Je ne puis trouver dans cette seule circonstance une raison
pour admirer. Mon Julien atteindrait une haute position
même sous le régime actuel, s'il avait un million et la protection de mon père... »

Mathilde, qui savait que le marquis était un homme tout
de premier mouvement, avait écrit huit pages.

— Que faire? se disait Julien pendant que M. de La
Mole lisait cette lettre; où est 1° mon devoir, 2° mon
intérêt? Ce que je lui dois est immense : j'eusse été sans lui
un coquin subalterne, et pas assez coquin pour n'être pas
haï et persécuté par les autres. Il m'a fait un homme du
monde. Mes coquineries *nécessaires* seront 1° plus rares,
2° moins ignobles. Cela est plus que s'il m'eût donné un
million. Je lui dois cette croix et l'apparence de services
diplomatiques qui me tirent du pair.

S'il tenait la plume pour prescrire ma conduite, qu'est-ce
qu'il écrirait?...

Julien fut brusquement interrompu par le vieux valet
de chambre de M. de La Mole.

— Le marquis vous demande à l'instant, vêtu ou non vêtu.

Le valet ajouta à voix basse en marchant à côté de Julien:

— Il est hors de lui, prenez garde à vous.

CHAPITRE 33

L'ENFER DE LA FAIBLESSE

Julien trouva le marquis furieux : pour la première fois de sa vie, peut-être, ce seigneur fut de mauvais ton; il accabla Julien de toutes les injures qui lui vinrent à la bouche. Notre héros fut étonné, impatienté, mais sa reconnaissance n'en fut point ébranlée. Que de beaux projets depuis longtemps chéris au fond de sa pensée le pauvre homme voit crouler en un instant! Mais je lui dois de lui répondre, mon silence augmenterait sa colère. La réponse fut fournie par le rôle de Tartufe.

— *Je ne suis pas un ange*... Je vous ai bien servi, vous m'avez payé avec générosité... J'étais reconnaissant, mais j'ai vingt-deux ans... Dans cette maison, ma pensée n'était comprise que de vous, et de cette personne aimable...

— Monstre! s'écria le marquis. Aimable! aimable! Le jour où vous l'avez trouvée aimable, vous deviez fuir.

— Je l'ai tenté; alors, je vous demandai de partir pour le Languedoc.

Las de se promener avec fureur, le marquis, dompté par la douleur, se jeta dans un fauteuil; Julien l'entendit se dire à demi-voix : Ce n'est point là un méchant homme.

— Non, je ne le suis pas pour vous, s'écria Julien en tombant à genoux. Mais il eut une honte extrême de ce mouvement, et se releva bien vite.

Le marquis était réellement égaré. A la vue de ce mouvement il recommença à l'accabler d'injures atroces et dignes d'un cocher de fiacre. La nouveauté de ces jurons était peut-être une distraction.

— Quoi! ma fille s'appellera Mme Sorel! quoi! ma fille ne sera pas duchesse! Toutes les fois que ces deux idées se présentaient aussi nettement, M. de La Mole était torturé et les mouvements de son âme n'étaient plus volontaires. Julien craignit d'être battu.

Dans les intervalles lucides, et lorsque le marquis commençait à s'accoutumer à son malheur, il adressait à Julien des reproches assez raisonnables :

— Il fallait fuir, Monsieur, lui disait-il... Votre devoir était de fuir... Vous êtes le dernier des hommes...

Julien s'approcha de la table et écrivit :

« *Depuis longtemps la vie m'est insupportable, j'y mets un
terme. Je prie Monsieur le Marquis d'agréer, avec l'expression d'une reconnaissance sans bornes, mes excuses de l'embarras que ma mort dans son hôtel peut causer.* »   5

— Que Monsieur le Marquis daigne parcourir ce papier...
Tuez-moi, dit Julien, ou faites-moi tuer par votre valet de
chambre. Il est une heure du matin, je vais me promener au
jardin vers le mur du fond.

— Allez à tous les diables, lui cria le marquis comme il   10
s'en allait.

— Je comprends, pensa Julien; il ne serait pas fâché
de me voir épargner la façon de ma mort à son valet de
chambre... Qu'il me tue, à la bonne heure, c'est une satis-
faction que je lui offre... Mais, parbleu, j'aime la vie... Je   15
me dois à mon fils.

Cette idée, qui pour la première fois paraissait aussi
nettement à son imagination, l'occupa tout entier après les
premières minutes de promenade données au sentiment
du danger.   20

Cet intérêt si nouveau en fit un être prudent. Il me faut
des conseils pour me conduire avec cet homme fougueux...
Il n'a aucune raison, il est capable de tout. Fouqué est
trop éloigné, d'ailleurs il ne comprendrait pas les sentiments d'un cœur tel que celui du marquis.   25

Le comte Altamira... Suis-je sûr d'un silence éternel? Il
ne faut pas que ma demande de conseils soit une action, et
complique ma position. Hélas! il ne me reste que le sombre
abbé Pirard... Son esprit est rétréci par le jansénisme... Un
coquin de jésuite connaîtrait le monde, et serait mieux mon   30
fait... M. Pirard est capable de me battre, au seul énoncé
du crime.

Le génie de Tartufe vint au secours de Julien : Eh bien,
j'irai me confesser à lui. Telle fut la dernière résolution
qu'il prit au jardin après s'être promené deux grandes   35
heures. Il ne pensait plus qu'il pouvait être surpris par un
coup de fusil, le sommeil le gagnait.

Le lendemain de très grand matin, Julien était à plusieurs
lieues de Paris, frappant à la porte du sévère janséniste.
Il trouva, à son grand étonnement, qu'il n'était point trop   40
surpris de sa confidence.

J'ai peut-être des reproches à me faire, se disait l'abbé plus soucieux qu'irrité. J'avais cru deviner cet amour. Mon amitié pour vous, petit malheureux, m'a empêché d'avertir le père...

— Que va-t-il faire? lui dit vivement Julien.

(Il aimait l'abbé en ce moment, et une scène lui eût été fort pénible.)

Je vois trois partis, continua Julien : 1º M. de La Mole peut me faire donner la mort; et il raconta la lettre de suicide qu'il avait laissée au marquis; 2º me faire tirer au blanc[1] par le comte Norbert, qui me demanderait un duel.

— Vous accepteriez? dit l'abbé furieux, et se levant.

— Vous ne me laissez pas achever. Certainement je ne tirerais jamais sur le fils de mon bienfaiteur.

3º Il peut m'éloigner. S'il me dit : Allez à Edimbourg, à New-York, j'obéirai. Alors on peut cacher la position de Mlle de La Mole; mais je ne souffrirai point qu'on supprime mon fils.

— Ce sera là, n'en doutez point, la première idée de cet homme corrompu...

A Paris, Mathilde était au désespoir. Elle avait vu son père vers les sept heures. Il lui avait montré la lettre de Julien, elle tremblait qu'il n'eût trouvé noble de mettre fin à sa vie : Et sans ma permission? se disait-elle avec une douleur qui était de la colère.

— S'il est mort, je mourrai, dit-elle à son père. C'est vous qui serez cause de sa mort... Vous vous en réjouirez peut-être... Mais je le jure à ses mânes, d'abord je prendrai le deuil, et serai publiquement M*me veuve Sorel*, j'enverrai mes billets de faire part, comptez là-dessus. Vous ne me trouverez ni pusillanime ni lâche.

Son amour allait jusqu'à la folie. A son tour, M. de La Mole fut interdit.

Il commença à voir les événements avec quelque raison. Au déjeuner, Mathilde ne parut point. Le marquis fut délivré d'un poids immense, et surtout flatté, quand il s'aperçut qu'elle n'avait rien dit à sa mère.

Julien descendait de cheval. Mathilde le fit appeler, et se jeta dans ses bras presque à la vue de sa femme de chambre. Julien ne fut pas très reconnaissant de ce trans-

---

1. Voir p. 179, n. 2.

port, il sortait fort diplomate et fort calculateur de sa longue
conférence avec l'abbé Pirard. Son imagination était éteinte
par le calcul des possibles. Mathilde, les larmes aux yeux,
lui apprit qu'elle avait vu sa lettre de suicide.

— Mon père peut se raviser; faites-moi le plaisir de par-   5
tir à l'instant même pour Villequier. Remontez à cheval,
sortez de l'hôtel avant qu'on ne se lève de table.

Comme Julien ne quittait point l'air étonné et froid, elle
eut un accès de larmes.

— Laisse-moi conduire nos affaires, s'écria-t-elle avec   10
transport, et en le serrant dans ses bras. Tu sais bien que ce
n'est pas volontairement que je me sépare de toi. Écris sous
le couvert de ma femme de chambre, que l'adresse soit d'une
main étrangère, moi je t'écrirai des volumes. Adieu! fuis.

Ce dernier mot blessa Julien, il obéit cependant. Il est   15
fatal, pensait-il, que, même dans leurs meilleurs moments,
ces gens-là trouvent le secret de me choquer.

Mathilde résista avec fermeté à tous les projets *prudents*
de son père. Elle ne voulut jamais établir la négociation sur
d'autres bases que celles-ci : Elle serait Mme Sorel, et vivrait   20
pauvrement avec son mari en Suisse, ou chez son père à
Paris. Elle repoussait bien loin la proposition d'un accou-
chement clandestin.

— Alors commencerait pour moi la possibilité de la
calomnie et du déshonneur. Deux mois après le mariage,   25
j'irai voyager avec mon mari, et il nous sera facile de
supposer que mon fils est né à une époque convenable.

D'abord accueillie par des transports de colère, cette
fermeté finit par donner des doutes au marquis.

Dans un moment d'attendrissement :   30
— Tiens! dit-il à sa fille, voilà une inscription de dix
mille livres de rente, envoie-la à ton Julien, et qu'il me mette
bien vite dans l'impossibilité de la reprendre.

Pour *obéir* à Mathilde, dont il connaissait l'amour pour le
commandement, Julien avait fait quarante lieues inutiles :   35
il était à Villequier, réglant les comptes des fermiers; ce
bienfait du marquis fut l'occasion de son retour. Il alla
demander asile à l'abbé Pirard, qui, pendant son absence,
était devenu l'allié le plus utile de Mathilde. Toutes les fois
qu'il était interrogé par le marquis, il lui prouvait que tout   40
autre parti que le mariage public serait un crime aux yeux
de Dieu.

— Et par bonheur, ajoutait l'abbé, la sagesse du monde est ici d'accord avec la religion. Pourrait-on compter un instant, avec le caractère fougueux de Mlle de La Mole, sur le secret qu'elle ne se serait pas imposé à elle-même? Si l'on n'admet pas la marche franche d'un mariage public, la société s'occupera beaucoup plus longtemps de cette mésalliance étrange. Il faut tout dire en une fois, sans apparence ni réalité du moindre mystère.

— Il est vrai, dit le marquis pensif. Dans ce système, parler de ce mariage après trois jours, devient un rabâchage d'homme qui n'a pas d'idées. Il faudrait profiter de quelque grande mesure antijacobine du gouvernement pour se glisser incognito à la suite.

Deux ou trois amis de M. de La Mole pensaient comme l'abbé Pirard. Le grand obstacle, à leurs yeux, était le caractère décidé de Mathilde. Mais après tant de beaux raisonnements, l'âme du marquis ne pouvait s'accoutumer à renoncer à l'espoir du *tabouret* [1] pour sa fille.

Sa mémoire et son imagination étaient remplies des roueries et des faussetés de tous genres qui étaient encore possibles dans sa jeunesse. Céder à la nécessité, avoir peur de la loi lui semblait chose absurde et déshonorante pour un homme de son rang. Il payait cher maintenant ces rêveries enchanteresses qu'il se permettait depuis dix ans sur l'avenir de cette fille chérie.

Qui l'eût pu prévoir? se disait-il. Une fille de caractère si altier, d'un génie si élevé, plus fière que moi du nom qu'elle porte! dont la main m'était demandée d'avance par tout ce qu'il y a de plus illustre en France!

Il faut renoncer à toute prudence. Ce siècle est fait pour tout confondre! Nous marchons vers le chaos.

CHAPITRE 34

Après bien des hésitations sur la conduite à tenir, le marquis de La Mole obtient pour Julien, appelé désormais le chevalier Julien Sorel de la Vernaye, un brevet de lieutenant de hussards, et il le presse de rejoindre dans les vingt-quatre heures son régiment à Strasbourg.

1. Voir p. 168, en note.

CHAPITRE 35

UN ORAGE

[...] Julien était ivre d'ambition et non pas de vanité; toutefois il donnait une grande part de son attention à l'apparence extérieure. Ses chevaux, ses uniformes, les livrées de ses gens étaient tenus avec une correction qui aurait fait honneur à la ponctualité d'un grand seigneur anglais. A peine lieutenant, par faveur et depuis deux jours, il calculait déjà que, pour commander en chef à trente ans, au plus tard, comme tous les grands généraux, il fallait à vingt-trois être plus que lieutenant. Il ne pensait qu'à la gloire et à son fils.

Ce fut au milieu des transports de l'ambition la plus effrénée qu'il fut surpris par un jeune valet de pied de l'hôtel de La Mole, qui arrivait en courrier.

« Tout est perdu, lui écrivait Mathilde; accourez le plus vite possible, sacrifiez tout, désertez s'il le faut. A peine arrivé, attendez-moi dans un fiacre, près la petite porte du jardin, au n°... de la rue... J'irai vous parler; peut-être pourrai-je vous introduire dans le jardin. Tout est perdu, et je le crains, sans ressource; comptez sur moi, vous me trouverez dévouée et ferme dans l'adversité. Je vous aime. »

En quelques minutes, Julien obtint une permission du colonel et partit de Strasbourg à franc étrier; mais l'affreuse inquiétude qui le dévorait ne lui permit pas de continuer cette façon de voyager au delà de Metz. Il se jeta dans une chaise de poste; et ce fut avec une rapidité presque incroyable qu'il arriva au lieu indiqué, près de la petite porte du jardin de l'hôtel de La Mole. Cette porte s'ouvrit, et à l'instant Mathilde, oubliant tout respect humain, se précipita dans ses bras. Heureusement il n'était que cinq heures du matin et la rue était encore déserte.

— Tout est perdu; mon père, craignant mes larmes, est parti dans la nuit de jeudi. Pour où? Personne ne le sait. Voici sa lettre; lisez. Et elle monta dans le fiacre avec Julien.

« Je pouvais tout pardonner, excepté le projet de vous
séduire parce que vous êtes riche. Voilà, malheureuse fille,
l'affreuse vérité. Je vous donne ma parole d'honneur que
je ne consentirai jamais à un mariage avec cet homme. Je
lui assure dix mille livres de rente s'il veut vivre au loin,   5
hors des frontières de France, ou mieux encore en Amérique. Lisez la lettre que je reçois en réponse aux rensei-
gnements que j'avais demandés. L'impudent m'avait
engagé lui-même à écrire à Mme de Rênal. Jamais je ne
lirai une ligne de vous relative à cet homme. Je prends en   10
horreur Paris et vous. Je vous engage à recouvrir du plus
grand secret ce qui doit arriver. Renoncez *franchement* à
un homme vil, et vous retrouverez un père. »

— Où est la lettre de Mme de Rênal? dit froidement
Julien.   15

— La voici. Je n'ai voulu te la montrer qu'après que tu
aurais été préparé.

LETTRE

« Ce que je dois à la cause sacrée de la religion et de la
morale m'oblige, Monsieur, à la démarche pénible que je
viens accomplir auprès de vous; une règle, qui ne peut   20
faillir, m'ordonne de nuire en ce moment à mon prochain,
mais afin d'éviter un plus grand scandale. La douleur que
j'éprouve doit être surmontée par le sentiment du devoir.
Il n'est que trop vrai, Monsieur, la conduite de la personne
au sujet de laquelle vous me demandez toute la vérité a   25
pu sembler inexplicable ou même honnête. On a pu croire
convenable de cacher ou de déguiser une partie de la réalité,
la prudence le voulait aussi bien que la religion. Mais cette
conduite, que vous désirez connaître, a été dans le fait
extrêmement condamnable, et plus que je ne puis le dire.   30
Pauvre et avide, c'est à l'aide de l'hypocrisie la plus consom-
mée, et par la séduction d'une femme faible et malheureuse, que cet homme a cherché à se faire un état et à
devenir quelque chose. C'est une partie de mon pénible
devoir d'ajouter que je suis obligée de croire que M. J...   35
n'a aucun principe de religion. En conscience, je suis
contrainte de penser qu'un de ses moyens pour réussir
dans une maison, est de chercher à séduire la femme qui a

le principal crédit. Couvert par une apparence de désin-
téressement et par des phrases de roman, son grand et
unique objet est de parvenir à disposer du maître de la
maison et de sa fortune. Il laisse après lui le malheur et des
regrets éternels », etc., etc., etc.   5

Cette lettre extrêmement longue et à demi effacée par
des larmes était bien de la main de Mme de Rênal; elle
était même écrite avec plus de soin qu'à l'ordinaire.
— Je ne puis blâmer M. de La Mole, dit Julien, après
l'avoir finie; il est juste et prudent. Quel père voudrait   10
donner sa fille chérie à un tel homme! Adieu!
Julien sauta à bas du fiacre, et courut à sa chaise de poste
arrêtée au bout de la rue. Mathilde, qu'il semblait avoir
oubliée, fit quelques pas pour le suivre; mais les regards
des marchands qui s'avançaient sur la porte de leurs bou-   15
tiques, et desquels elle était connue, la forcèrent à rentrer
précipitamment au jardin.
Julien était parti pour Verrières. Dans cette route
rapide, il ne put écrire à Mathilde comme il en avait le
projet, sa main ne formait sur le papier que des traits illi-   20
sibles.
Il arriva à Verrières un dimanche matin. Il entra chez
l'armurier du pays, qui l'accabla de compliments sur sa
récente fortune. C'était la nouvelle du pays.
Julien eut beaucoup de peine à lui faire comprendre   25
qu'il voulait une paire de pistolets. L'armurier sur sa
demande chargea les pistolets.

● **Julien meurtrier :** *Julien était parti pour Verrières...* (p. 213, l. 18).

① D'après Henri Martineau, Charles Du Bos est « l'un des premiers
qui ait insisté sur l'état de somnambulisme dans lequel nous
plongent certains accès d'enthousiasme intérieur ». Peut-on qualifier ainsi l'état mental de Julien au moment où il accomplit son
geste criminel? Quels détails apparaissent révélateurs à cet égard?

② Quels sentiments éprouve Julien pour Mme de Rênal? Comment expliquer qu'il tire sur elle?

③ L'art de Stendhal : sur un sujet qui s'y prêtait bien, Stendhal
a-t-il écrit une page romantique? Le récit est-il pour autant
impersonnel? Comment Stendhal le présente-t-il? Selon quelle
optique voyons-nous se dérouler le drame?

Les *trois coups* sonnaient; c'est un signal bien connu dans les villages de France, et qui, après les diverses sonneries de la matinée, annonce le commencement immédiat de la messe.

Julien entra dans l'église neuve de Verrières. Toutes les fenêtres hautes de l'édifice étaient voilées avec des rideaux cramoisis. Julien se trouva à quelques pas derrière le banc de Mme de Rênal. Il lui sembla qu'elle priait avec ferveur. La vue de cette femme qui l'avait tant aimé fit trembler le bras de Julien d'une telle façon, qu'il ne put d'abord exécuter son dessein. Je ne le puis, se disait-il à lui-même; physiquement, je ne le puis.

En ce moment, le jeune clerc qui servait la messe, sonna pour l'*élévation*. Mme de Rênal baissa la tête qui un instant se trouva presque entièrement cachée par les plis de son châle. Julien ne la reconnaissait plus aussi bien; il tira sur elle un coup de pistolet et la manqua; il tira un second coup, elle tomba.

CHAPITRE 36

DÉTAILS TRISTES

Julien resta immobile, il ne voyait plus. Quand il revint un peu à lui, il aperçut tous les fidèles qui s'enfuyaient de l'église; le prêtre avait quitté l'autel. Julien se mit à suivre d'un pas assez lent quelques femmes qui s'en allaient en criant. Une femme qui voulait fuir plus vite que les autres le poussa rudement, il tomba. Ses pieds s'étaient embarrassés dans une chaise renversée par la foule; en se relevant, il se sentit le cou serré; c'était un gendarme en grande tenue qui l'arrêtait. Machinalement Julien voulut avoir recours à ses petits pistolets, mais un second gendarme s'emparait de ses bras.

Il fut conduit à la prison. On entra dans une chambre, on lui mit les fers aux mains, on le laissa seul; la porte se ferma sur lui à double tour; tout cela fut exécuté très vite, et il y fut insensible.

— Ma foi, tout est fini, dit-il tout haut en revenant à lui... Oui, dans quinze jours la guillotine... ou se tuer d'ici là.

Son raisonnement n'allait pas plus loin; il se sentait la tête comme si elle eût été serrée avec violence. Il regarda pour voir si quelqu'un le tenait. Après quelques instants, il s'endormit profondément.

Mme de Rênal n'était pas blessée mortellement. La première balle avait percé son chapeau; comme elle se retournait, le second coup était parti. La balle l'avait frappée à l'épaule, et chose étonnante, avait été renvoyée par l'os de l'épaule, que pourtant elle cassa, contre un pilier gothique dont elle détacha un énorme éclat de pierre.

Quand, après un pansement long et douloureux, le chirurgien, homme grave, dit à Mme de Rênal : Je réponds de votre vie comme de la mienne, elle fut profondément affligée.

Depuis longtemps, elle désirait sincèrement la mort. La lettre qui lui avait été imposée par son confesseur actuel, et qu'elle avait écrite à M. de La Mole, avait donné le dernier coup à cet être affaibli par un malheur trop constant. Ce malheur était l'absence de Julien; elle l'appelait, elle, *le remords*. Le directeur, jeune ecclésiastique vertueux et fervent, nouvellement arrivé de Dijon, ne s'y trompait pas.

Mourir ainsi, mais non de ma main, ce n'est point un péché, pensait Mme de Rênal. Dieu me pardonnera peut-être de me réjouir de ma mort. Elle n'osait ajouter : Et mourir de la main de Julien, c'est le comble des félicités.

A peine fut-elle débarrassée de la présence du chirurgien et de tous ses amis accourus en foule, qu'elle fit appeler Élisa, sa femme de chambre.

— Le geôlier, lui dit-elle en rougissant beaucoup, est un homme cruel. Sans doute il va le maltraiter, croyant en cela faire une chose agréable pour moi... Cette idée m'est insupportable. Ne pourriez-vous pas aller comme de vous-même remettre au geôlier ce petit paquet qui contient quelques louis? Vous lui direz que la religion ne permet pas qu'il le maltraite... Il faut surtout qu'il n'aille pas parler de cet envoi d'argent.

C'est à la circonstance dont nous venons de parler que Julien dut l'humanité du geôlier de Verrières [...].

Un juge parut dans la prison.

— J'ai donné la mort avec préméditation, lui dit Julien; j'ai acheté et fait charger les pistolets chez un tel, l'armurier. L'article 1342 du Code pénal est clair, je mérite la mort, et je l'attends.

Le juge, étonné de cette façon de répondre, voulut multiplier les questions pour faire en sorte que l'accusé *se coupât* dans ses réponses.

— Mais ne voyez-vous pas, lui dit Julien en souriant, que je me fais aussi coupable que vous pouvez le désirer? Allez, Monsieur, vous ne manquerez pas la proie que vous poursuivez. Vous aurez le plaisir de condamner. Épargnez-moi votre présence.

Il me reste un ennuyeux devoir à remplir, pensa Julien, il faut écrire à Mlle de La Mole.

« Je me suis vengé, lui disait-il. Malheureusement, mon nom paraîtra dans les journaux, et je ne puis m'échapper de ce monde incognito. Je mourrai dans deux mois. La vengeance a été atroce, comme la douleur d'être séparé de vous. De ce moment, je m'interdis d'écrire et de prononcer votre nom. Ne parlez jamais de moi, même à mon fils : le silence est la seule façon de m'honorer. Pour le commun des hommes je serai un assassin vulgaire... Permettez-moi la vérité en ce moment suprême : vous m'oublierez. Cette grande catastrophe, dont je vous conseille de ne jamais ouvrir la bouche à être vivant, aura épuisé pour plusieurs années tout ce que je voyais de romanesque et de trop aventureux dans votre caractère. Vous étiez faite pour vivre avec les héros du moyen âge; montrez leur ferme caractère. Que ce qui doit se passer soit accompli en secret et sans vous compromettre. Vous prendrez un faux nom, et n'aurez pas de confident. S'il vous faut absolument le secours d'un ami, je vous lègue l'abbé Pirard.

» Ne parlez à nul autre, surtout pas de gens de votre classe : les de Luz, les Caylus.

» Un an après ma mort, épousez M. de Croisenois; je vous en prie, je vous l'ordonne comme votre époux. Ne m'écrivez point, je ne répondrais pas. Bien moins méchant que Iago, à ce qu'il me semble, je vais dire comme lui : *From this time forth I never will speak word* [1].

» On ne me verra ni parler ni écrire; vous aurez eu mes dernières paroles comme mes dernières adorations.

» J. S. »

· · · · · · · · · · · · · · ·

---

[1] « Désormais je ne dirai plus un mot » (Shakespeare, *Othello* V, 2).

CHAPITRE 37

Dans sa prison, Julien reçoit successivement la visite du vieux curé Chélan, bouleversé par le crime de son ancien protégé, puis de Fouqué, qui voudrait le faire évader. Stendhal aussi s'attendrit sur le destin de son héros : « Il était encore bien jeune ; mais, suivant moi, ce fut une belle plante. Au lieu de marcher du tendre au rusé, comme la plupart des hommes, l'âge lui eût donné la bonté facile à s'attendrir, il se fût guéri d'une méfiance folle. »

CHAPITRE 38

UN HOMME PUISSANT

De son côté, Mathilde remue ciel et terre pour tenter de sauver Julien.

Mathilde vit les premiers avocats du pays, qu'elle offensa en leur donnant de l'or trop crûment ; mais ils finirent par accepter.

Elle arriva rapidement à cette idée, qu'en fait de choses douteuses et d'une haute portée, tout dépendait à Besançon de M. l'abbé de Frilair.

Sous le nom obscur de Mme Michelet, elle trouva d'abord d'insurmontables difficultés pour parvenir jusqu'au tout-puissant congréganiste. Mais le bruit de la beauté d'une jeune marchande de modes, folle d'amour, et venue de Paris à Besançon pour consoler le jeune abbé Julien Sorel, se répandit dans la ville.

Mathilde courait seule à pied, dans les rues de Besançon ; elle espérait n'être pas reconnue. Dans tous les cas, elle ne croyait pas inutile à sa cause de produire une grande impression sur le peuple. Sa folie songeait à le faire révolter pour sauver Julien marchant à la mort. Mlle de La Mole croyait être vêtue simplement et comme il convient à une femme dans la douleur ; elle l'était de façon à attirer tous les regards.

Elle était à Besançon l'objet de l'attention de tous, lorsque, après huit jours de sollicitations, elle obtint une audience de M. de Frilair.

Quel que fût son courage, les idées de congréganiste influent et de profonde et prudente scélératesse étaient tellement liées dans son esprit, qu'elle trembla en sonnant à la porte de l'évêché. Elle pouvait à peine marcher lorsqu'il lui fallut monter l'escalier qui conduisait à l'appartement du premier grand-vicaire. La solitude du palais épiscopal lui donnait froid. Je puis m'asseoir sur un fauteuil, et ce fauteuil me saisir les bras, j'aurai disparu. A qui ma femme de chambre pourra-t-elle me demander? Le capitaine de gendarmerie se gardera bien d'agir... Je suis isolée dans cette grande ville!

A son premier regard dans l'appartement, Mlle de La Mole fut rassurée. D'abord c'était un laquais en livrée fort élégante qui lui avait ouvert. Le salon où on la fit attendre étalait ce luxe fin et délicat, si différent de la magnificence grossière, et que l'on ne trouve à Paris que dans les meilleures maisons. Dès qu'elle aperçut M. de Frilair qui venait à elle d'un air paterne, toutes les idées de crime atroce disparurent. Elle ne trouva pas même sur cette belle figure l'empreinte de cette vertu énergique et quelque peu sauvage, si antipathique à la société de Paris. Le demi-sourire qui animait les traits du prêtre, qui disposait de tout à Besançon, annonçait l'homme de bonne compagnie, le prélat instruit, l'administrateur habile. Mathilde se crut à Paris.

Il ne fallut que quelques instants à M. de Frilair pour amener Mathilde à lui avouer qu'elle était la fille de son puissant adversaire le marquis de La Mole.

— Je ne suis point en effet Mme Michelet, dit-elle en reprenant toute la hauteur de son maintien, et cet aveu me coûte peu, car je viens vous consulter, monsieur, sur la possibilité de procurer l'évasion de M. de La Vernaye. D'abord il n'est coupable que d'une étourderie; la femme sur laquelle il a tiré se porte bien. En second lieu, pour séduire les subalternes, je puis remettre sur-le-champ cinquante mille francs et m'engager pour le double. Enfin, ma reconnaissance et celle de ma famille ne trouvera rien d'impossible pour qui aura sauvé M. de La Vernaye.

M. de Frilair paraissait étonné de ce nom. Mathilde lui

montra plusieurs lettres du ministre de la guerre, adressées
à M. Julien Sorel de La Vernaye.

— Vous voyez, Monsieur, que mon père se chargeait
de sa fortune. Je l'ai épousé en secret, mon père désirait
qu'il fût officier supérieur avant de déclarer ce mariage   5
un peu singulier pour une La Mole.

Mathilde remarqua que l'expression de la bonté et
d'une gaîté douce s'évanouissait rapidement à mesure que
M. de Frilair arrivait à des découvertes importantes. Une
finesse mêlée de fausseté profonde se peignit sur sa figure.   10

L'abbé avait des doutes, il relisait lentement les documents officiels.

Quel parti puis-je tirer de ces étranges confidences? se
disait-il. Me voici tout d'un coup en relation intime avec
une amie de la célèbre maréchale de Fervaques, nièce   15
toute-puissante de monseigneur l'évêque de ***, par qui
l'on est évêque en France.

Ce que je regardais comme reculé dans l'avenir se présente à l'improviste. Ceci peut me conduire au but de
tous mes vœux.   20

D'abord Mathilde fut effrayée du changement rapide
de la physionomie de cet homme si puissant, avec lequel
elle se trouvait seule dans un appartement reculé. Mais
quoi! se dit-elle bientôt, la pire chance n'eût-elle pas été

● **Un duel :** *Il ne fallut que quelques instants...* (p. 218, l. 29). —
Mlle de La Mole vient solliciter l'appui de l'abbé de Frilair pour
sauver Julien et se trouve, puisque c'est elle qui sollicite, en état
d'infériorité. Mais, par ses relations, elle est aussi puissante que
son interlocuteur.

① Montrer que cette entrevue est une sorte de duel : distinguer
les différentes péripéties et les avantages successifs que prend
tour à tour chaque personnage sur son adversaire. Quelle est la
force essentielle de l'abbé de Frilair? et celle de Mathilde?

② L'un et l'autre cachent leur jeu. Quelles sont leurs pensées
secrètes?

③ L'abbé de Frilair pratique-t-il la morale chrétienne? Pourquoi
torture-t-il *voluptueusement* (p. 221, l. 5) le cœur de Mathilde?
Quels sentiments une telle attitude dénote-t-elle chez lui?

④ Mathilde a-t-elle l'habitude de jouer le rôle d'une suppliante?
Pourquoi le joue-t-elle? Apprécier la part respective de son goût
pour la lutte et de son amour pour Julien.

de ne faire aucune impression sur le froid égoïsme d'un prêtre rassasié de pouvoir et de jouissances?

Ébloui de cette voie rapide et imprévue qui s'ouvrait à ses yeux pour arriver à l'épiscopat, étonné du génie de Mathilde, un instant M. de Frilair ne fut plus sur ses gardes. Mlle de La Mole le vit presque à ses pieds, ambitieux et vif jusqu'au tremblement nerveux.

Tout s'éclaircit, pensa-t-elle, rien ne sera impossible ici à l'amie de Mme de Fervaques. Malgré un sentiment de jalousie encore bien douloureux, elle eut le courage d'expliquer que Julien était l'ami intime de la maréchale, et rencontrait presque tous les jours chez elle monseigneur l'évêque de ***.

— Quand l'on tirerait au sort quatre ou cinq fois de suite une liste de trente-six jurés parmi les notables habitants de ce département, dit le grand vicaire avec l'âpre regard de l'ambition et en appuyant sur les mots, je me considérerais comme bien peu chanceux si dans chaque liste je ne comptais pas huit ou dix amis et les plus intelligents de la troupe. Presque toujours j'aurai la majorité, plus qu'elle même pour condamner; voyez, mademoiselle, avec quelle grande facilité je puis faire absoudre...

L'abbé s'arrêta tout à coup, comme étonné du son de ses paroles; il avouait des choses que l'on ne dit jamais aux profanes.

Mais à son tour il frappa Mathilde de stupeur quand il lui apprit que ce qui étonnait et intéressait surtout la société de Besançon dans l'étrange aventure de Julien, c'est qu'il avait inspiré autrefois une grande passion à Mme de Rênal, et l'avait longtemps partagée. M. de Frilair s'aperçut facilement du trouble extrême que produisait son récit.

J'ai ma revanche! pensa-t-il. Enfin, voici un moyen de conduire cette petite personne si décidée; je tremblais de n'y pas réussir. L'air distingué et peu facile à mener redoublait à ses yeux le charme de la rare beauté qu'il voyait presque suppliante devant lui. Il reprit tout son sang-froid, et n'hésita point à retourner le poignard dans son cœur.

— Je ne serais pas surpris après tout, lui dit-il d'un air léger, quand nous apprendrions que c'est par jalousie que M. Sorel a tiré deux coups de pistolet à cette femme autrefois tant aimée. Il s'en faut bien qu'elle soit sans agréments, et depuis peu elle voyait fort souvent un certain abbé Marquinot de Dijon, espèce de janséniste sans mœurs, comme ils sont tous.

M. de Frilair tortura voluptueusement et à loisir le cœur de cette jolie fille, dont il avait surpris le côté faible.

CHAPITRE 39

L'INTRIGUE

Cependant, le dévouement de Mathilde est incapable d'émouvoir Julien, qui prend conscience de la froideur de ses propres sentiments envers elle.

Il est singulier, se disait Julien, un jour que Mathilde sortait de sa prison, qu'une passion si vive et dont je suis l'objet me laisse tellement insensible! et je l'adorais il y a deux mois! J'avais bien lu que l'approche de la mort désintéresse de tout; mais il est affreux de se sentir ingrat et de ne pouvoir se changer. Je suis donc un égoïste? Il se faisait à ce sujet les reproches les plus humiliants.

L'ambition était morte en son cœur, une autre passion y était sortie de ses cendres; il l'appelait le remords d'avoir assassiné Mme de Rênal.

Dans le fait, il en était éperdument amoureux. Il trouvait un bonheur singulier quand, laissé absolument seul et sans crainte d'être interrompu, il pouvait se livrer tout entier au souvenir des journées heureuses qu'il avait passées jadis à Verrières ou à Vergy. Les moindres incidents de ces temps trop rapidement envolés avaient pour lui une fraîcheur et un charme irrésistibles. Jamais il ne pensait à ses succès de Paris; il en était ennuyé.

Ces dispositions qui s'accroissaient rapidement furent en partie devinées par la jalousie de Mathilde. Elle s'apercevait fort clairement qu'elle avait à lutter contre l'amour de la solitude. Quelquefois, elle prononçait avec terreur le nom de Mme de Rênal. Elle voyait frémir Julien. Sa passion n'eut désormais ni bornes, ni mesure.

S'il meurt, je meurs après lui, se disait-elle avec toute

la bonne foi possible. Que diraient les salons de Paris en voyant une fille de mon rang adorer à ce point un amant destiné à la mort? Pour trouver de tels sentiments, il faut remonter au temps des héros; c'étaient des amours de ce genre qui faisaient palpiter les cœurs du siècle de Charles IX et de Henri III.

Au milieu des transports les plus vifs, quand elle serrait contre son cœur la tête de Julien : Quoi! se disait-elle avec horreur, cette tête charmante serait destinée à tomber! Eh bien! ajoutait-elle enflammée d'un héroïsme qui n'était pas sans bonheur, mes lèvres, qui se pressent contre ces jolis cheveux, seront glacées moins de vingt-quatre heures après.

Les souvenirs de ces moments d'héroïsme et d'affreuse volupté l'attachaient d'une étreinte invincible. L'idée de suicide, si occupante par elle-même, et jusqu'ici si éloignée de cette âme altière, y pénétra, et bientôt y régna avec un empire absolu. Non, le sang de mes ancêtres ne s'est point attiédi en descendant jusqu'à moi, se disait Mathilde avec orgueil.

— J'ai une grâce à vous demander, lui dit un jour son amant : mettez votre enfant en nourrice à Verrières, Mme de Rênal surveillera la nourrice.

— Ce que vous me dites là est bien dur... Et Mathilde pâlit.

— Il est vrai, et je t'en demande mille fois pardon, s'écria Julien sortant de sa rêverie, et la serrant dans ses bras.

Après avoir séché ses larmes, il revint à sa pensée, mais avec plus d'adresse. Il avait donné à la conversation un tour de philosophie mélancolique. Il parlait de cet avenir qui allait sitôt se fermer pour lui.

— Il faut convenir, chère amie, que les passions sont un accident dans la vie, mais cet accident ne se rencontre que chez les âmes supérieures... La mort de mon fils serait au fond un bonheur pour l'orgueil de votre famille, c'est ce que devineront les subalternes. La négligence sera le lot de cet enfant du malheur et de la honte... J'espère qu'à une époque que je ne veux point fixer, mais que pourtant mon courage entrevoit, vous obéirez à mes dernières recommandations : Vous épouserez M. le Marquis de Croisenois.

— Quoi, déshonorée!

— Le déshonneur ne pourra prendre sur un nom tel que le vôtre. Vous serez une veuve et la veuve d'un fou, voilà tout. J'irai plus loin : mon crime n'ayant point l'argent pour moteur ne sera point déshonorant. Peut-être à cette époque, quelque législateur philosophe aura obtenu, des préjugés de ses contemporains, la suppression de la peine de mort. Alors, quelque voix amie dira comme un exemple : Tenez, le premier époux de Mlle de La Mole était un fou, mais non pas un méchant homme, un scélérat. Il fut absurde de faire tomber cette tête... Alors ma mémoire ne sera point infâme; du moins après un certain temps... Votre position dans le monde, votre fortune, et, permettez-moi de le dire, votre génie, feront jouer à M. de Croisenois, devenu votre époux, un rôle auquel tout seul il ne saurait atteindre. Il n'a que de la naissance et de la bravoure, et ces qualités toutes seules, qui faisaient un homme accompli en 1729, sont un anachronisme un siècle plus tard, et ne donnent que des prétentions. Il faut encore d'autres choses pour se placer à la tête de la jeunesse française.

Vous porterez le secours d'un caractère ferme et entreprenant au parti politique où vous jetterez votre époux. Vous pourrez succéder aux Chevreuse et aux Longueville de la Fronde... Mais alors, chère amie, le feu céleste qui vous anime en ce moment sera un peu attiédi.

Permettez-moi de vous le dire, ajouta-t-il après beaucoup d'autres phrases préparatoires, dans quinze ans vous regarderez comme une folie excusable, mais pourtant comme une folie, l'amour que vous avez eu pour moi...

Il s'arrêta tout à coup et devint rêveur. Il se trouvait de nouveau vis-à-vis de cette idée si choquante pour Mathilde : dans quinze ans Mme de Rênal adorera mon fils, et vous l'aurez oublié.

CHAPITRE 40

Mathilde et Fouqué continuent leurs démarches pour sauver Julien, et, dans le même but, Mme de Rênal écrit à son tour à chacun des jurés.

CHAPITRE 41

LE JUGEMENT

« *Enfin parut ce jour, tellement redouté de Mme de Rênal et de Mathilde* », le jour du verdict. On vient d'entendre les témoins, l'avocat général, puis la plaidoirie.

Comme le président faisait son résumé, minuit sonna. Le président fut obligé de s'interrompre; au milieu du silence de l'anxiété universelle, le retentissement de la cloche de l'horloge remplissait la salle.

Voilà le dernier de mes jours qui commence, pensa Julien. Bientôt il se sentit enflammé par l'idée du devoir. Il avait dominé jusque-là son attendrissement, et gardé sa résolution de ne point parler; mais quand le président des assises lui demanda s'il avait quelque chose à ajouter, il se leva. Il voyait devant lui les yeux de Mme Derville qui, aux lumières, lui semblèrent bien brillants. Pleurerait-elle, par hasard? pensa-t-il.

« Messieurs les jurés,

» L'horreur du mépris, que je croyais pouvoir braver au moment de la mort, me fait prendre la parole. Messieurs, je n'ai point l'honneur d'appartenir à votre classe, vous voyez en moi un paysan qui s'est révolté contre la bassesse de sa fortune.

» Je ne vous demande aucune grâce, continua Julien en affermissant sa voix. Je ne me fais point illusion, la mort m'attend : elle sera juste. J'ai pu attenter aux jours de la femme la plus digne de tous les respects, de tous les hommages. Mme de Rênal avait été pour moi comme une mère. Mon crime est atroce, et il fut *prémédité*. J'ai donc mérité la mort, Messieurs les jurés. Mais quand je serais moins coupable, je vois des hommes qui, sans s'arrêter à ce que ma jeunesse peut mériter de pitié, voudront punir en moi et décourager à jamais cette classe de jeunes gens qui, nés dans une classe inférieure et en quelque sorte opprimés par la pauvreté, ont le bonheur de se procurer une bonne éducation, et l'audace de se mêler à ce que l'orgueil des gens riches appelle la société.

» Voilà mon crime, Messieurs, et il sera puni avec d'autant plus de sévérité, que, dans le fait, je ne suis point jugé par mes pairs. Je ne vois point sur les bancs des jurés quelque paysan enrichi, mais uniquement des bourgeois indignés... »

Pendant vingt minutes, Julien parla sur ce ton; il dit tout ce qu'il avait sur le cœur; l'avocat général, qui aspirait aux faveurs de l'aristocratie, bondissait sur son siège; mais malgré le tour un peu abstrait que Julien avait donné à la discussion, toutes les femmes fondaient en larmes. Mme Derville elle-même avait son mouchoir sur ses yeux. Avant de finir, Julien revint à la préméditation, à son repentir, au respect, à l'adoration filiale et sans bornes que, dans les temps plus heureux, il avait pour Mme de Rênal... Mme Derville jeta un cri et s'évanouit.

Une heure sonnait comme les jurés se retiraient dans leur chambre. Aucune femme n'avait abandonné sa place; plusieurs hommes avaient les larmes aux yeux. Les conversations furent d'abord très vives; mais peu à peu, la décision du jury se faisant attendre, la fatigue générale commença à jeter du calme dans l'assemblée. Ce moment était solennel; les lumières jetaient moins d'éclat. Julien, très fatigué, entendait discuter auprès de lui la question de savoir si ce retard était de bon ou de mauvais augure. Il vit avec plaisir

---

● **Le chapitre 41 : thème de réflexion**

« Julien Sorel dans une démocratie est enseveli dans son triomphe. Cent ans après la déclaration de Julien aux jurés de Besançon, ses revendications de classe, sa réclamation de la carrière ouverte aux talents, voici l'École unique. Cent ans après la condamnation à mort de Julien, voici l'acquittement quotidien du crime passionnel. Julien sortirait aujourd'hui de la Cour d'assises avec cent francs d'amende pour port d'arme prohibée. Le *je serai compris vers 1880* ne s'applique pas seulement aux littérateurs et aux lecteurs, mais au jury [...]. Chronique de 1830, critique de 1930. Je ne connais pas d'exemple plus saisissant d'un grand livre digéré sous nos yeux, comme dans un estomac de verre, par un siècle » (Albert Thibaudet, *Revue de Paris*, 1er décembre 1930).

que tous les vœux étaient pour lui; le jury ne revenait point, et cependant aucune femme ne quittait la salle.

Comme deux heures venaient de sonner, un grand mouvement se fit entendre. La petite porte de la chambre des jurés s'ouvrit. M. le baron de Valenod s'avança d'un pas grave et théâtral, il était suivi de tous les jurés. Il toussa, puis déclara qu'en son âme et conscience la déclaration unanime du jury était que Julien Sorel était coupable de meurtre, et de meurtre avec préméditation : cette déclaration entraînait la peine de mort; elle fut prononcée un instant après. Julien regarda sa montre, et se souvint de M. de Lavalette[1]; il était deux heures et un quart. C'est aujourd'hui vendredi, pensa-t-il.

Oui, mais ce jour est heureux pour le Valenod, qui me condamne... Je suis trop surveillé pour que Mathilde puisse me sauver comme fit Mme de Lavalette... Ainsi, dans trois jours, à cette même heure, je saurai à quoi m'en tenir sur le *grand peut-être.*

En ce moment, il entendit un cri et fut rappelé aux choses de ce monde. Les femmes autour de lui sanglotaient; il vit que toutes les figures étaient tournées vers une petite tribune pratiquée dans le couronnement d'un pilastre gothique. Il sut plus tard que Mathilde s'y était cachée. Comme le cri ne se renouvela pas, tout le monde se remit à regarder Julien, auquel les gendarmes cherchaient à faire traverser la foule.

Tâchons de ne pas apprêter à rire à ce fripon de Valenod, pensa Julien. Avec quel air contrit et patelin il a prononcé la déclaration qui entraîne la peine de mort! tandis que ce pauvre président des assises, tout juge qu'il est depuis nombre d'années, avait la larme à l'œil en me condamnant. Quelle joie pour le Valenod de se venger de notre ancienne rivalité auprès de Mme de Rênal!... Je ne la verrai donc plus! C'en est fait... Un dernier adieu est impossible entre nous, je le sens... Que j'aurais été heureux de lui dire toute l'horreur que j'ai de mon crime!

Seulement ces paroles : Je me trouve justement condamné.

---

1. Le comte de Lavalette, condamné à mort et emprisonné à la Conciergerie par Louis XVIII, s'en évada grâce à la complicité héroïque de sa femme. Stendhal a toujours beaucoup admiré cet exemple d'énergie.

Un bal en 1819 - Lithographie

« Elle saisit le bras de son frère, et, à son grand chagrin,
le força de faire un tour dans le bal » (p. 148, l. 35)

Antonella Lualdi (Mathilde de la Mole) dans le film d'Autant-Lara

CHAPITRE 42

*Conduit dans la cellule des condamnés à mort, Julien
ne cède pas à la panique, mais médite, non sans humour,
sur son destin, et refuse, devant Mathilde, de signer son appel.*

— Et qui est là? dit-il, d'un air doux.

— L'avocat, pour vous faire signer votre appel.　　　5

— Je n'appellerai pas.

— Comment! vous n'appellerez pas, dit-elle en se
levant et les yeux étincelants de colère, et pourquoi, s'il
vous plaît?

— Parce que, en ce moment, je me sens le courage de 10
mourir sans trop faire rire à mes dépens. Et qui me dit
que dans deux mois, après un long séjour dans ce cachot
humide, je serai aussi bien disposé? Je prévois des entre-
vues avec des prêtres, avec mon père... Rien au monde ne
peut m'être aussi désagréable. Mourons.　　　15

Cette contrariété imprévue réveilla toute la partie altière
du caractère de Mathilde. Elle n'avait pu voir l'abbé de
Frilair avant l'heure où l'on ouvre les cachots de la prison
de Besançon; sa fureur retomba sur Julien. Elle l'adorait,
et, pendant un grand quart d'heure, il retrouva dans 20
ses imprécations contre son caractère, de lui Julien, dans
ses regrets de l'avoir aimé, toute cette âme hautaine qui
jadis l'avait accablé d'injures si poignantes, dans la bibliothèque de l'hôtel de La Mole.

— Le ciel devait à la gloire de ta race de te faire naître 25
homme, lui dit-il.

Mais quant à moi, pensait-il, je serais bien dupe de
vivre encore deux mois dans ce séjour dégoûtant, en
butte à tout ce que la faction patricienne peut inventer
d'infâme et d'humiliant, et ayant pour unique consolation 30
les imprécations de cette folle... Eh bien, après-demain
matin, je me bats en duel avec un homme connu par son
sang-froid et par une adresse remarquable... Fort remarquable, dit le parti méphistophélès; il ne manque jamais
son coup.　　　35

Eh bien, soit, à la bonne heure (Mathilde continuait à
être éloquente). Parbleu non, se dit-il, je n'appellerai pas.

Cette résolution prise, il tomba dans la rêverie... Le courrier en passant apportera le journal à six heures comme à l'ordinaire; à huit heures, après que M. de Rênal l'aura lu, Élisa, marchant sur la pointe du pied, viendra le déposer sur son lit. Plus tard elle s'éveillera : tout à coup, en lisant, elle sera troublée; sa jolie main tremblera; elle lira jusqu'à ces mots... *A dix heures et cinq minutes il avait cessé d'exister.*

CHAPITRE 43

Une heure après, comme il dormait profondément, il fut éveillé par des larmes qu'il sentait couler sur sa main. Ah! c'est encore Mathilde, pensa-t-il à demi éveillé. Elle vient, fidèle à la théorie, attaquer ma résolution par les sentiments tendres. Ennuyé de la perspective de cette nouvelle scène dans le genre pathétique, il n'ouvrit pas les yeux. Les vers de Belphégor fuyant sa femme [1] lui revinrent à la pensée.

Il entendit un soupir singulier; il ouvrit les yeux, c'était Mme de Rênal.

— Ah! je te revois avant que de mourir, est-ce une illusion? s'écria-t-il en se jetant à ses pieds.

Mais pardon, Madame, je ne suis qu'un assassin à vos yeux, dit-il à l'instant, en revenant à lui.

— Monsieur... je viens vous conjurer d'appeler, je sais que vous ne le voulez pas... Ses sanglots l'étouffaient; elle ne pouvait parler.

— Daignez me pardonner.

— Si tu veux que je te pardonne, lui dit-elle en se levant et se jetant dans ses bras, appelle tout de suite de ta sentence de mort.

Julien la couvrait de baisers.

— Viendras-tu me voir tous les jours pendant ces deux mois?

— Je te le jure. Tous les jours, à moins que mon mari ne me le défende.

---

1. « Sire, dit-il, le nœud du mariage
    Damne aussi dur qu'aucuns autres états ».

(La Fontaine, *Contes*, V, 7)

— Je signe! s'écria Julien. Quoi! tu me pardonnes! Est-il possible!

Il la serrait dans ses bras; il était fou. Elle jeta un petit cri.

— Ce n'est rien, lui dit-elle, tu m'as fait mal.

— A ton épaule, s'écria Julien fondant en larmes. Il s'éloigna un peu, et couvrit sa main de baisers de flamme. Qui me l'eût dit la dernière fois que je te vis, dans ta chambre, à Verrières?

— Qui m'eût dit alors que j'écrirais à M. de La Mole cette lettre infâme?

— Sache que je t'ai toujours aimée, que je n'ai aimé que toi.

— Est-il bien possible! s'écria Mme de Rênal, ravie à son tour. Elle s'appuya sur Julien, qui était à ses genoux, et longtemps ils pleurèrent en silence.

A aucune époque de sa vie, Julien n'avait trouvé un moment pareil.

Bien longtemps après, quand on put parler :

— Et cette jeune Mme Michelet, dit Mme de Rênal, ou plutôt cette Mlle de La Mole; car je commence en vérité à croire cet étrange roman!

— Il n'est vrai qu'en apparence, répondit Julien. C'est ma femme, mais ce n'est pas ma maîtresse.

En s'interrompant cent fois l'un l'autre, ils parvinrent à grand'peine à se raconter ce qu'ils ignoraient. La lettre écrite à M. de La Mole avait été faite par le jeune prêtre qui dirigeait la conscience de Mme de Rênal, et ensuite copiée par elle.

— Quelle horreur m'a fait commettre la religion! lui disait-elle; et encore j'ai adouci les passages les plus affreux de cette lettre...

Les transports et le bonheur de Julien lui prouvaient combien il lui pardonnait. Jamais il n'avait été aussi fou d'amour.

— Je me crois pourtant pieuse, lui disait Mme de Rênal dans la suite de la conversation. Je crois sincèrement en Dieu; je crois également, et même cela m'est prouvé, que le crime que je commets est affreux, et dès que je te vois, même après que tu m'as tiré deux coups de pistolet... Et ici, malgré elle, Julien la couvrit de baisers.

— Laisse-moi, continua-t-elle, je veux raisonner avec toi, de peur de l'oublier... Dès que je te vois, tous les

devoirs disparaissent, je ne suis plus qu'amour pour toi,
ou plutôt le mot amour est trop faible. Je sens pour toi
ce que je devrais sentir uniquement pour Dieu : un mélange
de respect, d'amour, d'obéissance... En vérité, je ne sais
pas ce que tu m'inspires. Tu me dirais de donner un   5
coup de couteau au geôlier, que le crime serait commis
avant que j'y eusse songé. Explique-moi cela bien nettement
avant que je te quitte, je veux voir clair dans mon cœur;
car dans deux mois nous nous quittons... A propos,
nous quitterons-nous? lui dit-elle en souriant.   10

— Je retire ma parole, s'écria Julien en se levant; je
n'appelle pas de la sentence de mort, si par poison, couteau,
pistolet, charbon ou de toute autre manière quelconque,
tu cherches à mettre fin ou obstacle à ta vie.

La physionomie de Mme de Rênal changea tout à coup;   15
la plus vive tendresse fit place à une rêverie profonde.

— Si nous mourions tout de suite? lui dit-elle enfin.

— Qui sait ce que l'on trouve dans l'autre vie? répondit
Julien; peut-être des tourments, peut-être rien du tout. Ne
pouvons-nous pas passer deux mois ensemble d'une   20
manière délicieuse? Deux mois, c'est bien des jours. Jamais
je n'aurai été aussi heureux!

— Jamais, tu n'auras été aussi heureux!

— Jamais, répéta Julien ravi, et je te parle comme je
me parle à moi-même. Dieu me préserve d'exagérer.   25

● **L'amour retrouvé :** *Une heure après...* (p. 229, l. 9). — Lors de
la première rencontre de Julien et de Mme de Rênal, on pouvait
déjà remarquer une secrète ressemblance et comme une secrète
complicité entre ces deux êtres. De même, lorsqu'ils se retrouvent,
à la fin du roman, c'est pour constater combien leurs cœurs battent
à l'unisson.

① Étudier l'habileté de la présentation de cette scène dans les
premières lignes : comment au cauchemar est opposée l' « apparition »?

② A quoi se remarque la tendresse de chacun des deux personnages l'un pour l'autre? Le souvenir de la tentative de meurtre
diminue-t-il ou avive-t-il leurs sentiments?

③ Cette page est à peu près tout entière constituée par un dialogue :
pourquoi Stendhal a-t-il préféré cette forme à celle du récit? Ne
pourrait-on pas parler d'une sorte de duo lyrique? Relever une
expression cornélienne répétée deux fois, par Julien d'abord,
puis par Mme de Rênal.

— C'est me commander que de parler ainsi, dit-elle avec un sourire timide et mélancolique.

— Eh bien! tu jures, sur l'amour que tu as pour moi, de n'attenter à ta vie par aucun moyen direct, ni indirect... songe, ajouta-t-il, qu'il faut que tu vives pour mon fils, que Mathilde abandonnera à des laquais dès qu'elle sera marquise de Croisenois.

— Je jure, reprit-elle froidement, mais je veux emporter ton appel écrit et signé de ta main. J'irai moi-même chez M. le Procureur général.

— Prends garde, tu te compromets.

— Après la démarche d'être venue te voir dans ta prison, je suis à jamais, pour Besançon et toute la Franche-Comté, une héroïne d'anecdotes, dit-elle d'un air profondément affligé. Les bornes de l'austère pudeur sont franchies... Je suis une femme perdue d'honneur; il est vrai que c'est pour toi...

Son accent était si triste, que Julien l'embrassa avec un bonheur tout nouveau pour lui. Ce n'était plus l'ivresse de l'amour, c'était reconnaissance extrême. Il venait d'apercevoir, pour la première fois, toute l'étendue du sacrifice qu'elle lui avait fait.

Quelque âme charitable informa, sans doute, M. de Rênal des longues visites que sa femme faisait à la prison de Julien, car, au bout de trois jours, il lui envoya sa voiture, avec l'ordre exprès de revenir sur-le-champ à Verrières.

Ces tendres entretiens entre Julien et Mme de Rênal n'auront donc pas été de longue durée...

Julien connaît alors la solitude, que ne peuvent rompre ni les visites de Mathilde, qui lui est devenue tout à fait indifférente, ni celle de son père, qui a toujours été pour lui un étranger hostile. « Le pire des malheurs en prison, pensa-t-il, c'est de ne pouvoir fermer sa porte. » Il médite amèrement dans sa cellule.

CHAPITRE 44

[...] Un soir Julien songeait sérieusement à se donner la mort. Son âme était énervée par le malheur profond où l'avait jeté le départ de Mme de Rênal. Rien ne lui plaisait plus, ni dans la vie réelle ni dans l'imagination.

Le défaut d'exercice commençait à altérer sa santé et à lui donner le caractère exalté et faible d'un jeune étudiant allemand. Il perdait cette mâle hauteur qui repousse par un énergique jurement certaines idées peu convenables dont l'âme des malheureux est assaillie [...].

Vivre isolé!... Quel tourment!...

Je deviens fou et injuste, se dit Julien en se frappant le front. Je suis isolé ici dans ce cachot; mais je n'ai pas *vécu isolé* sur la terre; j'avais la puissante idée du *devoir*. Le devoir que je m'étais prescrit, à tort ou à raison... a été comme le tronc d'un arbre solide auquel je m'appuyais pendant l'orage; je vacillais, j'étais agité. Après tout je n'étais qu'un homme... Mais je n'étais pas emporté.

C'est l'air humide de ce cachot qui me fait penser à l'isolement...

Et pourquoi être encore hypocrite en maudissant l'hypocrisie? Ce n'est ni la mort, ni le cachot, ni l'air humide, c'est l'absence de Mme de Rênal qui m'accable. Si, à Verrières, pour la voir, j'étais obligé de vivre des semaines entières, caché dans les caves de sa maison, est-ce que je me plaindrais?

L'influence de mes contemporains l'emporte, dit-il tout haut et avec un rire amer. Parlant seul avec moi-même, à deux pas de la mort, je suis encore hypocrite... O dix-neuvième siècle!

...Un chasseur tire un coup de fusil dans une forêt, sa proie tombe, il s'élance pour la saisir. Sa chaussure heurte

---

• **Méditation dans une cellule** — Julien a su presque toujours s'analyser lucidement, tout au long du roman. Mais ici (chap. 44), peut-être sous l'effet du vin de Champagne qu'il vient de boire avec deux autres prisonniers, sa lucidité atteint un certain paroxysme.

① Étudier précisément l'exercice de cette lucidité, en songeant qu'il s'agit des dernières pensées organisées de Julien avant son exécution. Montrer qu'il apparaît à la fois fort et vulnérable, tendre et cynique, à mi-chemin entre la foi, qu'il désire, et l'athéisme qu'il croit vrai.

② Montrer que cette lucidité philosophique s'accompagne d'un certain lyrisme. Ce dernier trait est-il habituel dans l'œuvre de Stendhal? Cette page vous paraît-elle un peu *à part* dans le roman? Pourquoi?

une fourmilière haute de deux pieds, détruit l'habitation
des fourmis, sème au loin les fourmis, leurs œufs... Les
plus philosophes parmi les fourmis ne pourront jamais
comprendre ce corps noir, immense, effroyable : la botte
du chasseur, qui tout à coup a pénétré dans leur demeure   5
avec une incroyable rapidité, et précédée d'un bruit épouvantable, accompagné de gerbes d'un feu rougeâtre...

...Ainsi la mort, la vie, l'éternité, choses fort simples pour
qui aurait les organes assez vastes pour les concevoir...

Une mouche éphémère naît à neuf heures du matin   10
dans les grands jours d'été, pour mourir à cinq heures du
soir; comment comprendrait-elle le mot *nuit?*

Donnez-lui cinq heures d'existence de plus, elle voit et
comprend ce que c'est que la nuit.

Ainsi moi, je mourrai à vingt-trois ans. Donnez-moi   15
cinq années de vie de plus, pour vivre avec Mme de Rênal.

Et il se mit à rire comme Méphistophélès. Quelle folie
de discuter ces grands problèmes!

1° Je suis hypocrite comme s'il y avait là quelqu'un
pour m'écouter.   20

2° J'oublie de vivre et d'aimer, quand il me reste si peu
de jours à vivre... Hélas! Mme de Rênal est absente; peut-
être son mari ne la laissera plus revenir à Besançon, et
continuer à se déshonorer.

Voilà ce qui m'isole, et non l'absence d'un Dieu juste,   25
bon, tout-puissant, point méchant, point avide de vengeance.

Ah! s'il existait... hélas! je tomberais à ses pieds. J'ai
mérité la mort, lui dirais-je; mais, grand Dieu, Dieu bon,
Dieu indulgent, rends-moi celle que j'aime!   30

La nuit était alors fort avancée. Après une heure ou deux
d'un sommeil paisible arriva Fouqué.

Julien se sentait fort et résolu comme l'homme qui voit
clair dans son âme.

CHAPITRE 45

Mme de Rênal a pu s'échapper de Verrières, et sa présence,   35
dont Mathilde est fort jalouse, donne à Julien ses derniers
moments de bonheur : leur intimité est parfaite, et leur
tendresse partagée comme elle ne l'avait jamais été.

Le mauvais air du cachot devenait insupportable à Julien. Par bonheur, le jour où on lui annonça qu'il fallait mourir, un beau soleil réjouissait la nature, et Julien était en veine de courage. Marcher au grand air fut pour lui une sensation délicieuse, comme la promenade à terre pour le navigateur qui longtemps a été à la mer. Allons, tout va bien, se dit-il, je ne manque point de courage.

Jamais cette tête n'avait été aussi poétique qu'au moment où elle allait tomber. Les plus doux moments qu'il avait trouvés jadis dans les bois de Vergy revenaient en foule à sa pensée et avec une extrême énergie.

Tout se passa simplement, convenablement, et de sa part sans aucune affectation.

L'avant-veille, il avait dit à Fouqué :

— Pour de l'émotion, je ne puis en répondre; ce cachot si laid, si humide, me donne des moments de fièvre où je ne me reconnais pas; mais de la peur non, on ne me verra point pâlir.

Il avait pris ses arrangements d'avance pour que le matin du dernier jour, Fouqué enlevât Mathilde et Mme de Rênal.

— Emmène-les dans la même voiture, lui avait-il dit. Arrange-toi pour que les chevaux de poste ne quittent pas le galop. Elles tomberont dans les bras l'une de l'autre, ou se témoigneront une haine mortelle. Dans les deux cas, les pauvres femmes seront un peu distraites de leur affreuse douleur.

Julien avait exigé de Mme de Rênal le serment qu'elle vivrait pour donner des soins au fils de Mathilde.

— Qui sait? peut-être avons-nous encore des sensations après notre mort, disait-il un jour à Fouqué. J'aimerais assez à reposer, puisque reposer est le mot, dans cette petite grotte de la grande montagne qui domine Verrières. Plusieurs fois, je te l'ai conté, retiré la nuit dans cette grotte, et ma vue plongeant au loin sur les plus riches provinces de France, l'ambition a enflammé mon cœur : alors c'était ma passion... Enfin, cette grotte m'est chère et l'on ne peut disconvenir qu'elle ne soit située d'une façon à faire envie à l'âme d'un philosophe... Eh bien! ces bons congréganistes de Besançon font argent de tout; si tu sais t'y prendre, ils te vendront ma dépouille mortelle...

Fouqué réussit dans cette triste négociation. Il passait la nuit seul dans sa chambre, auprès du corps de son ami, lorsqu'à sa grande surprise, il vit entrer Mathilde. Peu d'heures auparavant, il l'avait laissée à dix lieues de Besançon. Elle avait le regard et les yeux égarés.

— Je veux le voir, lui dit-elle.

Fouqué n'eut pas le courage de parler ni de se lever. Il lui montra du doigt un grand manteau bleu sur le plancher ; là était enveloppé ce qui restait de Julien.

Elle se jeta à genoux. Le souvenir de Boniface de La Mole et de Marguerite de Navarre lui donna sans doute un courage surhumain. Ses mains tremblantes ouvrirent le manteau. Fouqué détourna les yeux.

Il entendit Mathilde marcher avec précipitation dans la chambre. Elle allumait plusieurs bougies. Lorsque Fouqué eut la force de la regarder, elle avait placé sur une petite table de marbre, devant elle, la tête de Julien, et la baisait au front...

Mathilde suivit son amant jusqu'au tombeau qu'il s'était choisi. Un grand nombre de prêtres escortaient la bière et, à l'insu de tous, seule dans sa voiture drapée, elle porta sur ses genoux la tête de l'homme qu'elle avait tant aimé.

Arrivés ainsi vers le point le plus élevé d'une des hautes montagnes du Jura, au milieu de la nuit, dans cette petite grotte magnifiquement illuminée d'un nombre infini de cierges, vingt prêtres célébrèrent le service des morts. Tous les habitants des petits villages de montagne, traversés par le convoi, l'avaient suivi, attirés par la singularité de cette étrange cérémonie.

Mathilde parut au milieu d'eux en longs vêtements de deuil, et, à la fin du service, leur fit jeter plusieurs milliers de pièces de cinq francs.

Restée seule avec Fouqué, elle voulut ensevelir de ses propres mains la tête de son amant. Fouqué faillit en devenir fou de douleur.

Par les soins de Mathilde, cette grotte sauvage fut ornée de marbres sculptés à grands frais en Italie.

Mme de Rênal fut fidèle à sa promesse. Elle ne chercha en aucune manière à attenter à sa vie ; mais trois jours après Julien, elle mourut en embrassant ses enfants.

● **Le chapitre 45** — Voici la dernière page du roman : nous y apercevons un instant les trois principaux personnages.

① Quelles sont les dernières préoccupations de Julien, telles qu'il les a transmises à Fouqué (p. 235, l. 22 et suiv.)? Sont-elles en harmonie avec ce que Stendhal nous dit du dernier matin de sa vie? Quelle impression se dégage de cette première partie du texte?

② Lorsque Mathilde intervient (p. 236, l. 3), le ton ne change-t-il pas? L'attitude de Mathilde correspond-elle à ce que le reste du roman nous a appris de son caractère?

③ Les trois dernières lignes du texte ne marquent-elles pas un retour au ton du début? N'est-il pas significatif qu'il y soit question de Mᵐᵉ de Rênal? Le caractère de Mᵐᵉ de Rênal n'est-il pas à peu près tout entier rappelé dans ce dernier petit paragraphe?

④ Apprécier la sobriété de l'art de Stendhal dans ce *finale*.

● **Le Livre II : thème de réflexion**

Fût-on pénétré pour le Rouge et le Noir de l'admiration la plus ardente, il est impossible d'en accepter le dénouement. Quand Faguet le juge « bien bizarre et, en vérité, un peu plus faux qu'il n'est permis », il énonce un jugement auquel les stendhaliens les plus partiaux doivent souscrire [...]. Pourquoi la lettre de Mᵐᵉ de Rênal porte-t-elle un coup si rude au sceptique et cynique marquis de La Mole? Pourquoi se résout-il, de ce chef, à rompre brutalement un projet de mariage que tant de motifs majeurs font indispensable? Pourquoi Julien, sitôt pris au fait, au lieu de se précipiter chez le marquis et de lui remontrer sa folie, prend-il la poste pour le village de Franche-Comté où vit Mᵐᵉ de Rênal et lui tire-t-il deux coups de pistolet? Nulle raison concevable (Léon Blum, Stendhal et le Beylisme).

A quoi Henri Martineau rétorque :

La brièveté du récit de Stendhal, loin de nous paraître un signe d'embarras, nous apporte au contraire une preuve nouvelle de son génie. Nul homme n'eut jamais moins de théories préconçues : il ne recherche jamais que la vérité. Il a senti spontanément que Julien Sorel, si raisonneur, et même si ergoteur, qui cherche toujours dans une ardente méditation intérieure ses raisons d'agir, devait se déterminer soudain sous le coup d'une émotion forte et qu'il commettrait son crime poussé comme à son insu par une irrésistible impulsion. L'observateur un peu familier avec les sursauts instinctifs et pleins de contradictions du cœur humain, le lecteur attentif des faits divers passionnels pourraient apporter une riche contribution à l'étude de ce cas simple et classique.

⑤ A quelle opinion vous ralliez-vous?

« Il fut conduit à la prison ... on lui mit les fers aux mains » (p. 214, l. 30, 31)
Dessin de Foulquier

Le palais de Justice de Besançon
« Une heure sonnait comme les jurés se retiraient dans leur chambre » (p. 225, l. 20)

ÉTUDE LITTÉRAIRE

Le *Rouge et le Noir* a une épigraphe brutale et sans équivoque, empruntée à Danton : « La vérité, l'âpre vérité ». Et le romancier, comme le révolutionnaire, part d'un pas assuré vers le but ainsi défini. On connaît aussi la célèbre définition du roman que Stendhal attribue parfois à Saint-Réal, un obscur historien du XVIIᵉ siècle, mais qui est plus probablement de lui et qu'il prend à son compte, au chapitre 19 du livre II : « Un roman est un miroir qui se promène sur une grande route. Tantôt il reflète à vos yeux l'azur des cieux, tantôt la fange des bourbiers de la route. » Il n'en a pas fallu davantage pour que Stendhal passât, aux yeux de certaines critiques, pour l'ancêtre des réalistes et des naturalistes. « J'aimerais presque mieux, a écrit Faguet, que le livre eût pour titre sa date. *1830*, c'est le vrai titre de *Rouge et Noir*. »

« Le Rouge et le Noir, chronique de 1830 » *Chronique de 1830* est en effet le sous-titre que Stendhal lui-même a donné à son roman. Mais lorsque cette chronique de 1830 est écrite elle-même — en grande partie — en 1830, on conçoit que la sérénité de l'histoire en soit absente. Stendhal a eu beau s'écrier : « La politique dans une œuvre d'imagination, c'est un coup de pistolet au milieu d'un concert », en réalité il a confié ses rancunes à son livre et, sous la plume de ce libéral, la chronique de la monarchie cléricale restaurée mériterait plutôt le nom de pamphlet.

Dès l'abord, nous sommes introduits dans la province franc-comtoise et dans une petite ville, Verrières, où l'on distinguera mieux les effets de la dictature conjuguée des ultras et des cléricaux. M. de Rênal doit sa mairie à sa noblesse et à sa fortune, et sa position est si solide que, si peu de temps après les jacqueries de la Révolution, lorsqu'il passe dans la grande rue de Verrières, les paysans le saluent avec respect. Mais il y a pire que M. de Rênal, c'est M. Valenod, directeur du Dépôt de mendicité, et, selon la propre expression de Stendhal, (« âme damnée de la congrégation, dont il est le favori », qui réussira même, vers la fin du roman, à remplacer à la mairie de Verrières M. de Rênal, jugé trop modéré. En fait, d'après Stendhal, c'est la congrégation, cette excroissance monstrueuse de l'Église, qui détient le vrai pouvoir, celui de faire les carrières ou de les briser, celui même de violenter hypocritement les consciences, comme lorsque l'abbé Maslon, son suppôt, oblige Mᵐᵉ de Rênal à

écrire au marquis de La Mole la lettre qui sera fatale à Julien.
L'anticléricalisme de Stendhal l'a également poussé à donner
une peinture très sombre du séminaire, école d'hypocrisie
sournoise où l'on apprend moins à servir Dieu qu'à devenir
l'instrument docile et rémunéré de la tyrannie des ultras. Son
directeur, il est vrai, l'abbé Pirard, est sympathique : ainsi la
partialité de Stendhal ne paraît pas trop simpliste; cela montre
aussi que l'institution est plus forte que les individus. Si nous en
croyons Maurice Bardèche, Stendhal, l'homme de l'improvisation, a composé soigneusement l'image caricaturale d'un
ordre social qu'il déteste, et l'on peut y relever comme une
gradation. A Verrières on nous présentait « le spectacle de la
dictature cléricale »; le séminaire « nous en montre les moyens »;
à Paris enfin on peut voir « le cœur de toute cette machine »
chez le marquis de La Mole et ses semblables, qui ont les mains
moins sales et l'âme moins vénale que les petits tacticiens
provinciaux, mais qui sont les stratèges de la politique, donc les
responsables suprêmes de l'injustice et n'ont au surplus de
perfection que dans l'insignifiance. M. Bardèche commente
très justement : « « Le salon de la marquise de La Mole est
d'un ton parfait : on n'y parle de rien qui touche à quelque
chose. »

Cette peinture, fût-elle injuste et passionnée, peut faire à
juste titre considérer *le Rouge et le Noir* comme un roman de
mœurs. Mais, tout en l'admettant, il y a lieu de marquer les
limites de ce réalisme. Bien sûr, quelques allusions à des événements contemporains, comme la représentation d'*Hernani*,
datent cette chronique de 1830; bien sûr, aucun anachronisme
ne nous gêne et les choses devaient se passer à peu près ainsi
dans la province de 1830. Mais précisément Stendhal l'a peu
connue et tout se passe comme s'il développait quelques lieux
communs de la littérature libérale, comme on les trouve aussi
chez Béranger ou Paul-Louis Courier. C'est que, à y regarder
de plus près, Stendhal n'est pas un observateur très réaliste.
Il a osé, c'est lui-même qui l'avoue, « laisser le lecteur dans une
ignorance complète sur la forme de la robe que portent Mme de
Rênal et Mlle de La Mole ». Il craint que trop d'actualité dans
son livre ne le démode, et Georges Blin a relevé au contraire
dans son art une tendance à la généralité « qui évoque la comédie », et qui explique le caractère très général en effet de la plupart
des titres de chapitres (*une petite ville ; un maire ; un père et un
fils ; une capitale ; une procession ; un ambitieux...*, etc.). On
pourrait attendre des personnages secondaires, dont le drame
est moins éternel, plus de couleur locale, et ils sont bien en un
sens plus précisés dans la mesure où ils sont plus caricaturés.
Mais là encore Stendhal n'apparaît pas comme un grand créateur
de types : le père Sorel est créé d'après des souvenirs d'enfance

vieux de quarante ans, et des documents de seconde main sur le procès Berthet. M. de Rênal, M. Valenod, malgré ses favoris noirs, Fouqué, M. de La Mole lui-même ne sont guère que des silhouettes; sans doute ne risque-t-on pas de les confondre entre elles; mais si l'on aperçoit leurs manies, leurs ridicules, leur costume politique ou social, on distingue avec moins de netteté leur caractère. Figés dans leur définition, ces personnages n'évoluent guère et on les sent vivre d'une existence précaire. Ils disparaissent en effet, vers la fin du roman, lorsque le drame se consomme et que leur personnage dérisoire serait déplacé au premier plan. Seule, Mme de Rênal est alors digne d'inspirer de l'amour à Julien dans sa cellule; seule, Mathilde est digne de baiser au front sa tête de guillotiné.

« Le Rouge et le Noir », Si Stendhal connaissait mal la
roman autobiographique société provinciale de 1830, en revanche il a fort bien connu Grenoble vers 1790, et c'est justement avec ses souvenirs d'enfance qu'il a le plus élaboré son roman. D'abord, en ce qui concerne le lieu où débute l'action, il est évident que Verrières, c'est Grenoble; et si Stendhal a appelé *franc-comtois* des paysages en réalité dauphinois, c'est par une discrétion élémentaire, afin d'éviter que l'on pût reconnaître, dans tel ou tel personnage du roman, des êtres réels que Henri Beyle avait connus ou du moins côtoyés. Les érudits modernes se sont pourtant livrés à ce travail minutieux de l'identification, qui pique toujours la curiosité du lecteur depuis les « clés » des *Caractères* de La Bruyère. Il y a aussi des « clés » pour *le Rouge et le Noir*. Il est certain que le père Sorel et M. de Rênal ont été imaginés à l'aide d'éléments empruntés au propre père de l'écrivain, Chérubin Beyle; que Bigillon, un ami de jeunesse de Stendhal, revit en partie dans Fouqué; qu'on retrouve des traits du comte de Tracy et de Pierre Daru chez le marquis de La Mole, cependant qu'à Di Fiori, ami de Stendhal et conspirateur proscrit du royaume de Naples, ressemble étrangement le personnage épisodique, mais haut en couleurs, qu'est le comte Altamira.

Mais Stendhal ne s'est pas contenté de mettre indirectement en scène des personnes qui ont tenu en somme peu de place dans sa vie. Il a transposé des souvenirs beaucoup plus intimes, puisqu'il a emprunté à certaines de ses maîtresses des traits que l'on retrouve chez ses héroïnes. Lorsqu'il commence à écrire *le Rouge et le Noir*, en 1829, Alberte de Rubempré, la capiteuse cousine de Delacroix, est sa maîtresse, et cette femme intelligente, anti-conformiste — « la Parisienne la moins poupée que j'aie rencontrée », déclarera Stendhal —, se retrouve en partie en Mathilde de La Mole, qui, par sa jeunesse et sa fougue, rappelle aussi cette Giulia Rinieri dont Stendhal a été le premier amant en 1830. A cette double « source » de Mathilde, on en ajoute d'ordinaire une troisième en la personne de Mary de Neuville (fille de Hyde de Neuville, le ministre de Charles X) qui venait précisément d'être enlevée par un ami de Mérimée. On pourrait multiplier les exemples de ces emprunts ou de ces ressemblances. Mais l'être réel auquel *le Rouge et le Noir* et son héros principal doivent le plus, c'est incontestablement Stendhal lui-même. Il a mis en scène son enfance douloureuse, incomprise, sevrée de plaisirs, comme celle de Julien ; sa haine de la famille qui en découla, son anticléricalisme, son scepticisme, son admiration pour Napoléon, et son mépris pour la société bourgeoise que Julien Sorel défie, à sa place et comme mandaté par lui, devant les jurés de Besançon. Certains détails précis confirment cette assimilation : nous savons, par la *Vie de Henry Brulard*, que Stendhal écrivit *cella* (avec deux *ll*), sous la dictée de son cousin Daru, mésaventure qui arrive aussi à Julien auprès du marquis de La Mole. Il y a donc toute une autobiographie, presque directe cette fois, qui vient se superposer aux données de l'histoire d'Antoine Berthet et de la chronique de 1830. Et cette autobiographie est double : Stendhal évoque ce qu'il fut, mais sans jamais cesser d'indiquer, ou de laisser deviner, ce qu'il aurait voulu être. Avec ses héros il prend idéalement sa revanche sur un sort souvent contraire : Julien est beau, et d'une finesse physique qui contraste avec la lourdeur et l'obésité de Stendhal ; lorsque Julien se fait aimer de Mme de Rênal, Stendhal est vengé de n'avoir jamais rencontré une aussi tendre maîtresse ; lorsque, malgré son habit noir, il se fait distinguer de tous les jeunes nobles chamarrés et singulièrement du marquis de Croisenois, par une âme de la trempe de Mathilde, voilà Stendhal consolé de bien des rebuffades et de bien des gaucheries de salon. Ainsi ses confessions romancées prennent une résonance singulière : autant que de ses souvenirs et de ses rancœurs, il a fait de son livre le confident de ses nostalgies.

Le travail de création   Ainsi qu'on peut le constater, les « sources » de ce roman sont nombreuses et variées : si la lecture d'un ou deux articles de la *Gazette des tribunaux* a pu donner à Stendhal l'idée première de son livre, celui-ci, au cours d'un véritable travail de maturation, s'est enrichi d'une foule d'anecdotes ou de caractères fournis en effet par le XIXe siècle dont Stendhal était le témoin, tandis que s'y mêlaient des souvenirs et des émotions de sa propre existence. C'est assez dire combien sont insuffisantes les

« clés » qui prétendraient identifier un personnage du roman avec tel ou tel ami, telle ou telle maîtresse de l'auteur. Comme chez tous les grands écrivains, la création est chez Stendhal le fruit d'une synthèse, forcément un peu mystérieuse puisque c'est l'acte même du génie, mais qu'il ne faut jamais ni oublier ni minimiser. Le plus souvent, d'ailleurs, Stendhal a emprunté à plusieurs personnes réelles des traits de caractère qu'il n'a attribués qu'à un seul personnage, comme cela semble le cas pour Mathilde de La Mole, tandis que, inversement, les souvenirs de son père lui ont servi à noircir à la fois le portrait du père Sorel et celui de M. de Rênal. Il entre de l'imagination créatrice dans le travail de tout grand romancier, même quand il se prétend observateur de son époque. Plus que tout autre, Stendhal confirme cette vérité, lui qui a créé en Mathilde de La Mole, fille d'un noble ultra de 1830, une personne « faite pour vivre avec les héros du Moyen Age », lui qui a donné à Mme de Rênal une puissance de passion plus concevable dans l'Italie du XVIe siècle que dans une tranquille petite ville de la province française sous la Restauration. Disons, pour conclure, que plus les matériaux, au point de départ, sont nombreux et divers, plus sont riches les fruits de l'élaboration et de la synthèse créatrices. Cela apparaît notamment dans les caractères des principaux personnages du roman.

Les caractères : Julien Sorel

En lui, il y a eu à l'origine l'ébéniste Laffargue, et Antoine Berthet, héros réels de deux faits divers ; mais Stendhal a très vite ajouté à ces données les souvenirs de sa propre vie, et soumis l'ensemble à tout un travail d'idéalisation, de stylisation qui définit, nous venons de le voir, la création artistique. Dès lors, on ne peut s'étonner que le personnage de Julien soit complexe et, si l'on en doutait, il suffirait de se reporter à l'histoire de son interprétation. Peu de personnages de roman ont donné lieu à tant d'erreurs, et aussi tenaces. Comme Stendhal lui-même l'avait prévu, les contemporains ont préféré à Julien Sorel (A. Caraccio le remarque plaisamment) Quasimodo, le capitaine Phébus, la Esmeralda, et même la chèvre de la Esmeralda. Mérimée voyait en Julien « un type effrayant » ; et Sainte-Beuve, avec l'autorité d'un critique officiel et patenté, a stigmatisé son ambition, son arrivisme. A la suite de Sainte-Beuve, on a reproché à Julien sa tête trop froide, ses allures de calculateur cynique, de séducteur sans scrupules, et on l'a comparé aux héros les plus noirs de notre littérature, de Tartuffe à Bel-Ami, en passant par Valmont. En un mot, on s'est hâté de le juger avant de le comprendre ; mais, si on l'a plutôt accablé, cela montre au moins qu'il est apparu, même — et surtout — à ses détracteurs, singulièrement vivant, ce qui est au fond la première qualité d'un personnage imaginaire.

Taine, le déterministe, fut amené par son système à essayer simplement de comprendre Julien et, après tant de jugements moraux, son analyse « scientifique » prend l'allure d'une réhabilitation. A sa suite, Zola, Paul Bourget, Léon Blum et, plus près de nous, Henri Martineau et Maurice Bardèche, entre autres critiques, montrent plus de pénétration que les premiers commentateurs et, par là même, plus d'indulgence. Ce n'est point qu'il faille louer uniment Julien. Il faut plutôt essayer d'apercevoir les grands traits d'une personnalité très diverse. D'abord, comme Stendhal, Julien s'explique en partie par son enfance, sa solitude d'intellectuel adolescent qui, dans la scierie paternelle, a le mauvais goût de préférer un livre à une varlope, par la conscience précoce et douloureuse que, dans la société où il vit, et dont Verrières est un échantillon fidèle, sa réussite ne sera pas à la mesure de son talent. Mais un héros stendhalien ne s'avoue pas vaincu avant d'avoir livré bataille, surtout lorsqu'un vieux chirurgien-major de la Grande Armée lui a légué, avec un exemplaire du *Mémorial de Sainte-Hélène*, une admiration enthousiaste pour Napoléon. Julien est donc ambitieux, si l'on veut, bien que l'ambiguïté de ce terme ait suscité, parmi ses commentateurs, bien des controverses. Cette ambition, profondément, est chez lui la soif de justice d'un déshérité bien plus que le parti pris d'un calculateur. Certes, Julien emploie parfois des moyens qui nous paraissent cyniques, et nous voudrions qu'il s'abandonnât davantage, qu'il cessât au moins de calculer dans les bras de Mme de Rênal. On ne peut non plus contester ses hypocrisies, mais ce n'est pas un arriviste vulgaire : il est hypocrite comme on cache sa tête sous le bras pour se protéger des coups, — et ce dut être son cas plus d'une fois; il est hypocrite parce qu'il est forcé de l'être dans une société où les nobles risquent à tout moment, comme un jour Mathilde, de lui rappeler vertement qu'il est « le premier venu », une société où l'évêque d'Agde lui-même utilise un miroir pour mettre au point les gestes de sa bénédiction. Mais il serait plus juste de dire que Julien s'impose l'hypocrisie et que, spontanément, il est honnête et probe, quand il n'est pas enthousiaste et étourdi. Maurice Bardèche note très justement que, au fond, « c'est une âme chevaleresque. Il a des premiers mouvements de sous-lieutenant ». De nos jours, après plus d'un siècle de critique, c'est ainsi qu'on voit le personnage, et les lecteurs de Stendhal ne sont pas loin d'avoir pour Julien les yeux de Mme de Rênal et de Mathilde. On peut discuter à l'infini sur ce qu'il entre de timidité et d'orgueil, de lucidité et d'abandon dans l'alliage complexe qui définit son caractère. Mais il ne faut pas oublier de suivre jusqu'au bout son évolution. Les derniers jours de la vie d'un homme expliquent souvent cette vie tout entière ; c'est le cas pour Julien. Que l'on songe aux derniers chapitres du roman, à ce dénouement, controversé depuis qu'il y a des critiques et qui pensent, mais qui a du moins le mérite d'éclairer de façon décisive la personnalité de Julien : si l'hypocrisie était le fond de son être, il ne lui aurait pas échappé, même après la lettre de Mme de Rênal au marquis de La Mole, que l'état de Mathilde lui donnait de quoi faire chanter son protecteur. Mais, au lieu du calculateur impassible — qu'on attendait peut-être —, voici qu'apparaît l'amoureux : la lettre de Mme de Rênal n'est pas à ses yeux la péripétie supplémentaire, l'ultime petit problème à résoudre qu'elle est en effet. Il la ressent comme une insulte, une gifle, et d'autant plus cinglante qu'elle émane de la femme qu'il aime et que justement elle lui rappelle ou plutôt lui fait découvrir cet amour. De là cette course éperdue jusqu'à l'église de Verrières, en passant par le magasin de l'armurier. Julien ne tue pas Mme de Rênal avec ses « petits pistolets », mais quelqu'un cependant est mort dans l'aventure : le jeune homme qu'il avait été jusque-là, avec ses incertitudes de plébéien égaré, ses oscillations continuelles entre l'enthousiasme et la méfiance. La perspective de la mort débarrasse les derniers jours de sa vie de tout ce qu'il y entrait auparavant d'ambition, de petits calculs, de puérilités tantôt émouvantes, tantôt presque scélérates. Le voici désormais lui-même : dans sa prison, Mathilde, la future mère de son enfant, lui est importune, parce que la séduction de Mathilde n'avait été qu'une gageure et le moyen d'une ambition devenue dérisoire ; mais les bras de Julien s'ouvrent quand paraît Mme de Rênal, et il la couvre de baisers car c'est elle qu'il a vraiment aimée, et maintenant il s'abandonne et proclame entre deux sanglots que jamais il n'a été aussi heureux. En nous peignant ces derniers moments d'intimité et de parfait amour, que seule la guillotine va interrompre, Stendhal réussit même à nous faire oublier, comme ses héros, que Mme de Rênal a laissé à Verrières un mari et des enfants. C'est que Julien vit alors avec Mme de Rênal ce qui constitue, selon Stendhal, le véritable amour, l'amour-passion, heureusement partagé, critère décisif de la qualité d'une grande âme. Nous sommes bien loin alors des recettes de séduction du prince Korasoff et de la femme de Paris qui, comme Mathilde, « n'aime son amant qu'autant qu'elle se croit tous les matins sur le point de le perdre ». Grâce à Julien, que Mme de Rênal aura finalement révélé à lui-même comme au lecteur, nous voici au cœur de ce beylisme qu'Henri Beyle eut la disgrâce de ne jamais pouvoir incarner. Nous sommes en pleine passion, devant l'imminence de la mort, car un peu de tragique ne messied pas à l'épicurisme stendhalien ; en pleine jeunesse aussi car Julien — ce n'est pas une banalité de le souligner — est jeune : sa jeunesse, avec la capacité de passion qu'elle implique, est peut-être en lui le trait le plus profond, le plus permanent, qui explique aussi bien son appréhension, quand il se présente pour la première fois à la grille de M. de Rênal, que ses triomphes de séducteur, quand il entreprend de se faire aimer, et jusqu'à ses arrogances de désespéré devant le jury de Besançon. Il a l'amour du jeu, du risque, une énergie tout « espagnole », l'horreur de la bassesse, la peur continuelle d'un ridicule qui d'ailleurs ne l'atteint jamais. Tout au plus fait-il sourire quelquefois son créateur par ses enfantillages. Mais comme ce dernier aurait voulu être aussi séduisant et aussi comblé !

Madame de Rênal Avec elle, Stendhal a déjoué la sagacité des critiques : on ne sait de quelle femme connue de lui Stendhal s'est inspiré pour modeler son portrait, ni même s'il s'est inspiré d'aucune. On inclinerait plutôt vers cette dernière solution ; il y a d'ailleurs, chez cette épouse soumise d'un noble de province, chez cette mère, chez cette amante, une tendresse parfaite qui en fait une créature de rêve, douée d'une délicatesse mise en valeur par la médiocrité de M. de Rênal, qui l'a épousée, et la grossièreté de M. Valenod, qui la courtise. Et il semble bien, en effet, que Stendhal l'ait rêvée. Elle est née peut-être de ses rêves d'enfant orphelin, et cela expliquerait ce qu'il y a de maternel, justement, dans l'amour de cette « femme de trente ans » pour l'adolescent encore plus timide qu'elle, qui, en venant prendre ses fonctions de précepteur, « n'osait pas lever la main jusqu'à la sonnette. » Mais Mme de Rênal est née aussi, sans doute, des souvenirs littéraires de Stendhal, des rêveries qu'avait provoquées en lui, dès l'adolescence, son livre favori : *La Nouvelle Héloïse*. Il y a beaucoup de Julie en Mme de Rênal : elle en a la pudeur, la tendre réserve, mais aussi les abandons chaleureux. Peu experte en subtilités psychologiques, et vivant elle aussi, en un sens, près de la nature, elle englobe dans le même attendrissement l'amour et la vertu, ses enfants et leur précepteur, jusqu'au moment où ses remords, la conscience de sa faute et surtout de ses sentiments pour Julien, son désespoir enfin la transforment et donnent à son visage les traits d'une grande passionnée, dont Stendhal a voulu précisément que le destin fût de mourir d'amour.

Mathilde de La Mole Pour parler comme l'auteur du traité *De l'Amour*, si Mme de Rênal représentait assez bien l'amour physique, Mathilde c'est l'amour de vanité, l'amour de tête. Ce type de femme énergique était bien connu de Stendhal, dont les biographes sont d'accord pour penser que Métilde Dembowska et Alberte de Rubempré, entre autres, ont pu fournir au moins l'esquisse du caractère de Mlle de La Mole. En tout cas, la confrontation de Mathilde et de Julien, par delà la différence de classe sociale, est celle de deux égaux. Julien excite sa curiosité tandis qu'elle pique la vanité de Julien. Dès l'abord ils se défient; il s'agit de savoir lequel domptera l'autre, et l'histoire de leur amour est celle d'un long combat.

En un sens, Mathilde est fière d'être noble, mais comme si cette qualité s'était affadie dans la France de 1830, elle vit en esprit au temps de la Fronde ou de la Renaissance et porte, un jour par an, non sans ostentation, le deuil de son ancêtre Boniface de La Mole, qui avait connu la double consécration de conspirer contre son roi et d'être l'amant de sa reine. Mais, plus encore que la noblesse, c'est l'énergie, l'honneur, l'esprit chevaleresque, autrefois l'apanage de cette classe sociale, qui exaltent son cœur. Pour l'instant, elle s'ennuie au milieu des dorures du brillant et terne salon de ses parents, et les jeunes nobles qui sont ses prétendants lui apparaissent désespérément interchangeables. Au fond, comme Julien, mais pour d'autres raisons, elle est seule au milieu de sa famille et craint que la société ne lui permette jamais un grand destin. Tout change lorsque paraît Julien. Il est peut-être plébéien, mais il est énigmatique et de sa personne tout entière émane quelque chose de singulier, d'indompté, de rayonnant. Mathilde le remarque d'emblée et s'écrie déjà avec enthousiasme : « Celui-là n'est pas né à genoux. » Julien, après quelque temps d'apprentissage mondain, a perdu de sa gaucherie et se détache aisément sur le fond uniforme des jeunes marquis, remarquables par leur « disette d'idées et encore plus de sentiments ». Il est de surcroît un peu inquiétant, et Mathilde frémit délicieusement à l'idée que le petit secrétaire de son père, qui est peut-être un futur Danton, ferait envoyer, en cas de Révolution, toute sa famille à la guillotine. Mais Julien la fascine par un danger plus immédiat, celui de sa séduction. Il l'attire d'abord sans la chercher; puis elle-même, comme on provoque en duel, le provoque en amour et, Julien n'étant pas homme à refuser de tels défis, ce mécanisme le conduira irrémédiablement dans la chambre de Mathilde, mais il passera par la fenêtre, comme un amant ou un conspirateur de la Renaissance. Mathilde a donc eu le héros de ses rêves, auquel la mort ajoutera une auréole supplémentaire. Il ne restera plus à Mathilde qu'à ponctuer de quelques gestes un peu grandiloquents, mais d'un romanesque qui lui va bien, des funérailles aussi « hors du commun » que l'avaient été leurs âmes ainsi que leur liaison éphémère et tourmentée.

Le style   Stendhal a exprimé lui aussi son idéal en matière de style, sous la forme d'une boutade frappante : Malherbe avait pour maîtres les « crocheteurs du Port aux foins », Stendhal prendra pour modèle le Code civil. Entendons par là qu'il veut échapper à l'emphase romantique — il la juge sévèrement — et qu'au niveau de la forme aussi il veut « l'âpre vérité ». Son traité *De l'Amour* (livre I, chap. 9) nous précise ses scrupules : « Je fais tous les efforts possibles pour être *sec*. Je veux imposer silence à mon cœur qui croit avoir beaucoup à dire. Je tremble toujours de n'avoir écrit qu'un soupir, quand je crois avoir noté une vérité. » Son style n'est pas pour autant uniforme, même dans *le Rouge et le Noir* qui est sans doute son roman le plus dépouillé. D'abord, on sent la présence à peu près constante du narrateur, et ces « intrusions d'auteur », selon la formule de Georges Blin, égaient le récit de l'humour léger que Stendhal réserve aux personnages qui lui sont sympathiques. Une ironie plus mordante se manifeste parfois, lorsque sont abordés des thèmes politiques et sociaux chers à Stendhal et qu'il stigmatise d'un mot ce qu'il y a de ridicule ou d'odieux dans un préjugé ou une injustice. On peut parler aussi parfois d'un certain frémissement qui ressortit presque au lyrisme. C'est dire que les registres sont variés. Mais jamais Stendhal ne tombe dans la grandiloquence. Il est trop conscient de lui-même, de ses faiblesses, et de son art. Si « classique est l'écrivain qui porte un critique en soi-même et qui l'associe intimement à ses travaux », selon le mot de Valéry, on peut dire assurément que Stendhal a le style d'un classique. Le style lui aussi, à sa façon, est un miroir, et Stendhal l'a voulu aussi peu déformant que possible. Il a un air de chronique, un déroulement linéaire, si l'on peut dire, et la grâce suprême de la discrétion : on ne le remarque que pour l'admirer.

JUGEMENTS

Un auteur assez content de son œuvre (STENDHAL, *Lettre au comte Salvagnoli*) :

> Le naturel dans les façons, dans les discours est le beau-
> idéal auquel M. de Stendhal revient dans toutes les scènes
> importantes de son roman et il y en a de terribles à en juger
> seulement par la vignette que le libraire Levavasseur, fidèle
> à la mode, a placée sur la couverture enjolivée de son livre ;
> on y voit l'héroïne, Mlle de La Mole, qui tient entre ses bras
> la tête de son amant que l'on vient de couper. Mais avant
> d'arriver à cet état-là, cette tête a fait bien des folies, et ces
> folies étonnent sans cesser d'être naturelles. Voilà le mérite
> de M. de Stendhal [...]
>
> Il a osé peindre l'amour de Paris. Personne ne l'avait tenté
> avant lui. Personne non plus n'avait peint avec quelque soin
> les mœurs données aux Français par les divers gouvernements
> qui ont pesé sur eux pendant le premier tiers du XIXe siècle.
> Un jour, ce roman peindra les temps antiques comme ceux de
> Walter Scott.

Mais le prince des critiques sera plus réticent (SAINTE-BEUVE, *Causeries du Lundi*, 9 janvier 1854, tome IX, p. 328-330) :

> *Le Rouge et le Noir*, intitulé ainsi on ne sait trop pourquoi,
> et par un emblème qu'il faut deviner [...] est du moins un roman
> qui a de l'action. Le premier volume a de l'intérêt, malgré la
> manière et les invraisemblances. L'auteur veut peindre les classes
> et les partis d'avant 1830. [...] Beyle est [...] très frappé de cette
> disposition à *faire son chemin* qui lui semble désormais l'unique
> passion sèche de la jeunesse instruite et pauvre, passion qui
> domine et détourne à son profit les entraînements mêmes
> de l'âge : il la personnifie avec assez de vérité au début dans
> Julien [...]. La prompte introduction de ce jeune homme timide
> et honteux dans ce monde pour lequel il n'avait pas été élevé,
> mais qu'il convoitait de loin ; ce tour de vanité qui fausse en lui
> tous les sentiments et qui lui fait voir, jusque dans la tendresse
> touchante d'une faible femme, bien moins cette tendresse même
> qu'une occasion offerte pour la prise de possession des élégances
> et des jouissances d'une caste supérieure ; cette tyrannie mépri-
> sante à laquelle il arrive si vite envers celle qu'il devrait servir
> et honorer ; l'illusion prolongée de cette fragile et intéressante
> victime, madame de Rênal : tout cela est bien rendu ou du moins

le serait, si l'auteur avait un peu moins d'inquiétude et d'épigramme dans la manière de raconter. Le défaut de Beyle comme
romancier est de n'être venu à ce genre de composition que par
la critique, et d'après certaines idées antérieures et préconçues;
il n'a point reçu de la nature ce talent large et fécond d'un récit
dans lequel entrent à l'aise et se meuvent ensuite, selon le cours
des choses, les personnages tels qu'on les a créés; il forme ces
personnages avec deux ou trois idées qu'il croit justes et surtout
piquantes et qu'il est occupé à tout moment à rappeler. Ce ne
sont pas des êtres vivants, mais des automates ingénieusement
construits; on y voit, presque à chaque mouvement, les ressorts
que le mécanicien introduit et touche par le dehors. Dans le
cas présent, dans *le Rouge et le Noir*, Julien avec les deux ou
trois idées fixes que lui a données l'auteur, ne paraît plus bientôt
qu'un petit monstre odieux, impossible, un scélérat qui ressemble
à un Robespierre jeté dans la vie civile et dans l'intrigue domestique : il finit en effet par l'échafaud. Le tableau des partis et des
cabales du temps, que l'auteur a voulu peindre, manque aussi de
cette suite et de cette modération dans le développement qui
peuvent seules donner idée d'un vrai tableau de mœurs.

Julien Sorel et Tartuffe (ALBERT THIBAUDET, *Revue de Paris*, 1er décembre 1930) :

Il semble que les deux scènes capitales de *Julien homme
d'énergie* soient inspirées de *Tartuffe* et reproduisent la situation
de Tartuffe dans les deux scènes qu'il passe avec Elmire.

La première : Julien et Mme de Rênal. Julien, comme Tartuffe,
procède par attaque directe. *Que fait là votre main ?* est, dans
Tartuffe, l'équivalent de la scène de la terrasse dans *le Rouge*,
de la main de Mme de Rênal prise par Julien. Équivalent seulement en un sens. On ne peut comparer l'homme qui possède
la confiance et la conscience d'Orgon avec le petit précepteur
domestique du château de Verrières. Mais le mouvement
de bas en haut est le même. Les jeux de l'intérêt et de l'amour
se retrouvent. La séduction de la femme du maître par la froide
astuce de l'homme d'en bas reste le chemin éternel. Et à la
limite d'une *Chronique du XIXe siècle* il y a une *Fin des Notables*,
un

C'est à vous d'en sortir, vous qui parlez en maître !

adressé à ces notables dont M. de Rênal est bien le type. Tout
cela est contenu dans la main prise et gardée. Mais Julien est
un Tartuffe qui réussit, Tartuffe un Julien qui échoue. Le moins
tartuffe des deux est peut-être Tartuffe, puisqu'alors il aime
Elmire et que Julien n'aime pas Mme de Rênal. Il est vrai que
celui des deux qui agit vraiment pour le ciel, c'est-à-dire pour

un idéal, c'est Julien, puisqu'il ne songe qu'à gagner sa propre estime par un acte d'énergie gratuite, tandis que Tartuffe ne cherche qu'à posséder la jeune femme.

La seconde : Julien quand Mlle de La Mole lui a écrit qu'elle l'attend la nuit dans sa chambre.

Ce langage à comprendre est assez difficile.

Tartuffe, lui, devant la déclaration d'Elmire, flaire le piège. Homme d'énergie, il va néanmoins de l'avant, et il y tombe. La fusillade de l'ennemi a fait une victime. Cela n'empêche pas le soldat voisin, Julien, qui le flaire aussi, qui a vu tomber Tartuffe, d'aller aussi de l'avant. La loi du *Noir* est la même que celle du *Rouge*. Peut-être les jeunes nobles sont-ils là-haut pour berner Julien. Peut-être les laquais sont-ils commandés pour le bâtonner. La position est plus dangereuse encore que celle de Tartuffe. Et cependant Julien rend ses pistolets. Et il va. Le noir monte à l'assaut, du style dont, rouge, il eût enlevé derrière Caulaincourt la grande redoute à la Moskowa.

La technique du roman (GEORGES BLIN, *Stendhal et les problèmes du roman*, p. 156-159) :

Dans le *Rouge* [...], le parti pris de l'auteur coïncide si ostensiblement avec celui du protagoniste que nous l'adoptons, nous aussi, une fois pour toutes, et ne participons à l'action qu'à partir de ce foyer privilégié [...]. Si le romancier nous accorde de nous rendre parfois transparentes des régions qui restent dérobées à l'œil de son héros, il nous a, au préalable, installés avec celui-ci dans un rapport de connivence si serrée que, loin de trahir jamais la façon de voir de l'élu, quand il nous arrive de dépasser la portée de sa vue, c'est encore une perspective restant idéalement la sienne que nous prenons sur cette rallonge de champ [...]. Dans la plupart des épisodes décisifs, [le romancier] se maintient à la hauteur du protagoniste et marche à son pas, de telle sorte que le progrès de la narration se trouve, autant qu'il est possible, réglé par les variations du champ subjectif. On se souvient que la scène de la *mainmise* sous le tilleul est tout entière, ou peu s'en faut, décrite à travers l'agressive intentionnalité du jeune précepteur. Il en va de même de celle où l'on voit le héros découvrir peu à peu dans l'antique abbaye de Bray-le-Haut quel est l'inconnu qui bénit son miroir d'un air si fâché et quelle est l'espèce de comédie qu'il répète ainsi, avec tant de maussaderie et d'onction. La cérémonie religieuse qui suit est, elle aussi, évoquée de la place qu'occupe le jeune homme dans la chapelle : sur une marche ou contre un chambranle doré [...]. Il n'est guère besoin de souligner combien cette technique rend un son moderne. On en trouvera sans difficulté d'autres échantillons dans la suite du même roman. C'est là, semble-t-il, que Stendhal a pour la première fois et de propos délibéré soumis au lecteur des sensations, provisoirement ou définitivement coupées de leur sens. Que l'explication n'ait fait irruption qu'après coup dans la conscience du personnage ayant enregistré l'impression ou que celui-ci n'ait jamais réussi à se « rendre compte » de ce qui était arrivé, dans les deux cas le romancier, se refusant à nous munir des clefs qui ont échappé à l'intéressé, en a usé, comme il est clair, de telle sorte que le récit, rigoureusement inhérent à un présent vécu, n'aille point s'enchaîner par-dessus la tête ou dans le dos du personnage qu'il nous a tenus d'animer.

Improvisation et composition (JEAN PRÉVOST, *La Création chez Stendhal*, p. 247-248, 263-264 et 266) :

La plus riche substance du *Rouge* est faite des pensées de Julien. Un tel roman ne peut se composer fort loin à l'avance; on ne peut prévoir comment la page en cours va influer sur la page suivante, ni comment le chapitre qui va suivre changera quelque chose au chapitre (seulement entrevu) qui doit lui succéder.

Certains événements : l'entrée chez un riche provincial, l'arrivée au séminaire, l'entrée chez un homme noble, la tentative de meurtre, l'exécution capitale servent de guides et de repères : rien de plus. Une succession de pensées comme celles de Julien, qui s'engendrent l'une l'autre, qui réagissent brusquement sur tous les événements de la vie, ne peut s'inventer que dans l'ordre même où elle est peinte, et au même moment. Mais l'absence d'un plan détaillé ne veut pas dire que l'auteur ne compose point, qu'il n'obéisse pas à des règles personnelles précises...

D'abord une mise en train, qui évoque assez fortement, pour l'auteur et pour le lecteur, le milieu et le héros. Ensuite un *contrepoint*, un entrecroisement régulier entre l'intrigue principale et les épisodes qui peignent les mœurs et reposent de l'intrigue; des changements de lieu chaque fois que l'intrigue (qui doit toujours progresser) est arrivée à un maximum d'intensité, et que l'intérêt risque de décroître; une double fin contrastée: le plus grand triomphe, aussitôt suivi de la pire catastrophe.

Personnages secondaires et personnages principaux :

[...] Les personnages qui sont peints en moins de traits, doivent être peints en traits plus gros que les héros principaux. Seuls ils sont vus selon les coutumes du théâtre classique.

D'abord ces personnages secondaires restent fixes : leur caractère est dessiné une fois pour toutes et conformément à quelques types généraux. Les personnages importants, au contraire, ont des humeurs et des idées qui évoluent sans cesse. Jusqu'à Stendhal, dans le roman français, seuls les personnages qui parlent à la première personne avaient droit à cette évolution continue — les autres pouvaient tout juste offrir un coup de théâtre — et dans leurs rapports avec le héros principal. L'un des plus graves reproches que la critique moyenne fit au *Rouge* [...], c'est la trop grande variété dans le caractère du héros. Ce Julien heurtait la doctrine classique, racinienne, de la constance ou plutôt de la fatalité des caractères. Il est plus près de Corneille, et surtout de Montaigne, que de la psychologie littéraire entre 1660 et 1830.

Les confidents :

Parmi ces types secondaires qui relèvent de la comédie classique, plus que les personnages importants du roman il faut placer les confidents et les confidentes : Fouqué et Mme Derville n'ont pas d'autre rôle. Quand Julien est à Paris, nous risquons de manquer d'un confident léger : alors intervient l'académicien, confident indiscret. Dans les cas graves, l'abbé Pirard (relégué dans cette seconde partie au rôle de comparse) reprend ce même rôle mais avec plus de nuances.

Ainsi le monologue intérieur ne tue pas tout à fait les confidents. Pourtant le roman, différent en cela du théâtre, n'a pas le besoin technique de la réplique qui laisse respirer le protagoniste, et en dirige les gestes ailleurs que vers les spectateurs. Cet « emploi » n'est point procédé routinier, mais imitation de la nature. Mme de Rênal, par exemple, est-elle femme à se raisonner elle-même? Elle est de ces êtres spontanés qui n'arrivent à la conscience de leurs sentiments que par la réponse aux questions, par l'aveu. Fouqué est nécessaire à Julien qui monologue, comme la seule *résistance* à ses idées ou à ses rêves qu'il soit forcé de respecter. L'abbé Pirard jouera ce même rôle de *confident opposé*.

Le dénouement (Albert Thibaudet, *Revue de Paris*, 1er décembre 1930) :

Le dénouement du *Rouge et Noir* n'est pas seulement le dénouement de l'histoire de Berthet, c'est aussi le dénouement de Tartuffe [...].

Tartuffe n'a pas subi un échec ordinaire, mais une humiliation atroce. Il ne se voit pas du point de vue du parterre, ni du critique littéraire, ni du moraliste. Il se voit de son point de vue intérieur à lui, du fond de sa chair, livré par la femme qu'il aime à l'imbécile qu'il méprise. Il n'est pas Samson, mais il se comporte comme Samson trahi par Dalila. Il n'a qu'une pensée, qu'un mouvement : saisir les colonnes de la maison qui abrite ses ennemis, sa menteuse maîtresse, maison qui est à lui en outre, les écraser, dût-il être écrasé lui-même. Or Julien s'est vu trahi par Mme de Rênal comme Tartuffe par Elmire. Il se précipite à Verrières, d'une traite, d'un élan, comme Tartuffe chez le lieutenant de police. L'énergie de l'un et de l'autre n'est plus employée, comme chez Berthet et Laffargue, qu'au mouvement le plus rapide vers la vengeance. Mme de Rênal est à l'église, Julien ne s'attaque pas aux piliers romans, à la Samson, ce qui ne servirait à rien, il tire son coup de pistolet. Il ira à la guillotine, Tartuffe aux galères, les Philistins ont le temps de se sauver, et la poutre maîtresse a cassé les reins de Samson.

Le style, selon JEAN PRÉVOST (*La Création chez Stendhal*, p. 270-272) :

Par des années d'exercice quotidien, par l'art de repenser à neuf ce que d'autres ont écrit et ce qu'il a écrit lui-même, Stendhal arrive à être bref en inventant. Il juge, il fait agir en trois mots lâchés à l'improviste, et qui empruntent une partie de leur force à l'imprévu de la formule [...].

Pas de divisions intérieures de la phrase, de ces symétries qui en mettent l'équilibre au milieu. Le mot essentiel est à la fin : « Tout bon raisonnement offense. » « Tous ses plaisirs étaient de précaution. » Quand il faut conter tout au long un fait ou une pensée, la formule brève, l'étincelle, qui éclaire à la fois la pensée et le mouvement d'humeur, est jetée au bout du paragraphe ou du chapitre; elle donne à tout ce qui précède une extrême intensité.

Julien qui trouve fou de monter chez Mathilde se résume : « Je serai beau sur mon échelle » ou quand il désespère : « Pourquoi suis-je moi ? »...

Le langage de Stendhal est d'une sûreté presque infaillible, quand il s'agit des noms et des verbes. Les adjectifs sont plus communs, et l'auteur n'y sort pas des habitudes de la conversation. On a noté, par exemple, la fréquence du mot *affreux*. Les épithètes ne prennent du relief qu'à la place de l'attribut, à la fin de la phrase [...]. Mais l'adjectif n'est-il pas toujours la preuve d'une recherche de style faite après coup? Mieux choisis, plus nombreux, ils détourneraient le lecteur de l'essentiel de la phrase, et nuiraient au mouvement.

La manière de Napoléon (ALBERT THIBAUDET, *Revue de Paris*, 1er décembre 1930) :

Julien hésite à aller au rendez-vous de Mathilde, flairant un piège, quand il aperçoit un buste de Richelieu sur sa cheminée : « Ce buste éclairé par sa lampe avait l'air de le regarder d'une façon sévère, et comme lui reprochant le manque de cette audace qui doit être si naturelle au caractère français. De ton temps, grand homme, aurais-je hésité? » Voilà le style napoléonien, âme, cadence et coupe, le mot de Bonaparte à d'Andigné quand celui-ci excusait une défaillance du comte d'Artois avant Quiberon : « Il fallait se jeter dans une barque de pêche! » Il y a dans notre littérature une manière césarienne, sèche, d'action et d'énergie pure, qui n'est représentée que par Napoléon et Stendhal. Elle a contre elle, de 1815 à 1830, et même plus tard, un style *ultra*. *Ultra* comme réactionnaire et sentimental, *ultra* parce qu'il dépasse l'idée par la phrase.

TABLE DES MATIÈRES

Imprimerie Jean-Lamour, Maxéville. — 710379-8-1990.
Dépôt légal : septembre 1990 — Dépôt légal 1re édition : 1968
Imprimé en France